藤本 壱
Fujimoto Hajime

新版

株初心者も
資産が増やせる

高配当株投資

自由国民社

●本書の企業名の表記について

本書の文中では、原則企業名（株式銘柄名）とともに証券コードと主要な上場市場を表記していますが、次のような表記方法となっています。

例：ベリテ（3209・二部）

証券コードのみ	⇒	特に断り書きがない限り東証一部上場
二部	⇒	東証二部上場
JASDAQ	⇒	東証ジャスダックスタンダード上場
マザーズ	⇒	東証マザーズ上場

●配当と配当利回りについて

本書では特に断り書きのないかぎり、「配当」は直近の会社の「今期予想配当」、「配当利回り」は「予想配当利回り」を指します。

はじめに

２０２０年春、新型コロナウイルスの世界的流行という未曽有の事態が起こり、日本も緊急事態宣言等により経済活動がほぼストップするという状態に陥りました。現在はワクチン接種がかなり進み、感染者数も落ち着いてはいますが、再び感染拡大が起こらないとは限りません。今後も警戒が必要で、しばらくは「ウィズコロナ」の状態が続きそうです。

こうした中、昨年から証券会社の口座開設数が急増しており、中でも20代〜30代が5割以上を占めています。今回のコロナ禍による社会不安が、若い世代で投資を始める人が増えるきっかけとなったようです。

さて、投資初心者にはイデコやつみたてＮＩＳＡが人気ですが、もう少しリスクを取ってアクティブな投資がしたいので、「株式投資でも比較的リスクの少ない方法はないだろうか」とお考えの方も多いのではないかと思います。

そのような方にお勧めしたいのが「高配当株投資」です。配当利回りが高い「高配当株」を買い、配当を受け取りつつ原則中長期的に保有し、成長とともに値上がり益も狙うという方法です。短期売買を繰り返すのと比べると、多少時間はかかるかもしれませんが、リスクを抑えつつ大きめのリターンも狙うことができます。人生の中で必要になる、教育資金や老後資金などの資産を長い目で作っていく際に、高配当株投資は適しています。

近年は企業の株主還元を重視する流れが強まり、配当を増やす企業が多くなっています。2020年・2021年の3月期決算では、コロナ禍による業績悪化で減配や無配となる企業も少なくありませんでしたが、そうした中でも連続増配を続ける企業も多くありました。2021年は、経済活動が本格的に再開されて昨年のリバウンド消費もあり、増益予想や増配予想の企業も多く、さらに業績予想を上方修正する企業も目立ちます。

2022年3月期決算銘柄の配当総額は、12兆3000億円余になる見込みで、3年ぶりに過去最高を更新すると見られており、大きなチャンスです。

現在、年3%を超える高配当銘柄は多いですが、利回りが高ければ何でも良いわけではありません。業績も財務も悪いのに、無理して高配当を出し続ける銘柄もあり、これは避けるべきです。また、株主還元には自社株買いや優待など、配当以外のものもあります。

そこで本書では、次の①だけではなく、②以降も高配当株の要素と考えます。これらを極力満たす銘柄が理想的な高配当株といえます。業績が安定して配当が高い、あるいはこれから増やしていく銘柄は、やっぱり買われて株価も長期上昇していくものです。

①現状の配当利回りが高い（3％以上）か、今後配当が増えて将来的に配当利回りが高くなりそうである

②業績が順調に伸びていて、配当だけでなく値上がり益も狙える
③業績・財務面から見ても割安である（ＰＥＲやＰＢＲが市場平均より低い）
④長期的に増配傾向である、または長期的に減配していない
⑤自社株買いや株主優待など株主還元に積極的である
⑥内部留保や現預金が多く、業績予想の進捗率が高いなど、増配の可能性が高い

そこで本書では、株初心者の方も対象にして、高配当株投資の基本的なポイントについて豊富な事例を交えて紹介していきます。

第1章では、配当利回りはもちろん、業績や財務の要素も併せて、値上り期待の銘柄を探していきます。第2章では、高配当株の買い方・売り方とそのタイミングを解説します。そのほか、中長期的な資産形成のポイントや、注目されそうな投資テーマや業種なども取り上げていきます。

本書で高配当株投資を実践することで、あなたの資産形成のお役に立てれば幸いです。

2021年11月

藤本　壱

目次

序章 資産を増やしたいなら高配当株投資

第1章 高配当株探しの基礎知識

第2章

高配当株の買い方・売り方とタイミング

第3章 高配当株投資で中長期的な資産形成

第4章

これから注目の投資テーマと高配当株の多い業種

第5章

中長期で持てる厳選高配当株20

序章

資産を増やしたいなら高配当株投資

年金に頼れない時代の資産運用をどうするか

我が国では超低金利状態が長く続いています。銀行預金金利はほとんど0%で、預貯金でお金は増やせませんし、年金も若い層ほどますます頼りない存在となってきました。

ますます資産運用が必須の時代

実質収入が伸びない一方で、税金や社会保険料、医療費などの負担はますます増えています。2019年10月からは消費税率が10%になりました。

長い人生の間には大きなお金が必要になる局面がいくつかあります。例えば、家を建てるには数千万円が必要ですし、子どもの教育資金を大学卒業まで出すと、1人あたり平均で千数百万円がかかります。さらに、夫婦の老後資金も年金だけではとても十分とはいえません。2019年には、金融審議会の報告書を発端にした「**老後資金2000万円問題**」が広く報道され、大きな話題となりました。

また、2020年2月から、**新型コロナウイルスの世界的なパンデミック**という未曽有

図0-1●伊藤忠商事の株価は現在までおよそ8倍高

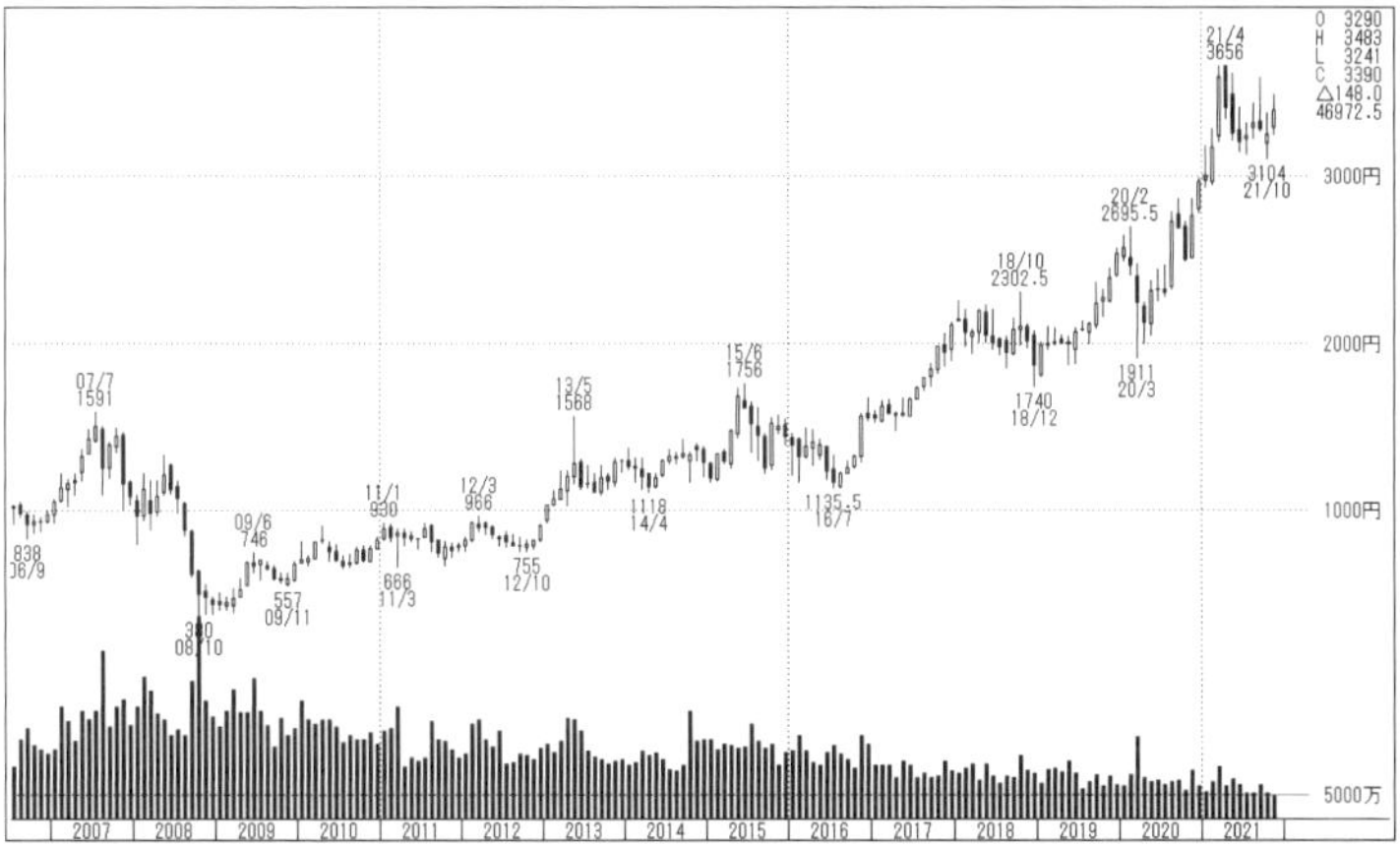

月足/2006.7～2021.11

の事態が起こりました。日本でも緊急事態宣言等により人の移動が制限され、飲食、観光、航空、鉄道、百貨店、小売りなどの業界を中心に売上げが激減して大打撃を受け、現在でも元に戻ってはいません。

以上のことからも、現在の日本では中長期的な資産運用を着実に行って資産を増やし、現役時代からしっかり蓄えておくことが必要です。実際、コロナ禍の後は若い世代でも投資を始める人が急増しています。

日経平均は30年振りに3万円超え

超低金利状態の中でも、預金ではなく投資性がある金融商品に投資すれば、お金を増やせる可能性があります。例えば、１００万円である金融商品を買った後、値上がりして２

00万円で売れば資金が2倍になります。

例えば、日本の有力商社の一角である**伊藤忠商事（8001）**の場合、2008年11月には安値で384円をつけたことがあります。一方、本書執筆時点の株価は3300円近辺で、8倍以上になっています（図0・1）。

投資信託よりもやっぱり株

投資性がある金融商品は株式以外にも、債券やFX、金、最近では暗号資産などいろいろあります。その中で比較的はじめやすいイメージがあるものに、「投資信託」があります。

投資信託の多くは株式を投資対象としており、現在は日本株の投資信託も価額が大きく上がっています。ただ、投資信託は運用をプロに任せられる一方で、購入時の手数料が比較的高く、また保有中は「信託報酬」という手数料を取られるなど、デメリットもあります。売買注文を出してから実際に注文が成立するまでに、少しタイムラグもあります。

一方、株式の個別銘柄に投資する場合だと、ネット証券でいつでも機動的に売買でき、手数料も非常に安く、また保有コストもかかりません。自分で投資する株式銘柄を探す必要はありますが、経済について知ったり考えたりする機会にもなり、チャレンジする価値は高いでしょう。

図0-2●時間をかけて運用すれば大きく増やせる可能性がある

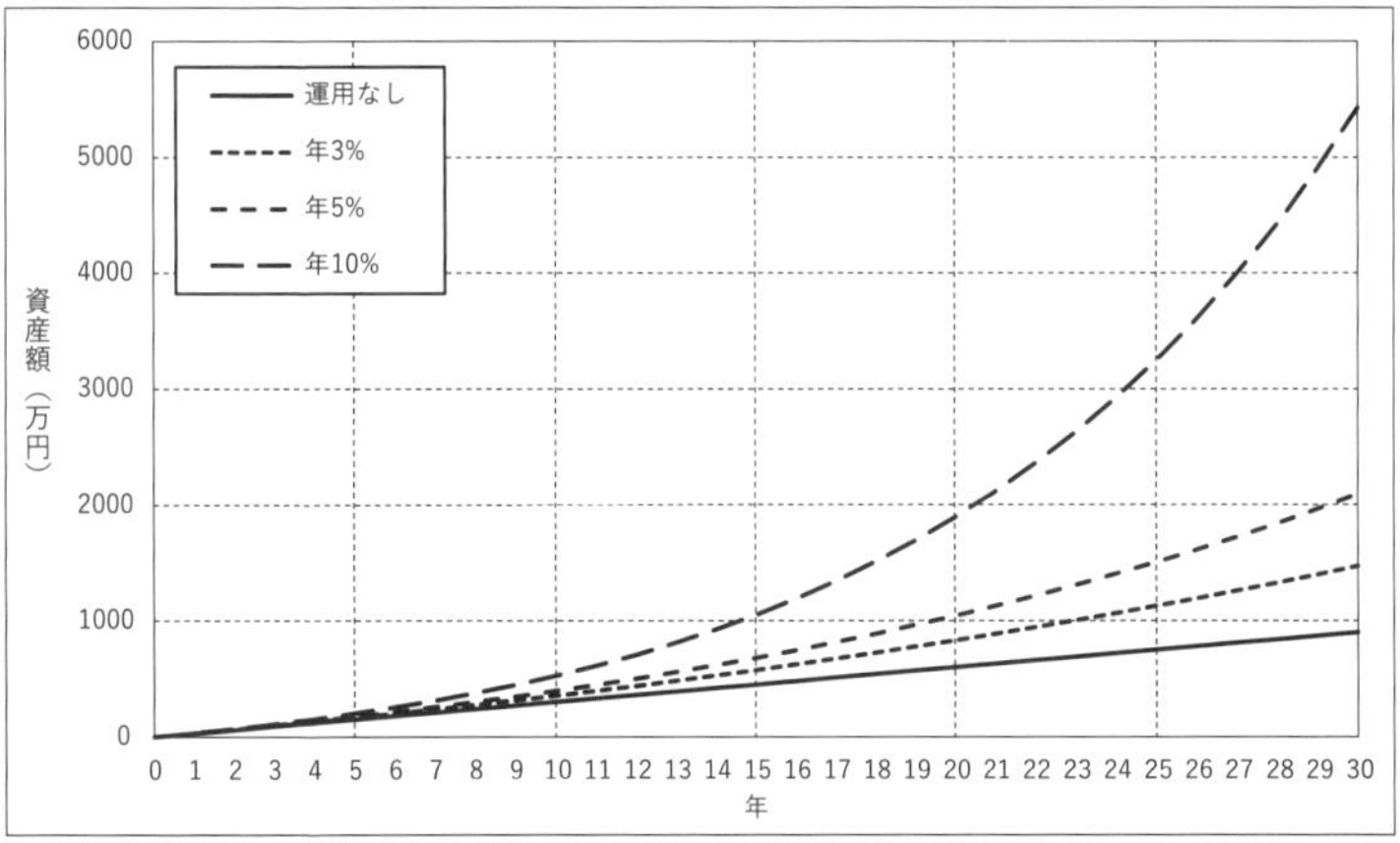

時間をかけて計画的に増やす

短期間での資産形成は難しいですが、時間をかければ難易度は下がります。この「時間を味方につける」ことこそ、資産運用では重要なポイントです。若いうちから計画を立てて、時間をかければ、お金を増やすことは決して不可能ではありません。

例えば、毎月2万5000円（年間30万円）ずつ、30年間積み立てながら運用していくとしましょう。何も運用せずにただ積み立てるだけだと、30万円×30年＝900万円になります。

しかし、年3％複利で運用できれば、30年で約1470万円になります。年5％なら約2090万円、年10％なら約5430万円と、大きく増やすことができます（図0・2）。

高配当株投資なら着実に資産を増やせる

かつて、日本の企業は「株式の持ち合い」を行っていました。しかし平成のバブルが崩壊して以来、企業や銀行は株式を持ち合う余裕がなくなり、持ち合い解消が進みました。それに代わって、外国人投資家が日本企業に投資するようになり、現在では東証の株式の売買では外国人投資家が高いシェアを持っています。

外国人投資家の配当を求める圧力は強く、近年は企業側も株主還元を重視し配当性向を高めるようになってきました。そのため、例えば3月期決算企業の配当総額は2019年3月期まで6年連続で過去最高を更新してきたのです。

新型コロナウイルスのパンデミックに見舞われた日本経済

しかし、2020年3月期は、同年2月から急速に広がった**新型コロナウイルス**の影響を重く見て減配する企業も出始め、7年連続更新とはなりませんでした。

2020年4月7日には、東京を始めとする7都府県に最初の**緊急事態宣言**が出され、

図0-3●コロナ禍で急落した日経平均は短期間で回復し3万円超えへ

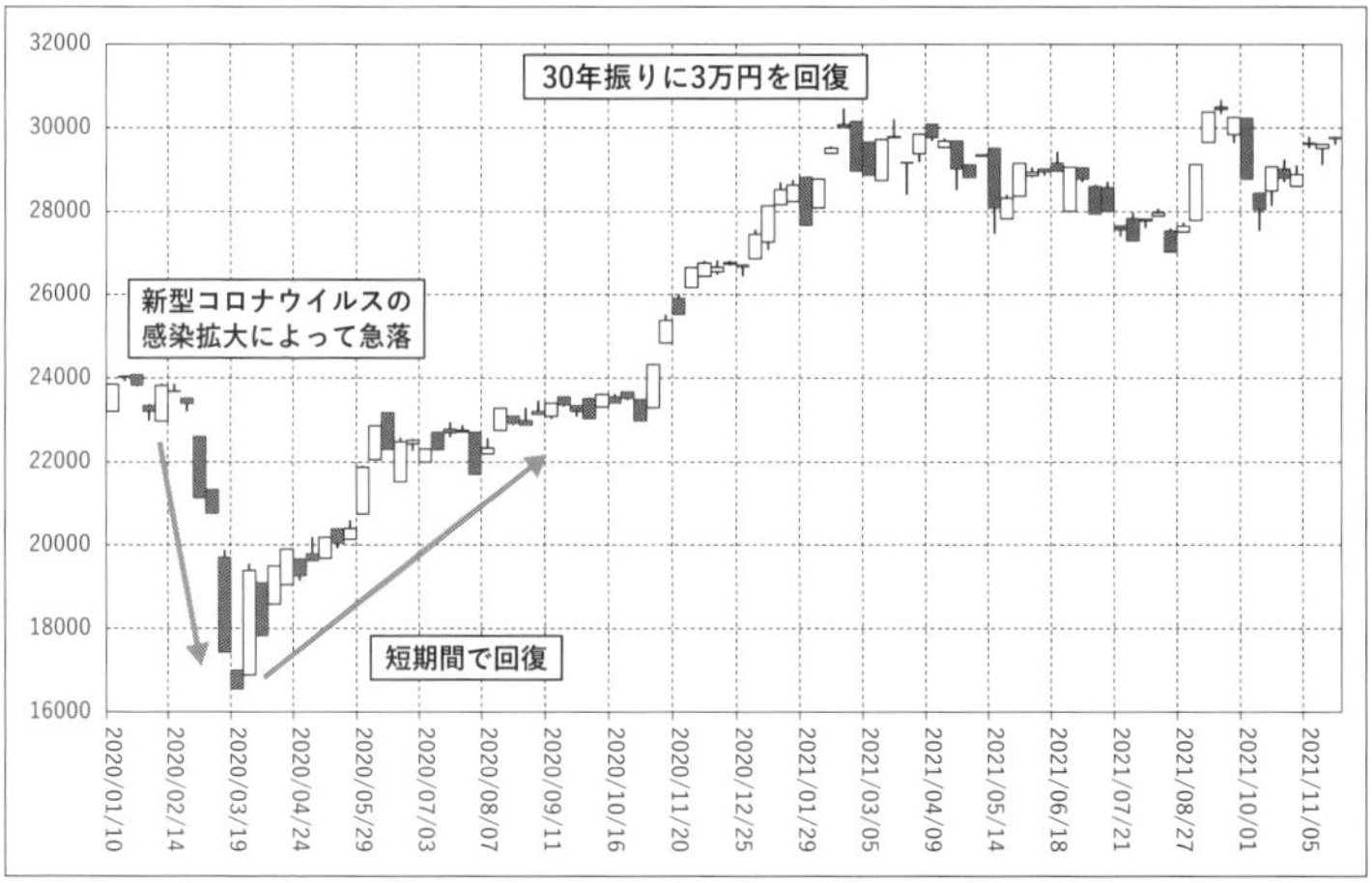

週足/2020.1～2021.11

16日には全国が対象となりました。外出自粛が強く要請され、同年夏に予定されていた東京オリンピックも1年延期となり、巨額のインバウンド需要を見込んでいた外国人観光客も入国制限によって一気に激減しました。

これらにより観光、旅行、鉄道、航空、小売、飲食、アパレルといった業種を中心に多くの業界で業績が大きく落ち込みました。2021年は経済活動がかなり再開され、オリンピックも8月に開催されたものの、全体としては厳しい状況が現在も続いています。

一方で、2020年下半期から**巣籠り需要**の急拡大の恩恵を受け、空気清浄機やエアコンといった白物家電、家電量販店、ス

図0-4●配当総額が増えている日本の株式市場

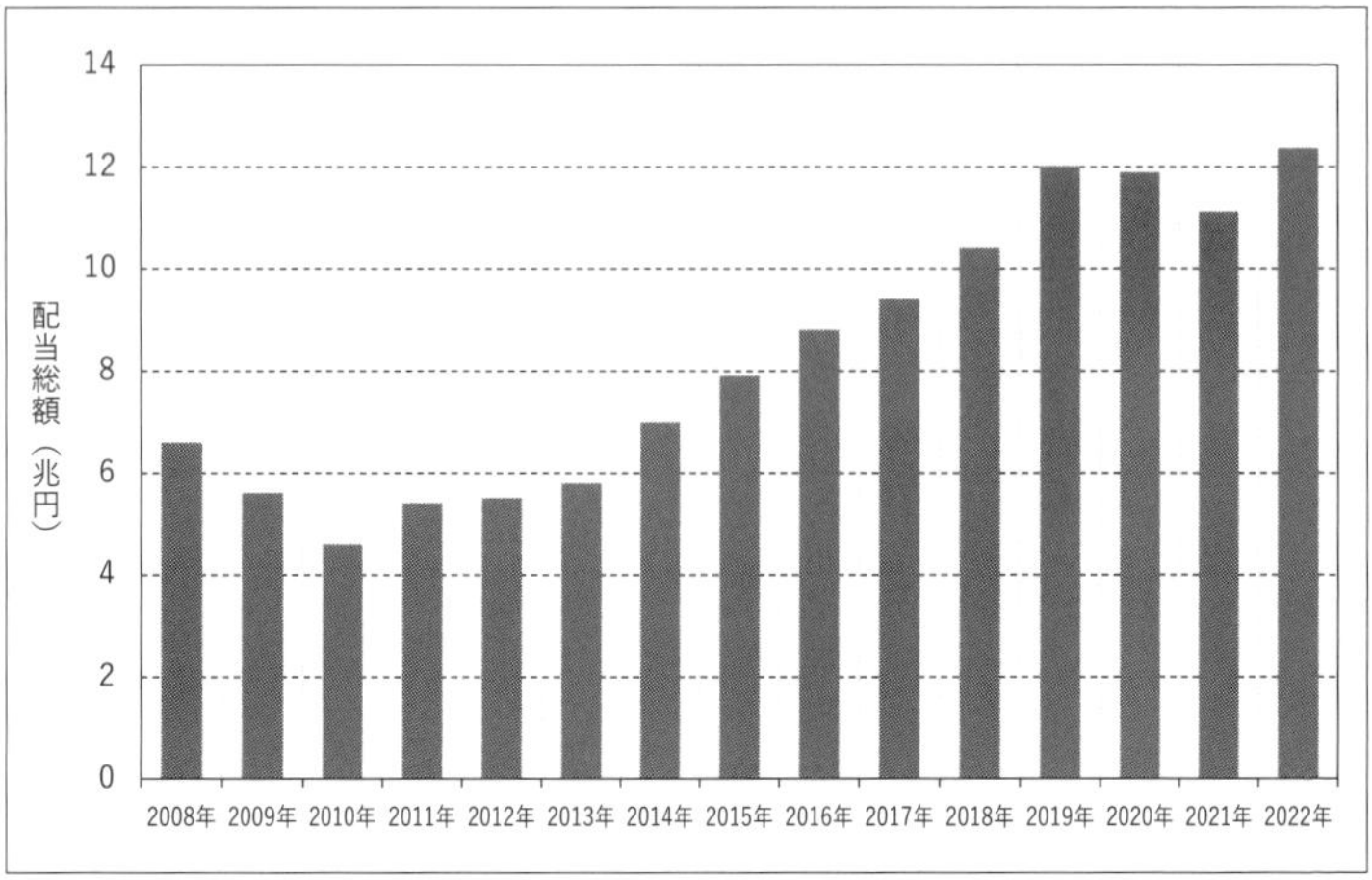

※各年3月期銘柄

ーパーなどの食品小売、フードデリバリー、オンライン教育事業などは好調でした。

２０２１年３月期決算で過去最高益を出した業界や企業も目立ちました。また、２０２１年の４～６月決算では製造業、海運を始め多くの企業で業績が急回復し、上場企業の４社に１社が純利益で最高益を出しています。

高配当株で着実に増やす

コロナ禍はまだ終息していませんが、２０２１年度に入ると、株主重視の流れの中で配当を増やす企業が増えています。東証一部企業全体の配当総額は、２０１０年３月期を底に増加傾向が続いています。２０１９年３月期は約12兆円と、過去最高を更新しました。

２０２０年3月期と２０２１年3月期は、コロナ禍による景気悪化の影響で無配や減配となる企業も少なくなく、前年割れとなりましたが、**２０２２年3月期銘柄の配当総額は12兆円を超えるもようで、3年ぶりに過去最高を更新するとみられています**（日本経済新聞２０２１年9月21日より）。これは２０１０年3月期と比べると、2倍以上になっています（図０・４）。

このため、最近は「高配当株」への投資が特に注目されています。大まかにいえば、**配当の高い株を買って保有し、配当をもらいながら、値上がりするのを待つ**という手法です。

預貯金金利に相当する「配当利回り」は、２０２１年11月時点の東証第一部上場企業の平均で、約1・69％、第二部の平均で1・84％となっています。銘柄によっては、4～5％を超えるものもあります。

また、よく知られた有名企業の中にも、高配当株が多くあります（表０・１）。預貯金の金利がほとんど0であることを考えると、いかに配当利回りが高いかがわかります。

高配当株投資は原則として短期的な値上がりを狙う手法ではないので、あまり気が短い人には向いていません。しかし、住宅資金や教育資金、老後資金など、中長期的に資産形成をしていきたい人にはお勧めできる手法です。比較的若年層から年金世代まで、株の初

表0-1●今期予想配当利回りが高い銘柄の例（2021年11月15日時点）

銘柄（証券コード）	株価（円）	予想配当（円）	配当利回り（%）
明和産業（8103）	849	118	13.90
商船三井（9104）	6,600	800	12.12
日本郵船（9101）	7,670	800	10.43
乾汽船（9308）	2,067	157	7.60
西松建設（1820）	3,420	221	6.46
ユニデンHD（6815）	3,535	210	5.94
日鉄物産（9810）	4,775	300	6.28
小野建（7414）	1,649	102	6.19
フィデアHD（8713）	1,212	75	6.19
コナカ（7494）	328	20	6.10
JT（2914）	2,331	140	6.01
コニカミノルタ（4902）	502	30	5.98
極東貿易（8093）	2,495	145	5.81
日本郵政（6178）	870.4	50	5.74
ディア・ライフ（3245）	640	34	5.31

心者にもお勧めできます。

▼NISAなら配当も売却益も非課税になる

２０１４年に導入されたＮＩＳＡを利用すると、毎年１２０万円までの投資元本について非課税期間である５年間、売却益や配当に対する税金がゼロになります。最大で６００万円もの非課税投資枠が利用できるわけです。

高配当株に投資する上で、配当も売却益も非課税になるＮＩＳＡは強い味方になります。ただし、現行のＮＩＳＡ制度は２０２３年までで、２０２４年からしくみがやや変更され、新ＮＩＳＡに移行します（１３０ページ参照）。

正しい知識で慎重に行う高配当株投資

ここまでで日経平均も3万円前後と、株価が相当に上がっているので、2008年のリーマンショックの時のような暴落も、もちろんないとはいえません。ですから、正しい知識を持って慎重に無理のない株式投資をする必要があります。

そこで本書では、高配当株銘柄の選び方や売買のタイミングの考え方などを、順を追って解説していきます。

第1章

高配当株探しの基礎知識

株と配当の基本を押さえる

高配当株の話に入る前に、まず配当そのものの基本を押さえておきましょう。

株の配当とは?

株式会社の基本的な仕組みは、投資家から集めた資金をもとに事業を行い、利益を投資家に分配することです。この「分配される利益」のことを**配当**と呼びます。

ほとんどの企業では、配当は年に1回(本決算時)か、2回(本決算時と中間決算時)出しています。決算後に**定時株主総会**が開催され、その中で配当の額が決められた後に、投資家に支払われます。

定時株主総会は、決算期末から3か月以内に開催するように、会社法で定められています。そのため、決算期末から3か月後ぐらいに配当が支払われます。また、中間決算後の配当は、中間期末から2か月程度で支払われます。

配当をもらうには？

配当をもらうには、**決算期末（中間配当が出る銘柄では中間期末も）の時点で、その企業の株主になっていること**が必要です。

日本では3月末決算の企業が多く、3月期銘柄の場合、本決算時の3月末に株主になっていると配当がもらえます。中間決算時に配当が出る企業では、9月末時点の株主にも配当が出ます。

ただ、決算期末（や中間期末）当日に株を買えば良いかというと、そうではなく、株の受け渡しに日数がかかるので、それを考慮した日までに買っておく必要があります。

配当の権利の基準になる日（＝本決算や中間決算の日）を、「**権利確定日**」と呼びます。通常は月末ですが、月末が土曜・日曜・祝日の場合は、その直前の営業日になります。

また、「その日に株を買えば配当をもらえる」という最終の日のことを「**権利付き最終日**」と呼び、権利確定日の2営業日前になります。権利付き最終日の翌日を「**権利落ち日**」と呼びます。権利落ち日以降に株を買っても、その期末の配当はもらえません。

例えば、2022年3月期決算銘柄の場合、3月31日（木）が権利確定日です。そして、その2営業日前の29日（火）が権利付き最終日で、30日（水）が権利落ち日になります

図1-1●権利確定日・権利付き最終日・権利落ち日

・2022年3月期決算銘柄の場合

日	月	火	水	木	金	土
…	…	…	…	…	…	…
27	28	29 権利付き 最終日	30 権利落ち日	31 権利確定日	4/1	4/2

・2022年5月期決算銘柄の場合

日	月	火	水	木	金	土
…	…	…	…	…	…	…
22	23	24	25	26	27 権利付き 最終日	28
29	30 権利落ち日	31 権利確定日	1	2	3	4

（図1・1）。また、5月末決算銘柄の場合、2022年5月の権利確定日は5月31日（火）です。権利付き最終日はその2営業日前ですが、土曜と日曜は日数に入れませんので、27日（金）になります。

なお、配当は日割り計算ではなく、権利付き最終日に買って、翌日の権利落ち日に売ったとしても、全額もらうことができます。ただし、権利落ち日には、配当に相当する分の株価押し下げ効果があります。例えば、配当が10円の銘柄で、通常なら株価が30円上がる状況だったとすれば、10円押し下げられて20円程度の上昇になります。

そのため、「権利付き最終日に買って翌日にすぐ売り、配当だけもらおう」と思っても、残念ながらそううまくはいきません。

高配当株とはどんな銘柄のこと？

高配当株とはどのような銘柄でしょうか？　この点についてまとめてみます。

本書で取り上げる「高配当株」とは？

「高配当株」という用語には、厳密な定義はありません。一般的には「配当利回りが高い銘柄」のことです。配当利回りについてはこの後で解説しますが、平たくいえば**「株価の割に配当が高く、配当でも売却益でも利益を狙える銘柄」**を指します。

ただ、単に配当利回りが高ければ良いわけではなく、本書では、以下のような条件を極力満たすような銘柄を高配当株と考えます。詳細については、この後で順に解説していきます。

①現状の配当利回り（今期予想値）が高い（3％以上）か、今後配当が増えて将来的に配当利回りが高くなりそうである

②業績（売上や利益）が順調に伸びていて、配当だけでなく値上がり益も狙える
③業績・財務面から見て割安である（PERやPBRが市場平均より低い）
④長期的に増配傾向である、または長期的に減配していない
⑤自社株買いや株主優待など株主還元に積極的である
⑥内部留保や現預金が多く、業績予想の進捗率が高いなど、増配の可能性が高い

金利とよく似た「配当利回り」を見る

高配当株は、大まかにいえば「配当利回りが高い銘柄」のことです。

「利回り」とは、金融商品を保有し続けたときに、一定の期間で元本に対してどの程度の利益が得られるかを表す値（**投資利回り**）のことです。通常は年単位で利回りを計算し、単位はパーセントで表します。

例えば「年利回りが1％」の金融商品の場合、それを1年間保有していると、元本の1％分の利益が得られます。100万円を投資したとすれば、1年間で100万円×1％＝1万円を得られることになります。

株の場合、保有し続けると定期的に配当をもらえます。株式投資の場合の元本は株価にあたるので、株の配当利回りは、1株あたりの配当を現在の株価で割って求めます。

例えば、ある銘柄の現在の株価が500円で、配当が10円だとします。その銘柄を1年間保有すると、この銘柄の配当利回りは以下のようになります。

配当利回り＝10円÷500円＝0・02＝2％

なお、配当利回りで投資先を選ぶ際には「**予想配当利回り**」を使います。予想配当利回りは、**今後もらえる予定の配当を現在の株価で割って求めます。**本書では、特に断りのない限り、配当利回りは「今期の予想配当利回り」のことをさします。すでに確定した（支払い済みの）配当から求められる配当利回りは、「実績配当利回り」と呼びます。

配当利回りが高い銘柄を探す

本書では、この配当利回りが高い銘柄を選んで、それらに投資していくというのが、基本的な投資スタイルになります。

ネット証券などの投資情報サービスを使って配当利回りのランキングを見れば、高配当株を簡単に探せます。例えば、Ｙａｈｏｏ！ファイナンスで高配当株のランキングを見るには、次のようになります（図1・2）。

①Ｙａｈｏｏ！ファイナンスの「株式」のページに接続

図1-2●Yahoo!ファイナンスで高配当利回り銘柄を探す

順位	コード	市場	名称	取引値		決算年月	1株配当	配当利回り
1	8103	東証1部	明和産業(株)	15:00	830	2022/03	118.00	14.22%
2	9104	東証1部	(株)商船三井	15:00	6,730	2022/03	800.00	11.89%
3	9101	東証1部	日本郵船(株)	15:00	7,760	2022/03	800.00	10.31%
4	9308	東証1部	乾汽船(株)	15:00	2,086	2022/03	157.00	7.53%
5	1820	東証1部	西松建設(株)	15:00	3,525	2022/03	221.00	6.27%
6	6815	東証1部	ユニデンホールディングス(株)	15:00	3,375	2022/03	210.00	6.22%
7	7414	東証1部	小野建(株)	15:00	1,645	2022/03	102.00	6.20%
8	9810	東証1部	日鉄物産(株)	15:00	4,855	2022/03	300.00	6.18%
9	8713	東証1部	フィデアホールディングス(株)	15:00	1,216	2022/03	75.00	6.17%
10	7494	東証1部	(株)コナカ	15:00	328	2021/09	20.00	6.10%
11	2914	東証1部	JT	15:00	2,336	2021/12	140.00	5.99%
12	4902	東証1部	コニカミノルタ(株)	15:00	507	2022/03	30.00	5.92%
13	8093	東証1部	極東貿易(株)	15:00	2,478	2022/03	145.00	5.85%
14	6178	東証1部	日本郵政(株)	15:00	855.9	2022/03	50.00	5.84%
15	1720	東証1部	東急建設(株)	15:00	690	2022/03	40.00	5.80%
16	6445	東証1部	(株)ジャノメ	15:00	691	2022/03	40.00	5.79%
17	1852	東証1部	(株)淺沼組	15:00	4,590	2022/03	260.00	5.66%

出所：https://info.finance.yahoo.co.jp/

②ページ上端のメニューで「株式ランキング」をクリック

③ページ左端のメニューで「配当利回り（会社予想）」をクリック

配当性向も重要指標

配当の原資は利益（厳密にいえば、**税引き後当期純利益**）です。ただ、通常の企業は、利益をすべて配当に回すことはありません。

利益の一部を株主に配当し、それ以外の部分は将来に向けて設備投資をしたり、不測の事態に対する備えとして内部留保するのが一般的です。

利益から配当にどれだけ回したかを表す指標として、**配当性向**があります。以下の式で求められます。

配当性向＝1株あたり配当÷1株あたり当期純利益

例えば、1株あたり配当が5円で、1株あたり当期純利益が10円の銘柄の場合、配当性向は、5円÷10円＝0・5＝50％となります。

個々の銘柄の配当性向は、その企業の方針によって異なり、高いところもあれば低いところもあります。基本的に、成長中の企業は利益をあまり配当しないで（＝配当性向が低い）将来への投資に回す方が良いとされ、逆に、成熟企業であまり成長が望めないのであれば、配当性向を高めて株主に利益を還元すべきです。

ちなみに、日本の上場企業の配当性向は、平均すると30％台半ば程度です（図1・3）。また、株主を重視する流れが強まっている影響で、「配当性向は○○％を基準とする」など、明確に宣言する企業が増えつつあります。

配当に株主優待も加味してみる

高配当株に投資する際に、配当だけでなく「**株主優待**」も加味することが考えられます。

図1-3●東証一部企業の2021年3月期決算の配当性向

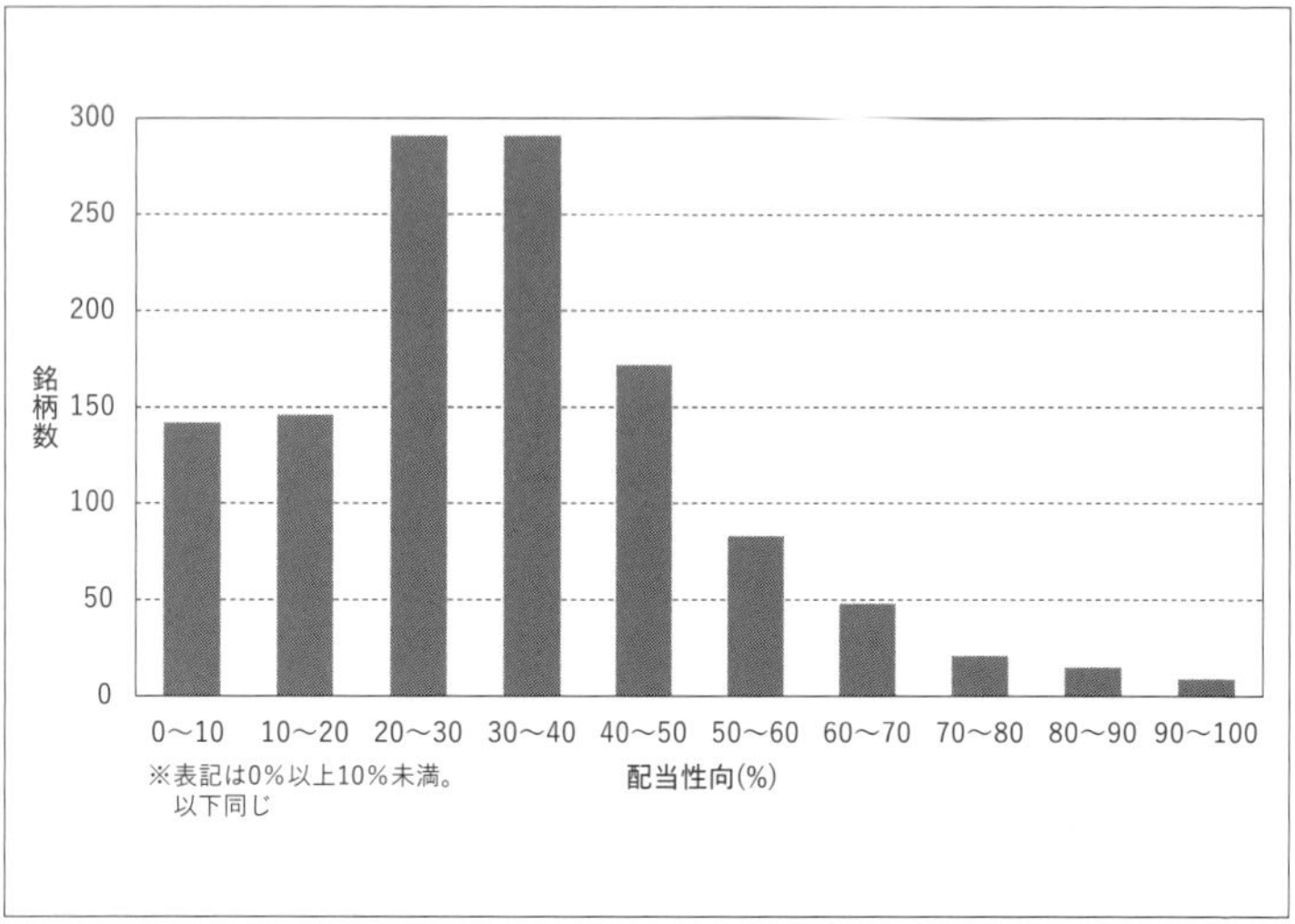

●個人株主を増やしたい

日本の企業では、１９８０年代ごろまでは「株式の持ち合い」がよく行われていて、関連企業同士、あるいは企業と銀行の間で株を持ち合ったりして、他人から経営に口出しされるのを防いだりしていました。

しかし、１９９０年代以降のバブル崩壊による企業の業績の悪化や、２００１年の「銀行等の株式等の保有の制限に関する法律」の公布などにより、**持ち合い解消**が進みました。

また、株式持ち合いは資金を無駄に眠らせることにつながります。外国人投資家が増えたことなどによって、企業は資金の有効活用をより求められるようにな

表1-1●株主優待の例（2021年11月12日時点）

銘柄（証券コード）	内容（1単元を1年間保有の場合）	権利確定月
タマホーム（1419）	QUOカード500円分×2回	5月、11月
日本ハム（2282）	3,000円相当の自社製品等	3月
JT（2914）	2,500円相当のグループ関連製品	12月
すかいらーくHD（3197）	2,000円優待券×2回	6月、12月
コメダHD（3543）	プリペイドカード1,000円分×2回	2月、8月
シダックス（4837）	グループ会社商品・サービス20%割引券（上限5,000円）	3月
壱番屋（7630）	500円優待券2枚×2回	2月、8月
KDDI（9433）	au PAYマーケット商品カタログギフト（3,000円相当）	3月
ヤマダHD（9831）	500円優待券（3月に1枚、9月に2枚）	3月、9月
プレナス（9945）	500円優待券×5枚	2月

り、これも持ち合い解消につながりました。

ただ、外国人投資家が多すぎると、企業買収のリスクが高まったり、経営に口出しされるなど、不都合が生じることもあります。そこで、企業は個人株主を増やす流れになっています。

●株主優待で個人投資家を誘引する

配当を増やすのも個人投資家を増やす策の1つですが、他にも株主優待を導入する企業が増えてきました。株主優待は、株主に対して商品やサービスなどを提供するものです。

消費者向けの事業を営む企業では、自社の製品やサービスを株主優待にすることが多く、例えば食品メーカーだと、自社の商品などを株主優待品として提供しています。一方、企業向けの事業が中心の企業の場合は、一般的な商品券などの場合が多いです（表1・1）。

●株主優待を現金換算した場合の利回り（株主優待利回り）も考慮に入れる

例えば、株主優待が1年あたり３０００円分の商品券で、株主優待を得るための最低投資金額が10万円だとします。この場合、株主優待の利回りは以下の通り３％になります。

株主優待利回り＝３０００円÷10万円＝０.03＝３％

株主優待を含めた利回りが高い銘柄もあります。例えば、**ビックカメラ（３０４８）**は、１００株保有で、２月末に２０００円分、８月末に１０００円分の株主優待券がもらえます。さらに、２月末／８月末の基準日に3回以上連続して株主であり続けると、８月末の株主優待が１０００円追加されます。

２０２１年11月12日時点の株価で計算すると、予想配当利回りは年１.48％です。しかし株主優待を加味すると、保有期間による優待追加がない場合（３０００円相当）で年４.44％、保有期間による優待（１０００円相当）を加味すると、年５.42％になります。

また、株主優待によっては、ネットオークションで転売し現金化できるものもあります。

●株主優待は配当のおまけと割り切る

銘柄によっては、株主優待の利回りがかなり高いものがあります。ただ、そのような銘柄の中には、業績や財務があまり良くないような銘柄も見られます。そういった銘柄の場

表1-2●四半期配当を行っている配当利回りの高い銘柄の例（2021年11月12日時点）

銘柄（証券コード）	株価（円）	予想配当（円）	配当利回り（%）	配当月
スミダコーポレーション（6817）	1,312	28	2.13	3/6/9/12
GMOフィナンシャルHD（7177）	886	37.4※	4.22	3/6/9/12
あおぞら銀行（8304）	2,663	128	4.81	3/6/9/12
日本創発グループ（7814）	321	10	3.12	3/6/9/12

※2020年12月期の実績配当（2021年12月期の予想配当は未開示）

合、業績や財務がさらに悪くなると、株主優待が縮小（あるいは廃止）されることもあり得ます。そうなると、株主優待目当てに買っていた個人投資家が一斉に売りに回り、株価が急落する恐れがあります。

また、配当は持ち株数に比例しますが、株主優待は持ち株数には比例しませんので、同じ銘柄を2単元以上保有した場合、株主優待の利回りが下がることが出てきます。

したがって、株主優待は配当のプラスアルファ程度にとらえて、あまり期待しすぎない方が良いでしょう。

四半期毎に配当する銘柄もある

ごく一部ですが、四半期ごとに（＝年4回）配当を出している銘柄もあります。年4回といっても、配当の額が多いというものではありませんが、年金的に短い間隔で配当をもらえる点がメリットです。表1・2は本書執筆時点で配当利回りが比較的高い銘柄の例です。

利益が伸びている銘柄こそが高配当を出せる

前節で解説したように、配当の原資は利益です。高配当株投資を行う上では、利益の伸びも重視します。

配当は利益に連動する

まず、配当は利益に連動する傾向があります。配当の原資は利益なので、利益が伸びれば配当が増える可能性が高まり、利益が減るようだと配当が減る恐れが出てきます。

例えば、**ＫＤＤＩ（９４３３）**は、19年連続して増配しており、今期（２０２２年３月期）も前期から5円増（１２５円）で増配予想を出しています。２００８年3月期以降のＫＤＤＩの利益と配当の傾向を見てみると、13年間で1株あたり当期純利益が約3・5倍になったのに対し、１株あたり配当は約7倍になっています。利益が伸びるにつれて、配当も伸びてきていることがわかります（図1・4）。

図1-4●利益が伸びると配当も増える（KDDI）　※2022年3月期は会社予想値

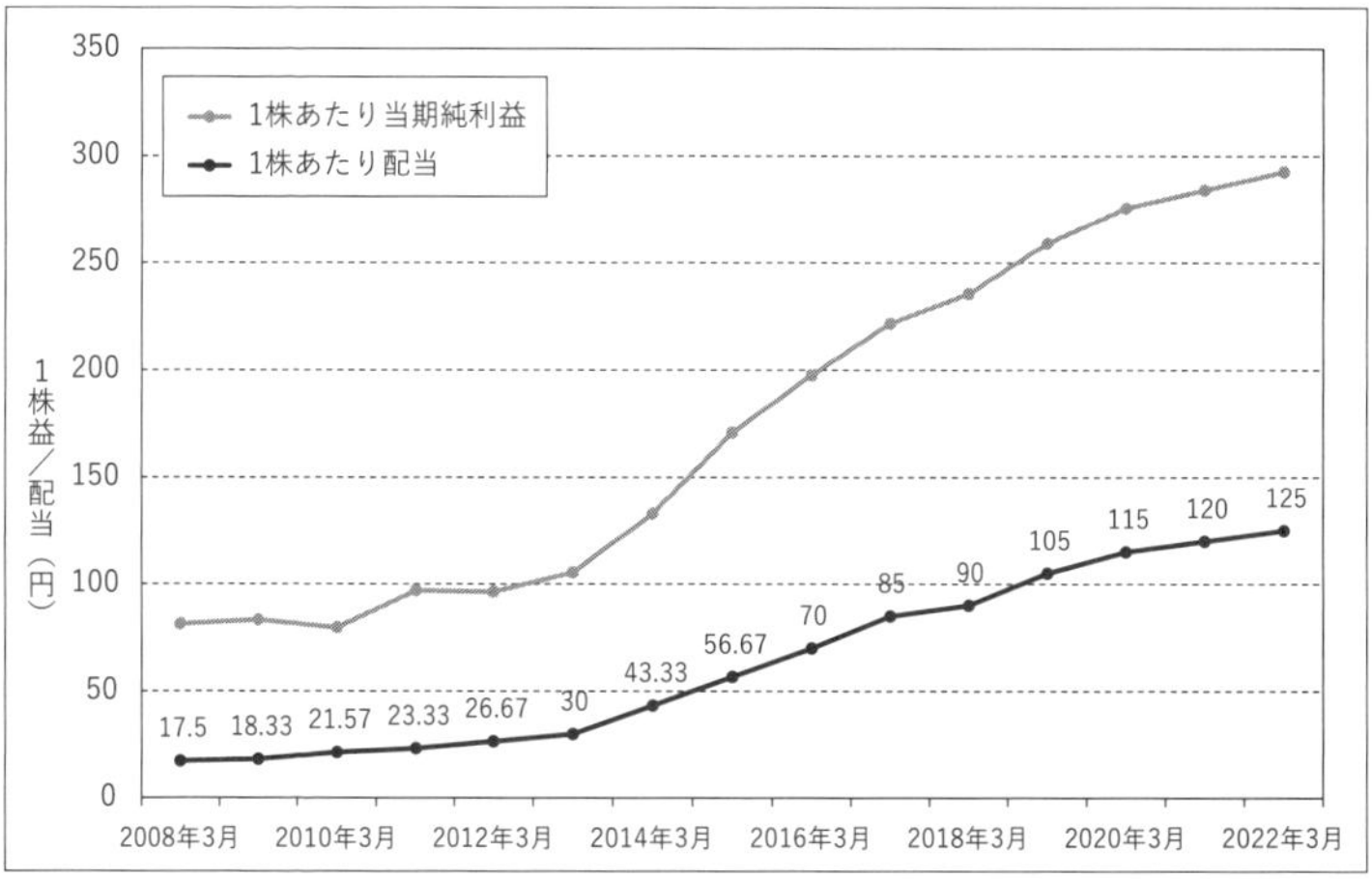

利益が伸びれば株価も上がる

利益は配当に連動するだけではなく、利益が伸びると株価も上がります。

株式会社の基本は、利益を配当として株主に還元することです。したがって、投資家から見れば、より多くの配当を出せる会社ほど価値が高く、利益が多い会社ほど配当も多くなり、企業の評価（株価）も上がることになります。

例えば、前述のKDDI（9433）の場合、過去13年間で配当が増えただけでなく、株価も上昇してきました。2008年から2010年にかけてはリーマンショックの影響で株価が下落していますが、その後はアベノミクスにも乗って株価が大きく上昇しました。

図1-5●KDDIは利益が伸びるにつれて株価も上昇してきた

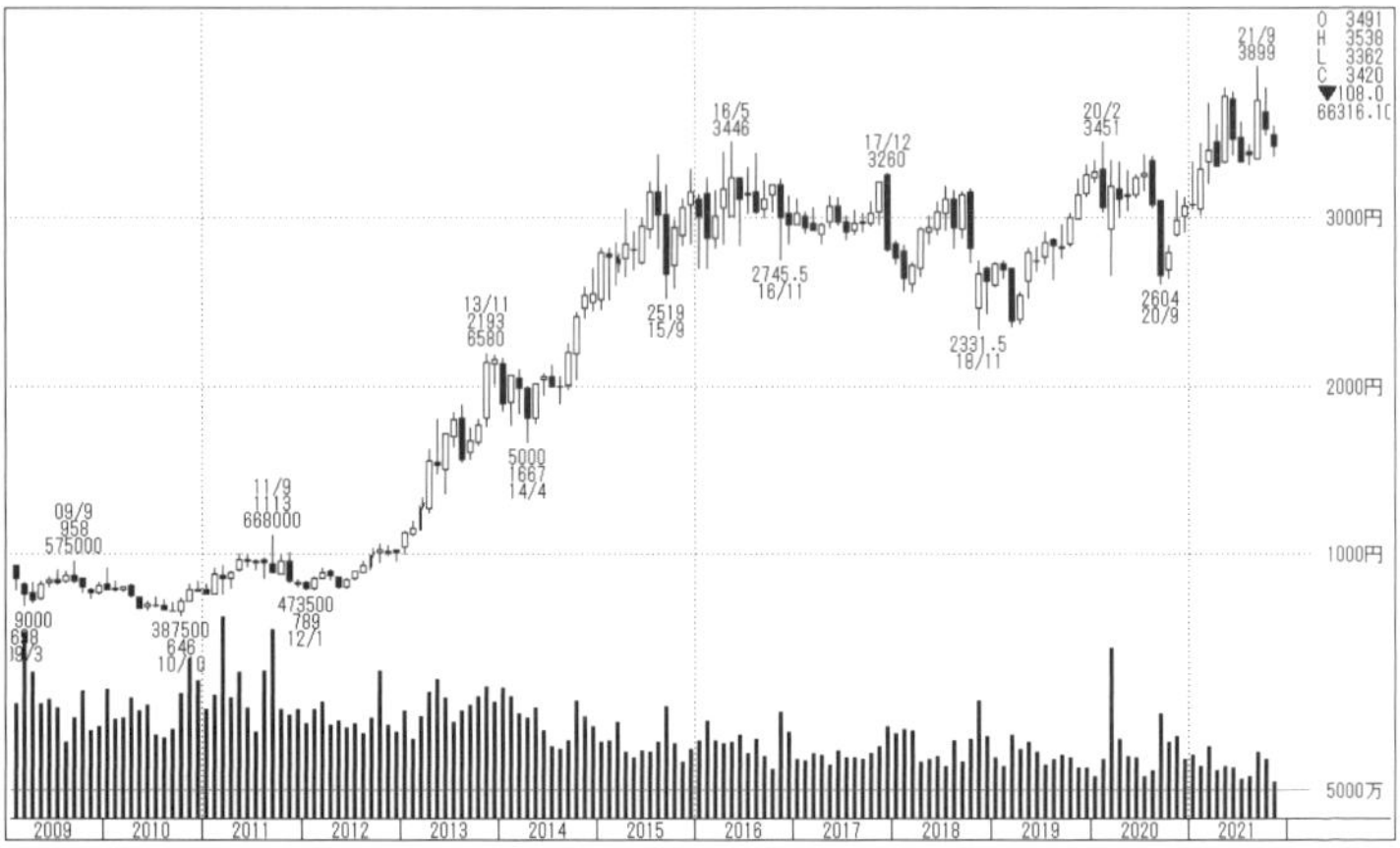

月足／2009.2～2021.11

2020年春はコロナ禍で急落したものの、短期間で上昇基調に戻っています（図1・5）。

このように、利益が伸びている銘柄を買えば、配当で儲かるだけでなく、値上がり益も得られ、ダブルで儲かる可能性が高いといえます。

利益の種類と見方

ここまでで「利益」という言葉を使ってきましたが、利益にはいくつか種類があります。

●利益のベースになる「売上総利益」

「売上総利益」は、以下の式で求められます。

売上総利益＝売上－売上原価

●本業の利益を表す「営業利益」

「営業利益」は以下の式で求められます。

営業利益＝売上総利益－販売費および一般管理費

販売費とは営業活動のために必要な費用で、広告宣伝費や商品の配送費、保管費などが該当します。一般管理費は会社の運営に必要な費用で、従業員に支払う給料などです。したがって、営業利益は**会社の本業で得られる利益**を表します。

営業利益が増えていない場合、本業がうまくいっていないことを意味します。

●通常通りの事業を行った場合の利益である「経常利益」

「経常利益」は、以下の式で求められます。

経常利益＝営業利益＋営業外収益－営業外費用

営業利益に本業以外の利益や費用を加味したものが、経常利益にあたります。「通常通りの事業を行った場合の利益」と考えていいでしょう。

一般的な企業だと、営業外収益や営業外費用はそれほど大きな額にはならないので、営業利益と経常利益は同程度の金額になります。逆に、営業利益と経常利益が大きく食い違う企業は、なぜ違いが出るのかを注意深く見る必要があります。

●最終的な利益である「当期純利益」

経常利益から求められる利益として、「税引き前当期純利益」と「税引き後当期純利益」があります。それぞれ以下のように求められます。

税引き前当期純利益＝経常利益＋特別利益－特別損失

税引き後当期純利益＝税引き前当期純利益－税金（法人税など）

特別利益と特別損失は、その年限りに発生する利益や損失のことを指します。例えば、長く保有していた遊休資産を売却して利益が出た場合、それは特別利益に計上されるのが一般的です。

そして、税引き後当期純利益から、以下の式で1株あたり当期純利益が求められます。

1株あたり当期純利益＝税引き後当期純利益÷発行済み株式数

1株あたり当期純利益が多いほど、配当が多くなり、株価も高くなる傾向があります。高配当株投資を行う上で、1株あたり当期純利益が順調に伸びているかどうかは、重要なポイントになります。

●特別利益の影響に注意する

1株あたり当期純利益を見る際に、**特別利益・特別損失の影響を考慮する**必要があります。例えば、大きな特別利益が出た場合、それによってその年だけ1株あたり当期純利益が大きく伸びることがあります。しかし、特別利益はその年限りの利益なので、翌年以降はそれまでとほぼ同様の水準に戻ると思われます。

そのような銘柄では、「特別利益の影響で1株あたり利益が伸びた」という認識になります。株価は一時的には上がるかもしれませんが、上昇が長く続くとはいえません。投資対象として不適切とはいえませんが、最適ともいえません。

図1-6●利益の種類と見方

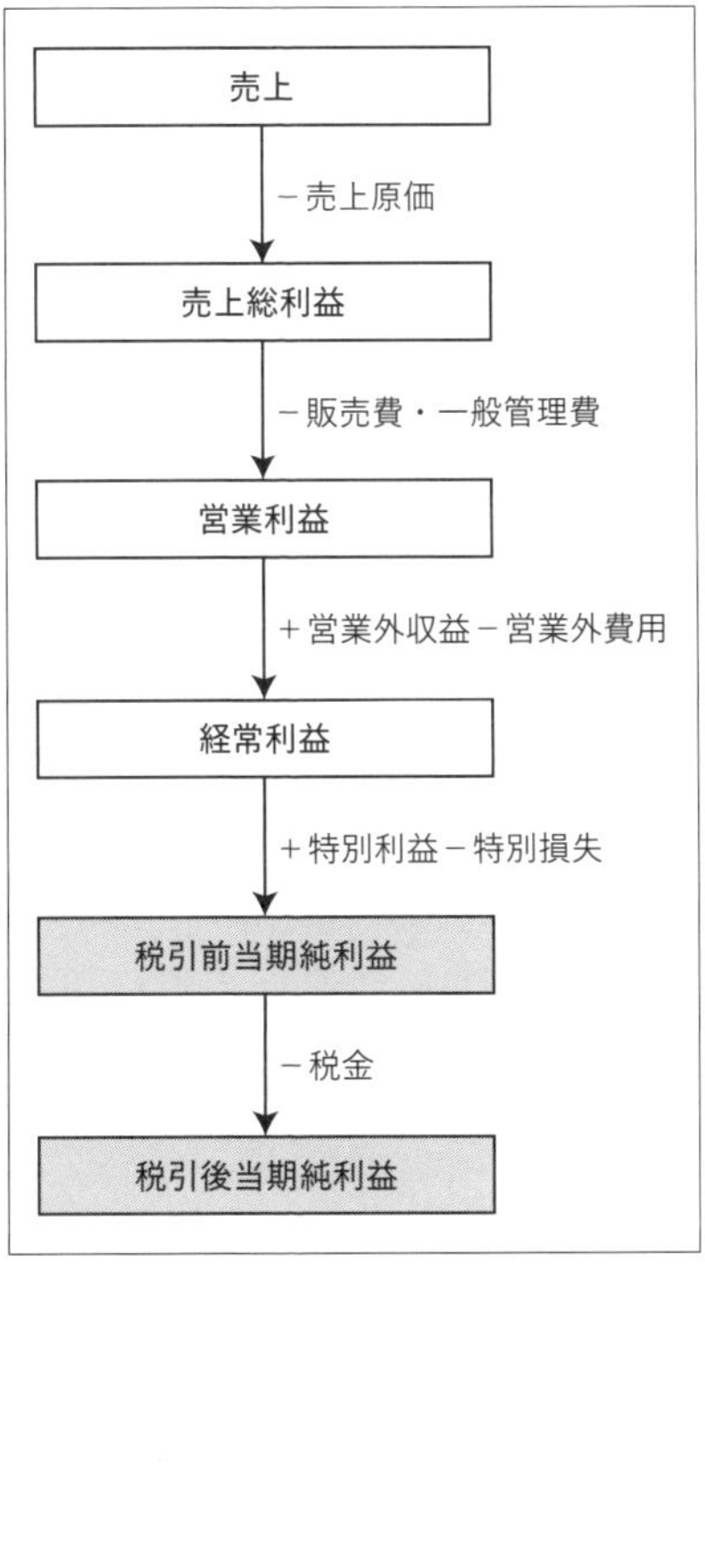

高配当に加え割安度も考慮して選ぶ

配当利回りが良いだけでなく、業績や財務から見て割安な銘柄であれば、より利益を上げられる可能性が高まります。

割安な銘柄は株価が上昇しやすい

業績や財務から見て、株価が妥当な水準より高いことを「**割高**」、低いことを「**割安**」と呼びます。配当利回りが高く、業績や財務も申し分ない割安な銘柄は、割安であることが多くの投資家に知られると買いが集まり、株価が上がると考えられます（図1・7）。ただ、あまり株価が上がりすぎると、その後に下落するリスクも高くなりますので、すでに割高となった銘柄を買うことは避けたいところです。

業績から割安度を判断するＰＥＲ

割安かどうかの判断指標として、**ＰＥＲ（株価収益率）**があります。ＰＥＲは、株価が

図1-7●割安な銘柄は人気化していずれ割高となる

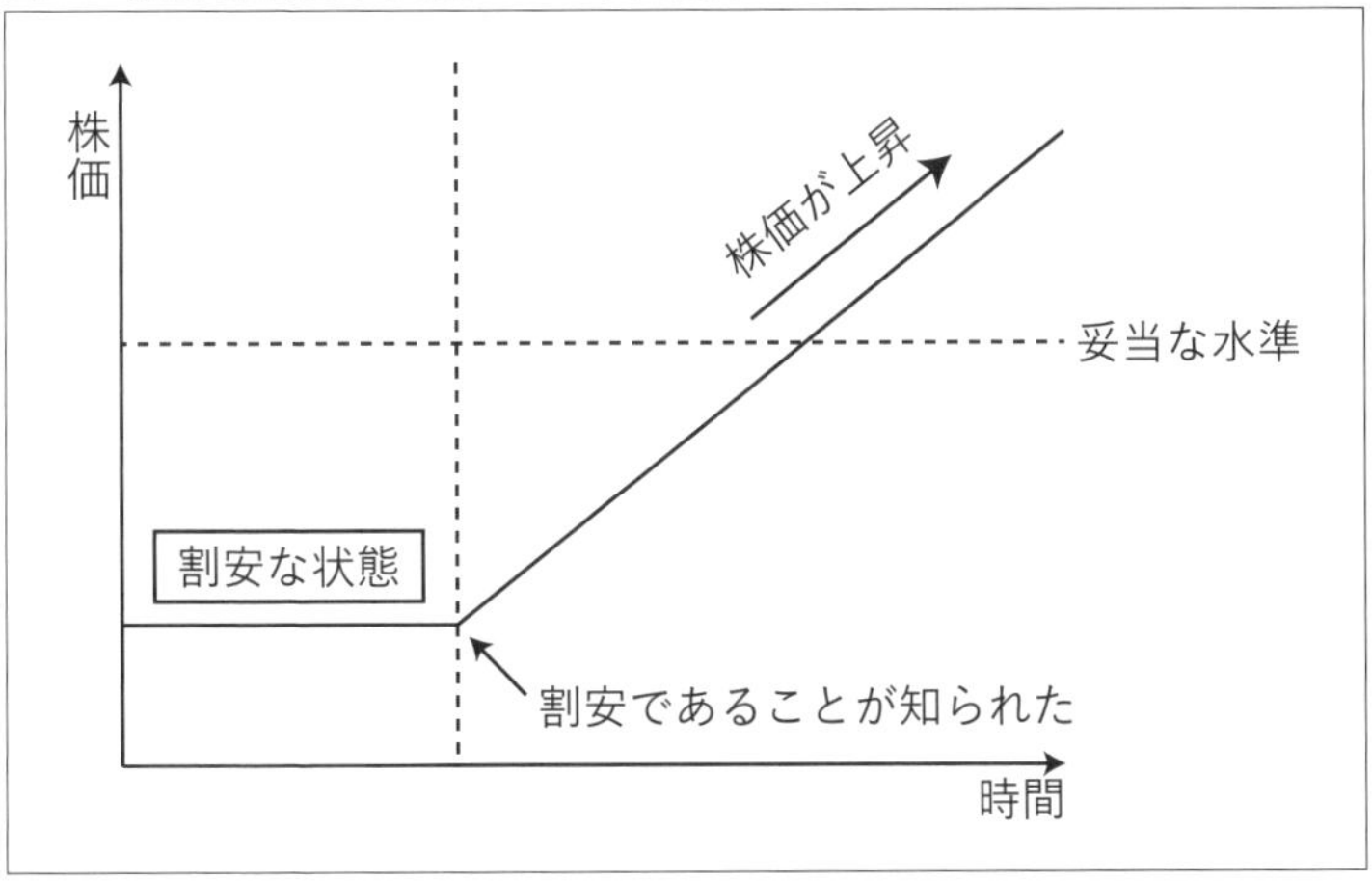

1株あたり利益の何倍になっているかを表すもので、単位は「倍」です。

PER＝株価÷1株あたり利益

なお、株式投資は将来を見越して行いますので、1株あたり利益には、**連結の今期予想値**を使うのが一般的です。例えば、株価が1000円で、1株あたり利益が50円の予想の銘柄の場合だと、以下のように20倍と求められます。

PER＝1000円÷50円＝20倍

PERの値は銘柄によってまちまちですが、本書執筆時点では、東証一部の平均で25倍程度です。市場全体が好調なときは、多くの銘柄が買われて株価が上がりますので、個々の

図1-8●東証一部銘柄のPERの分布（2021年11月12日時点）

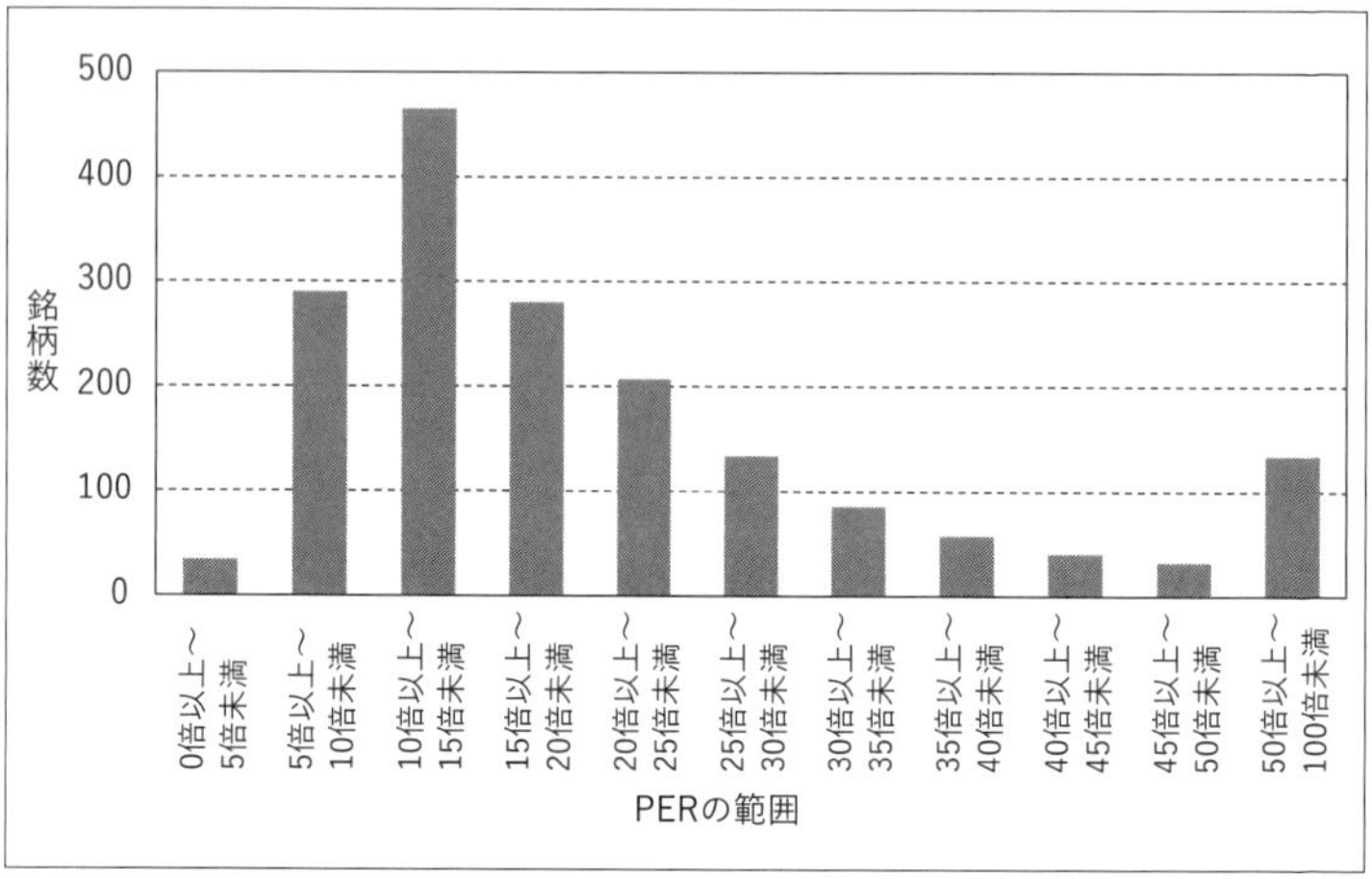

銘柄のＰＥＲは高めになり、市場全体が不振に陥るとＰＥＲは低めになります（図１・８）。

ＰＥＲが低いほど、利益の割りには株価が安く割安であると考えられます。実際、過去の株価上昇局面を見てみると、ＰＥＲが低い銘柄ほど、株価が上昇した傾向がありました。

高配当・低ＰＥＲ銘柄はベスト

配当利回りが高く、ＰＥＲが低くて、なおかつ売上や利益が伸びている銘柄は、配当で利益を得られるとともに、値上がり益も期待しやすいと考えられます。

ただ、そんな都合の良い銘柄は、そうそう見つかりません。売上や利益が好調で成長期待のある銘柄は、将来性を見越した投資家に買われやすく、現在の利益水準よりもかなり割高な株価（高ＰＥＲ）になりやすいです。

特に、本書執筆時点では日経平均株価が３万円前後となっており、市場全体的に高値圏の状況で、各銘柄のＰＥＲも高い水準になっています。

ただ、このような中でも、成長が見込めそうでありながら、ＰＥＲがさほど高くなく、配当利回りもそれなりに高い銘柄もありますから、探してみると良いでしょう。

●スクリーニングで探してふるいにかける

ネット証券などのスクリーニングを利用すると、例えば、「ＰＥＲが15倍以下」「配当利回りが３％以上」といった条件を指定して、該当する銘柄を検索できます。

これで見つかった銘柄の中を対象に、売上や利益を調べて、それらが伸びてきている銘柄を選ぶようにします。

例えば、物流を行う企業である**センコーグループＨＤ（9069）**は、過去13年で売上が２・８倍にも増え、１株あたり利益も３倍以上になっています（図１・９）。配当も増やしてきていて、本書執筆時点の予想配当利回りも３・25％となっています。

売上や利益の伸びに伴って株価も上昇中で（図１・10）、コロナ禍による下落から短期間で回復した後は一段と上昇していますが、それでも本書執筆時点ではＰＥＲが10倍程度で、東証一部全体の平均と比較すると低く、どちらかといえば割安です。このような銘柄が投資に適しているといえます。

図1-9●センコーグループHDの売上と利益の伸び

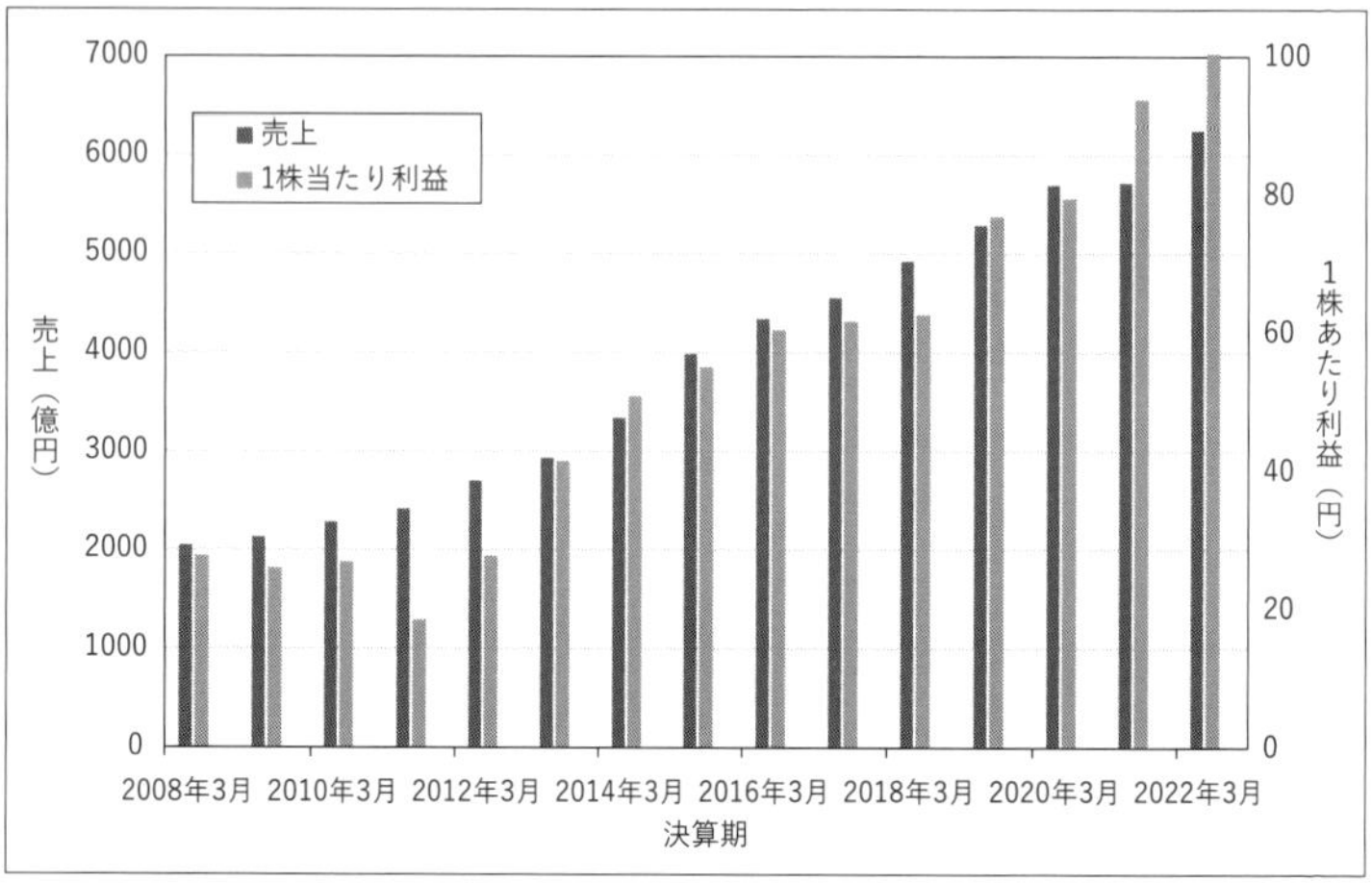

※2022年3月期は会社予想値

図1-10●センコーグループHDの株価の動き

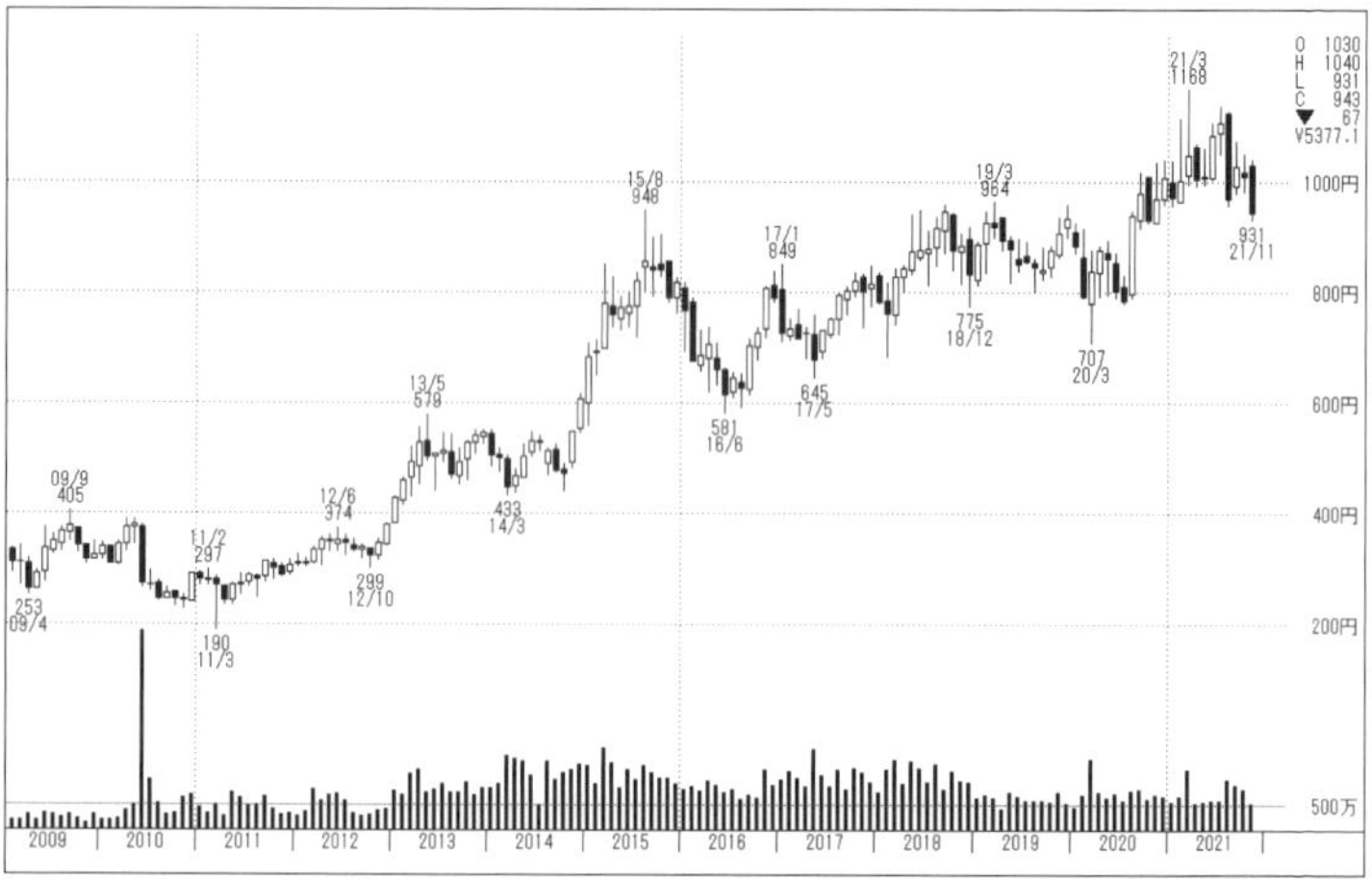

月足/2009.2～2021.11

資産から割安度を判断するＰＢＲ

割安度を判断するもう1つの指標として、**ＰＢＲ（株価純資産倍率）**があります。ＰＢＲは、株価が「1株あたり純資産」の何倍になっているかを表す指標です。

純資産は、大まかにいえば企業が持っている資産全体から負債を引いた額のことです。仮に企業を清算した場合、資産をすべて売却してそれで負債を返済して、残った額を株主に分配しますので、純資産は株主のものだといえます。

また、**1株あたり純資産（ＢＰＳ）**は、純資産を発行済み株式数で割ったものです。この額が大きいほど、仮に企業を清算したときに、1株あたりで株主に分配される額が多くなるので、株の価値が高い（＝株価が上がるはず）と考えられます。実際、株価とＢＰＳにはある程度関係性があり、**ＢＰＳが高い銘柄ほど株価が高い傾向**があります。

ただ、銘柄によって、ＢＰＳの割に株価が安い銘柄もあれば、逆に高い銘柄もあります。ＢＰＳが同じなら、株価も同じぐらいの水準になると考えられるので、ＢＰＳの割りに株価が安い銘柄はＰＢＲの値も低くなります。つまり、ＰＢＲが低い銘柄は割安だと判断し、買いの候補と考えるわけです。

実際、株価が上昇した時期を調べてみると、ＰＢＲが低い銘柄ほど値上がり率が高い傾

図1-11●理論上は株を買い占めて清算すると200億円残る

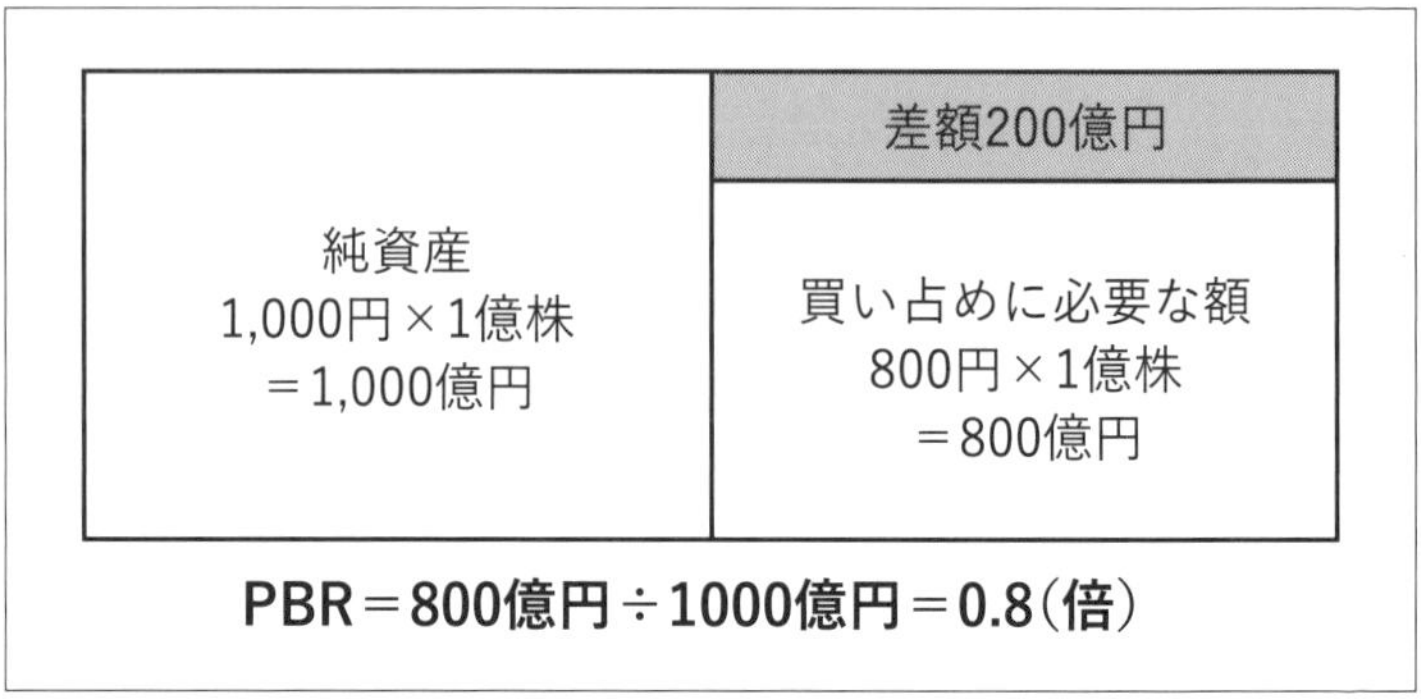

向がありました。

PBR1倍割れの銘柄が多い

PBRには「1倍」という1つの目安があります。PBRが1倍を割っている場合、その企業の株をすべて買い占めた後で企業を清算し、負債を返済しても理論上はお金が残ります。労せずして利益を得られることになるため、PBR1倍割れの銘柄は買いだとされています。

例えば、BPSが1000円で、株価が800円、発行済み株式数が1億株の企業があるとします。この企業の株を買い占めるには、800円×1億株＝800億円が必要です。一方、その企業を清算すれば理論上は1000円×1億株＝1000億円のお金が残ります。株の代金に使った800億円を引いても、まだ200億円が残る計算になります（図1・11）。

図1-12●PBRが1倍を割っている銘柄がかなりある（2021年11月12日時点）

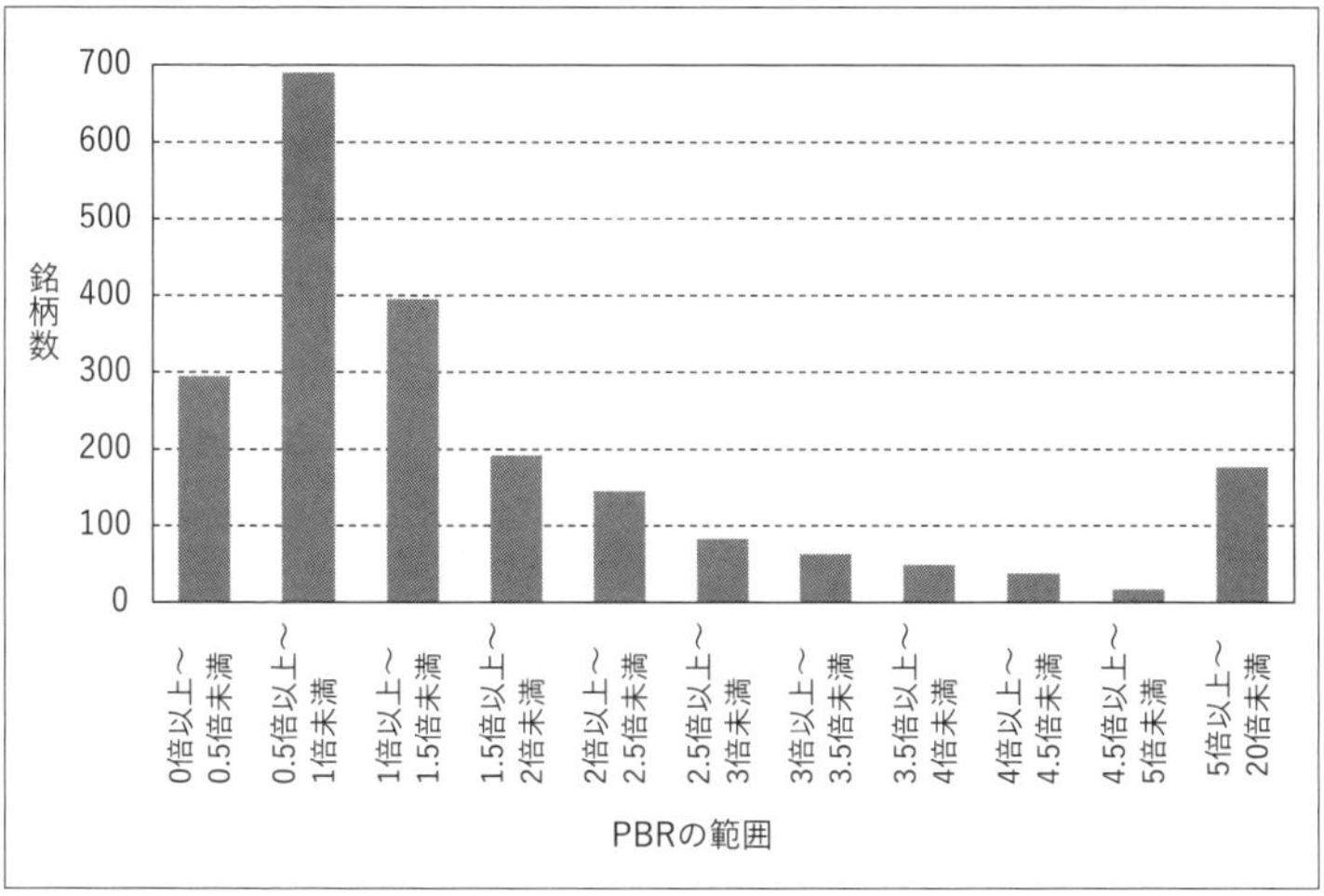

ただ、実際に資産を売却する際は帳簿上の価格の通りに売れることはまずなく、簿価よりも安くなることが多いでしょう。

そのため、ＰＢＲ１倍割れだからといって、即買いだとはいえません。実際、東証一部の銘柄を見ると、45％はＰＢＲが１倍を割ったままの状態です（図１・12）。

もっとも、**ＰＢＲが１倍を割っているような銘柄は、ＰＢＲが高い銘柄に比べればはるかに割安**だといえます。買いの候補を探す際のチェック指標の１つにはなりますので、頭に入れておくと良いでしょう。

連続増配銘柄は長期保有に最適

高配当株投資をする上で、今の配当利回りの高さだけでなく、「株主還元に熱心な銘柄を買う」という点もポイントです。

連続増配を続ける花王

株主還元への熱心さの指標の1つとして、「増配を続けているかどうか」という点があります。日本の株式市場には多数の銘柄がありますが、連続増配を続けている企業が多いかというと、残念ながらそうではありません。逆にいえば、そのような企業は大変優良で、株主還元に熱心だと考えられます。

日本の上場企業の中で、連続増配を最も続けている企業は、**花王（4452）**です。本書執筆時点では、1990年から2020年まで31期連続増配を達成し、2021年12月期も増配の予想を出しています。1990年の配当は1株あたり7・1円でしたが、2020年では140円になっていて、19倍以上に増えました（図1・13）。

図1-13●花王は31期連続で増配中（2021年12月期は会社予想）

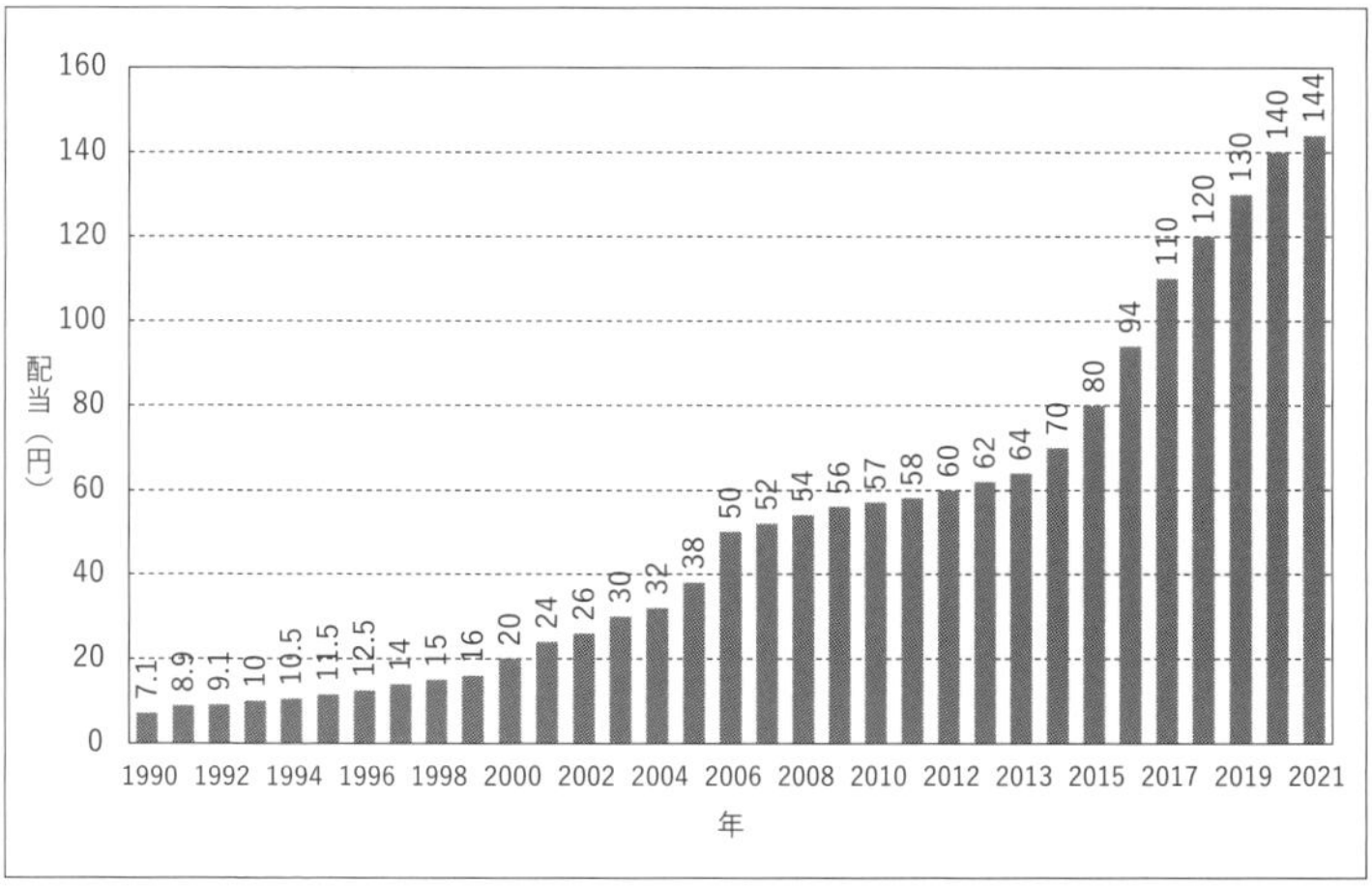

※2012年から決算期変更のため、同年は3月期・12月期の2期

花王は売上が伸びてきていますが、それとともにコストの削減も進んでいて、売上の伸び以上に利益が伸びています。2020年はコロナ禍の影響で減益となりましたが、連続配当を続けることに成功しています。

連続増配銘柄は利回りが長期で上昇

増配を続けている銘柄を長期保有すると、購入時の株価と比較した際の配当利回りが長期的に上がっていくことになります。

例えば、今の株価が1000円で、年10円の配当を出している銘柄があるとします。この銘柄の現時点での配当利回りは、10円÷1000円＝0.01＝1％で、さほど高いとはいえません。

しかし、この銘柄が増配を続けて、ある年に50円の配当を出したとします。この場合、購入時の株価で配当利回りを求めれば、50円÷1000円＝0・05＝5％で、かなり高くなります。

このように、**増配を続けている銘柄では、今の配当利回りがさほど高くなくても、長期保有することで配当利回りが上がっていきます。**また、それだけ増配できるのであれば、業績も長期的に好調で株価も上がり、値上がり益も得られるはずです。

ちなみに、先ほどの花王は、1990年当時の株価は1000円〜1200円程度で、配当利回りは1％に満たない状態でした。しかし、2020年12月期の配当は140円で、1990年に買って保有し続けていたとすれば、本書執筆時点の配当利回りは11％を超えています。株価も一時9000円を超え、9〜10倍程度に値上がりしています。

2020年はコロナ禍の影響により、6月から下落基調で約3000円程下がりましたが、そう遠くないうちには回復してくるものと思われます。

▼長期にわたって連続増配している銘柄を選ぶ

花王を筆頭に、連続増配のランキングは、次ページの表1・3のようになっています。

23期連続増配のSPK（7466）と21期連続増配のユー・エス・エス（4732）は、

表1-3●連続増配を続けている銘柄の例（2021年11月12日時点）

順位	銘柄（証券コード）	連続増配年数	2021.11.12の株価（円）	予想配当（円）
1	花王（4452）	31	6,314	144
2	SPK（7466）	23	1,370	40
3	三菱HCキャピタル（8593）	22	574	26
4	小林製薬（4967）	21	9,330	81
4	ユー・エス・エス（4732）	21	1,808	58.4
4	リコーリース（8566）	21	3,700	115
7	トランコム（9058）	20	8,750	124
8	ユニ・チャーム（8113）	19	4,672	36
8	沖縄セルラー電話（9436）	19	5,090	164
8	リンナイ（5947）	19	12,240	140
8	KDDI（9433）	19	3,441	125
8	サンドラッグ（9989）	19	3,250	70
8	プラネット（2391）	19	1,500	42
14	サンエー（2659）	18	4,330	55
15	パン・パシフィック・インターナショナルHD（7532）	17	2,228	16.5
15	ニトリHD（9843）	17	20,975	140
15	アルフレッサHD（2784）	17	1,698	54
15	ロート製薬（4527）	17	3,425	30
15	栗田工業（6370）	17	5,960	72
15	高速（7504）	17	1,568	44
15	東京センチュリー（8439）	17	6,370	143
15	芙蓉総合リース（8424）	17	7,580	260
15	みずほリース（8425）	17	3,170	110
15	イオンディライト（9787）	17	3,615	84
25	NECネッツエスアイ（1973）	15	1,955	38
26	ショーボンドHD（1414）	14	5,140	108
26	スカラ（4845）	14	715	36
28	アサヒグループHD（2502）	13	4,789	109

どちらも財務的に良い企業です。ＳＰＫは利益の割に株価がさほど高くなく、本書執筆時点の配当利回りが２％を超えています。一方、ユー・エス・エスは売上に対する営業利益の率が50％に近く、非常に高収益です。

また、19期連続増配の**ＫＤＤＩ（９４３３）**は、本書執筆時点で配当利回りが約３・６％あります。今の調子で増配を続ければ、現時点の株価と比較したときの配当利回りが、数年後には５％程度に届くと思われます。

「長期にわたって減配していない銘柄」も投資対象

増配を続ける銘柄は理想的ですが、数が限られています。そこで、「長期にわたって減配していない銘柄」にも投資対象を広げることが考えられます。

日本の上場企業では、利益の増減に関係なく、毎年安定した配当を出すところもあります。また、毎年ではないものの、徐々に配当を増やしているような企業もあります。

例えば、伊藤忠商事のグループ企業で、ＬＰガスなど各種のガス製品や石油製品を手掛けるエネルギー商社の**伊藤忠エネクス（８１３３）**は、２０２１年まで８期連続で増配しており、徐々に配当を増やしてきています（図１・14）。コロナ禍の影響により、２０２０年・２０２１年３月期の売上高は大きく下がったものの、利益は減らすことなく微増しています。今期配当は減配予想ではあるものの、大きな減配とはなっておらず、配当利回りも本書執筆時点で4・6％と高めです。

株価も、アベノミクスに乗って大きく上昇した2015年以降は、700円台前半〜1200円直下で上下する動きになっています（図1・15）。

このように、**株価の動きが安定し、配当を徐々に引き上げていて、かつ配当利回りが高い銘柄であれば、長期的に保有して配当で地道に稼いでいくのに適している**といえます。

そのような銘柄の例として、57ページの表1・4のようなものがあります。

図1-14●伊藤忠エネクスの1株あたり当期純利益と配当の推移（2021年11月15日時点）

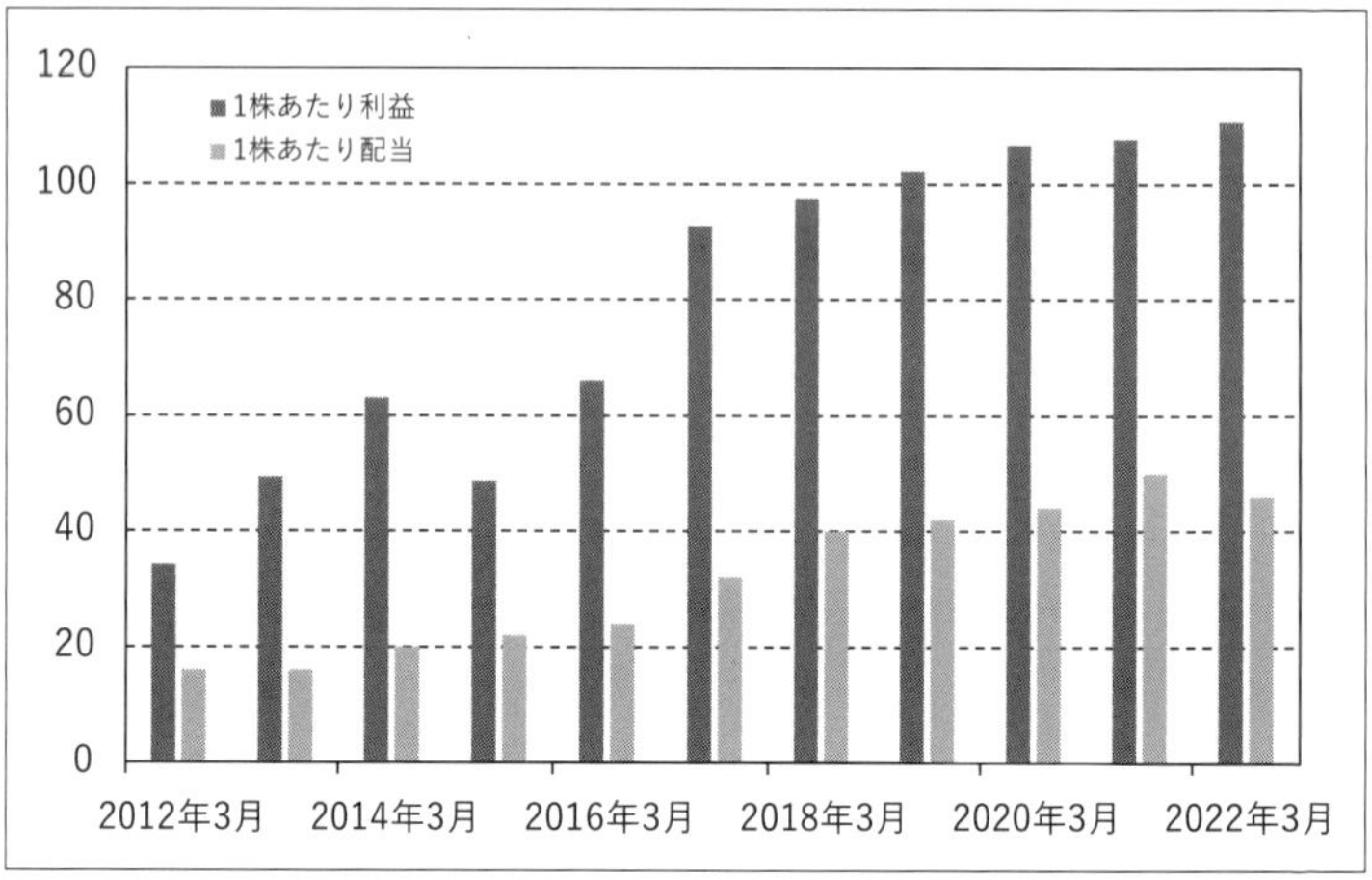

※22年3月期は会社予想値

図1-15●伊藤忠エネクスの株価の動き

月足/2009.2～2021.11

表1-4●過去10年で5回以上増配し減配がなく、かつ配当利回りが比較的高い銘柄の例
（2021年11月15日時点）

銘柄名（証券コード）	増配回数	株価（円）	予想配当（円）	配当利回り（%）
極東貿易（8093）	7	2,495	145	5.81
ジャックス（8584）	6	3,015	155	5.14
学究社（9769）	5	1,468	75	5.11
三井住友FG（8316）	6	3,943	210	5.33
4°Cホールディングス（8008）	9	1,672	83	4.96
中電工（1941）	5	2,172	104	4.79
イーグル工業（6486）	5	1,062	50	4.71
りそなHD（8308）	5	449.1	21	4.68
ふくおかFG（8354）	5	2,058	95	4.62
伊藤忠エネクス（8133）	8	996	46	4.62
七十七銀行（8341）	5	1,207	55	4.56
日本エスコン（8892）	8	838	38	4.53
H.U.グループHD（4544）	7	2,757	125	4.53
ヒノキヤグループ（1413）	5	2,252	100	4.44
IDホールディングス（4709）	6	906	40	4.42
ファンコミュニケーションズ（2461）	6	434	19	4.38
山口フィナンシャルG（8418）	9	640	28	4.38
MS&ADインシュアランスグループHD（8725）	8	3,675	160	4.35
三菱UFJ FG（8306）	6	645.2	28	4.34
三井住友トラスト・HD（8309）	6	3,686	160	4.34
沖縄電力（9511）	5	1,395	60	4.30
稲畑産業（8098）	8	1,632	70	4.29
日比谷総合設備（1982）	5	1,899	80	4.21
熊谷組（1861）	6	2,896	120	4.14
佐藤商事（8065）	6	1,198	48	4.01
T&D ホールディングス（8795）	7	1,441	56	3.89
佐鳥電機（7420）	5	1,065	38	3.57
オリックス（8591）	8	2,335.50	78	3.34

「自社株買い」という株主還元にも注目

株主還元の方法として、配当だけでなく、「自社株買い」もあります。自社株買いとは、企業が自社の株を買い取ることを指します。

自社株買いは何のため？

自社株買いにはいくつかの理由がありますが、その1つに「**消却**」があります。これは、**買い取った分だけ発行済み株式数を減らす**ことです。発行済み株式数が減ると、相対的に1株あたり利益が増え、それが**株価上昇**につながります。

例えば、発行済み株式数が1億株で、税引き後当期純利益が10億円の企業の1株あたり当期純利益は、以下のように10円になります。

1株あたり当期純利益＝税引き後当期純利益÷発行済み株式数
＝10億円÷1億株＝10円

ここで、この企業が2000万株の自社株買いを行って、その株をすべて消却すると、発行済み株式数は1億株から2000万株減るので8000万株になります。この時点で1株あたり当期純利益を計算しなおすと、以下のようになります。

1株あたり当期純利益＝10億円÷8000万株＝12・5円

自社株買いを行う前と比べると、1株あたり利益が10円から12・5円になり、25%増えることになります。株価は1株あたり利益に比例する傾向があるので、自社株買いと消却を行うとその分だけ株価上昇につながり、**株主への利益還元の1つ**になります。

株主を重視する企業では、配当を上げるとともに、自社株買いも積極的に行う傾向が見られます。そのような企業を投資先として選びたいところです。

「総還元性向」の高さも見ておきたい

配当総額と自社株買いはどちらも株主還元なので、その両方に使った金額を合計して、当期純利益に対する割合を出すこともあります。これを「**総還元性向**」と呼びます。

総還元性向＝（配当総額＋自社株買い）÷当期純利益

例えば、当期純利益が1000億円の企業が、配当で500億円を支払い、300億円の自社株買いを行ったとします。この企業の総還元性向は以下のように80％になります。

総還元性向＝（500億円＋300億円）÷1000億円＝0・8＝80％

株主還元の指標として「配当性向30％」といった目標を出す企業が増えていますが、最近では配当性向ではなく、**総還元性向の目標を明示する企業**も出ています。例えば、**東京ガス（9531）**は、「総還元性向の目標を2022年度に至るまで各年度5割程度とする」という株主還元方針を出しています。また、**積水化学工業（4204）**も「50％以上を確保」としています。

ただ、企業が自社株買いを行う場合、「**自己株式の取得に係る事項の決定に関するお知らせ**」などとして、「上限○○株、上限○○億円、取得期間○年○月○日～○年○月○日」というような形で発表されますが、その後実際に上限通りの自社株買いが行われるとは限りません。そのため、総還元性向は、配当性向と比べると簡単には求められないというネックがあります。

ただ、取得期間中に「自己株式の取得状況に関するお知らせ」として、買った株数や金額などが発表されますので、参考になります。

内部留保が多い企業は増配余力がある

配当を狙う上で、配当になり得る「内部留保」にも目を向けることが考えられます。

ときどき話題になる「内部留保課税」

税金を取る側（政府など）にとって、「どこから税金を取るか」ということは、悩ましい問題です。特に、一般庶民から税金を取ろうとすると、選挙で票が取れなくなる恐れがあるので、政治家は庶民受けしそうな税の取り方を考えることがよくあります。

2017年秋の衆議院解散総選挙では、希望の党が「内部留保課税」を公約の1つに掲げましたし、直近の**2021年秋の衆議院総選挙**でも、社会民主党が公約の中で「3年間消費税をゼロにするための財源の1つ」として、内部留保課税を掲げました。

「内部留保」とは会計上はあいまいな言葉で、明確な定義はありませんが、大まかにいえば「企業がため込んだ利益」というイメージです。「法人企業統計」によると、2020年度末の企業の**内部留保**（金融業・保険業を除く利益剰余金）は484兆円で、9年にわたり過去最高を更新中です。「大企業は低い法人税率の下で不当に儲けている」「ためこんだ内部留保を賃金や投資に回せ！」といった声も、よく聞かれます。

そもそも「内部留保」とは？

前述したように、「内部留保」とは会計上はあいまいな言葉です。企業の決算書（損益計算書や貸借対照表）には、「内部留保」という勘定科目は出てきません。言葉のイメージからすると、「企業に蓄えられている現金」のように思えるかもしれませんが、内部留保と現金はイコールではありません。

株式会社は、事業を行って利益を上げ、それを株主に分配する会社です。ただ、利益を100％株主に配当することは、通常ありません。利益の一部は配当するものの、残りの部分は会社に留めておき、成長のための投資に使ったり、将来に起こるかもしれない危機に備えたりします。

この「**利益の中で、配当しなかった残りの部分**」が蓄積されたものが、内部留保だと考えられます（図1・16）。会計的には、「**利益剰余金**」や「**利益準備金**」などの勘定科目が、内部留保にあたります。

企業が成長するために投資すると、それは土地や建物や機械などの資産に形を変え、現金ではなくなります。内部留保は現金で残っているわけではなく、さまざまな資産として会社に存在しています。

そのため、「内部留保に課税する」というのは、そう簡単ではなく、「内部留保を賃上げに使う」というのも、内部留保は現金ではあるとは限らないので、簡単ではありません。

さらに、内部留保に回る利益は、税金を払った後のものです。内部留保に課税すると、すでに法人税などの税金を払っていますから、**二重課税**になるという問題もあります。

図1-16●内部留保のイメージ

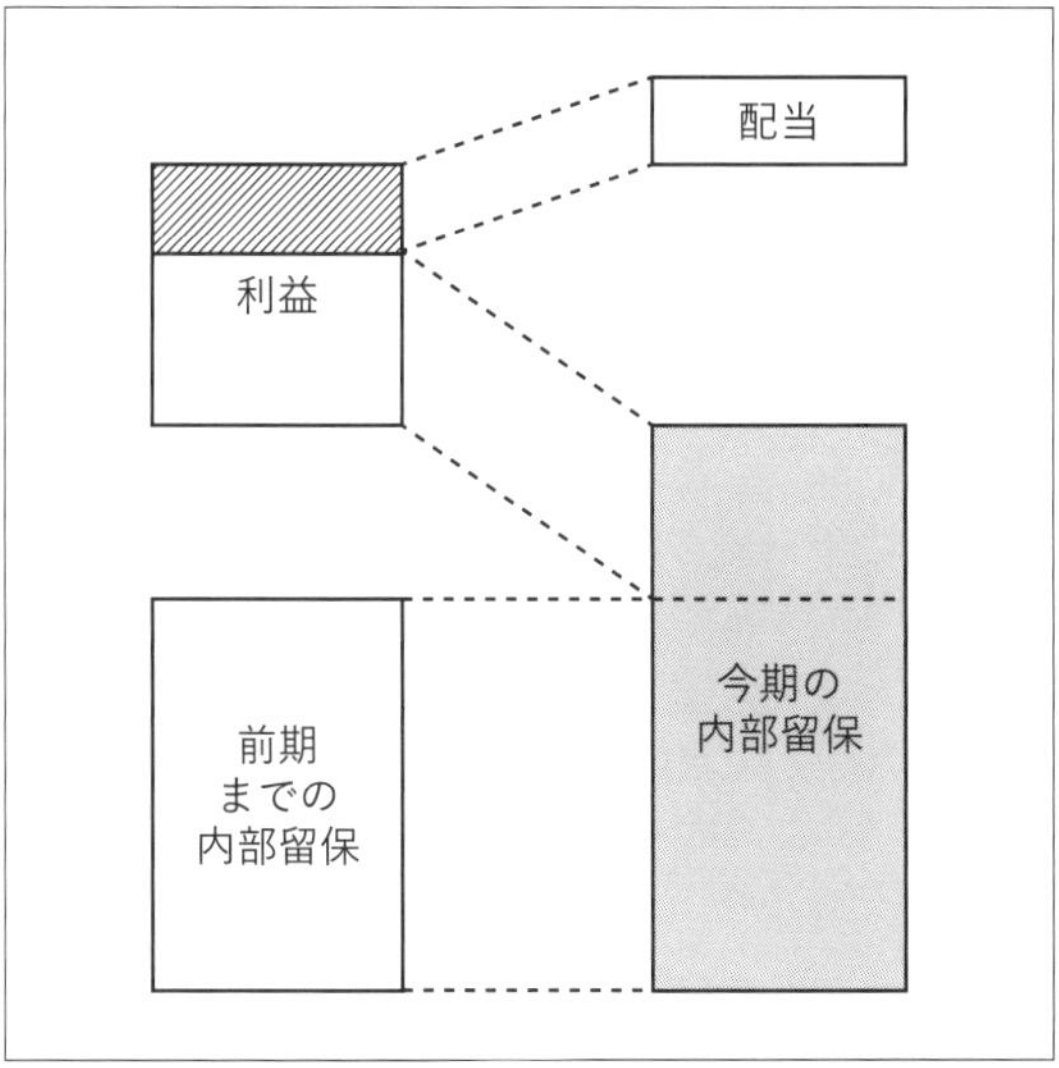

企業は現預金の保有を増やしている

内部留保と現金は別ものではあるものの、無関係でもありません。利益が出て内部留保

図1-17●企業は現預金の保有を増やしている

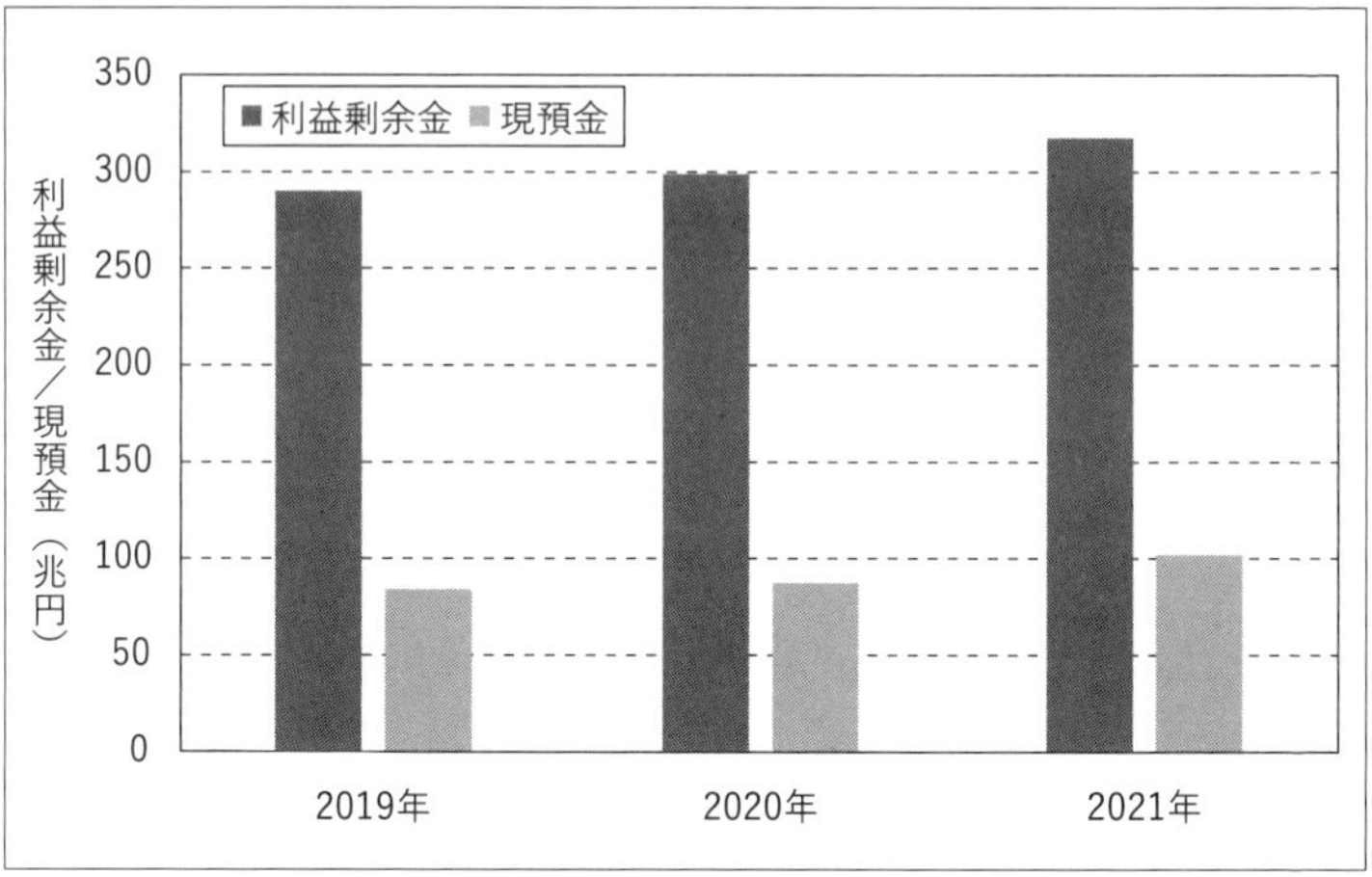

が増えるにつれて、現金や預金の保有も増やしている傾向があります。

東証一部の3月決算の企業で、銀行など決算方法が特殊なところを除いて、**利益剰余金**と**現預金**のそれぞれの合計を調べてみると、図1-17のようになりました。以前に比べて伸びは鈍化していますが、利益剰余金が増えるとともに、現預金も増えています。

企業が成長する方法の1つに、**M&A**（合併や買収）があります。M&Aを行うには資金が必要なので、そのために現預金を増やしている企業も多いのです。

また、本書執筆時点ではコロナ禍が一服し、経済活動が再開されてきていますが、再び感染拡大がないとはいえません。またリーマンショックのような事態が起こらないとも限らないのです。こういった**不測の危機**に備えて、現預金を増やしている企業も少なくありません。

内部留保の増やしすぎも問題がある

企業が内部留保を積み上げ、また現預金の保有を増やすことは、決して悪いこととはいえませんが、良いことだともいい切れません。

株式会社は、基本的には事業で得た利益を株主に分配するものです。内部留保は利益の積み上げなので、本来であればそれも株主に分配されてもおかしくないものです。

内部留保から投資することによって企業が成長し、業績も上がって株価も上がるのであれば、配当しないとしても、株主にとっては特に大きな問題はありません。

しかし、業績が伸びていないにも関わらず、内部留保だけが増えているとすれば、株主から見て問題もあります。もう成長余力がないのであれば、利益を内部留保するのではなく、**配当や自社株買いで株主に分配**すべきです。

●内部留保を増やすだけだとROEが下がる

内部留保を増やすと、**ROE（自己資本利益率）**に影響するという点もあります。ROEは、**自己資本に対する利益の割合**を表します。

自己資本は株主の出資や過去の利益などから構成され、株主のものです。ROEが高いほど自己資本を効率良く活用して利益を上げていることになり、株主にとって良い（＝投資先として好ましい）と考えられます。

ROEを上げるには、利益を増やすか、自己資本を減らす（またはその両方）を行う必要があります。内部留保≒利益剰余金ですが、利益剰余金は自己資本の一部ですので、内部留保が増えるほど自己資本が増えます。そうなると、それに見合うだけ利益を伸ばさないと、ROEが下がってしまうことになります。

利益を増やすのはそう簡単ではない一方、内部留保を取り崩して自己資本を減らすことは、まだ容易にできます。そこで、**ROEを上げるために、特別配当を出すなどして意図的に自己資本を減らす企業**もあります。

▼内部留保が厚い企業は増配の可能性がある

ここまで述べたように、内部留保を増やしすぎることは好ましくなく、株主に対して利益を適切に分配すべきです。しかし、日本企業をアメリカの企業と比べると、配当を増やしてきてはいるものの、株主への分配がまだ十分ではありません。

現在の日本の株式市場では、外国人投資家のシェアが高くなっています。外国人投資家

図1-18●自社株買いや増配が好感され急騰したプロネクサス

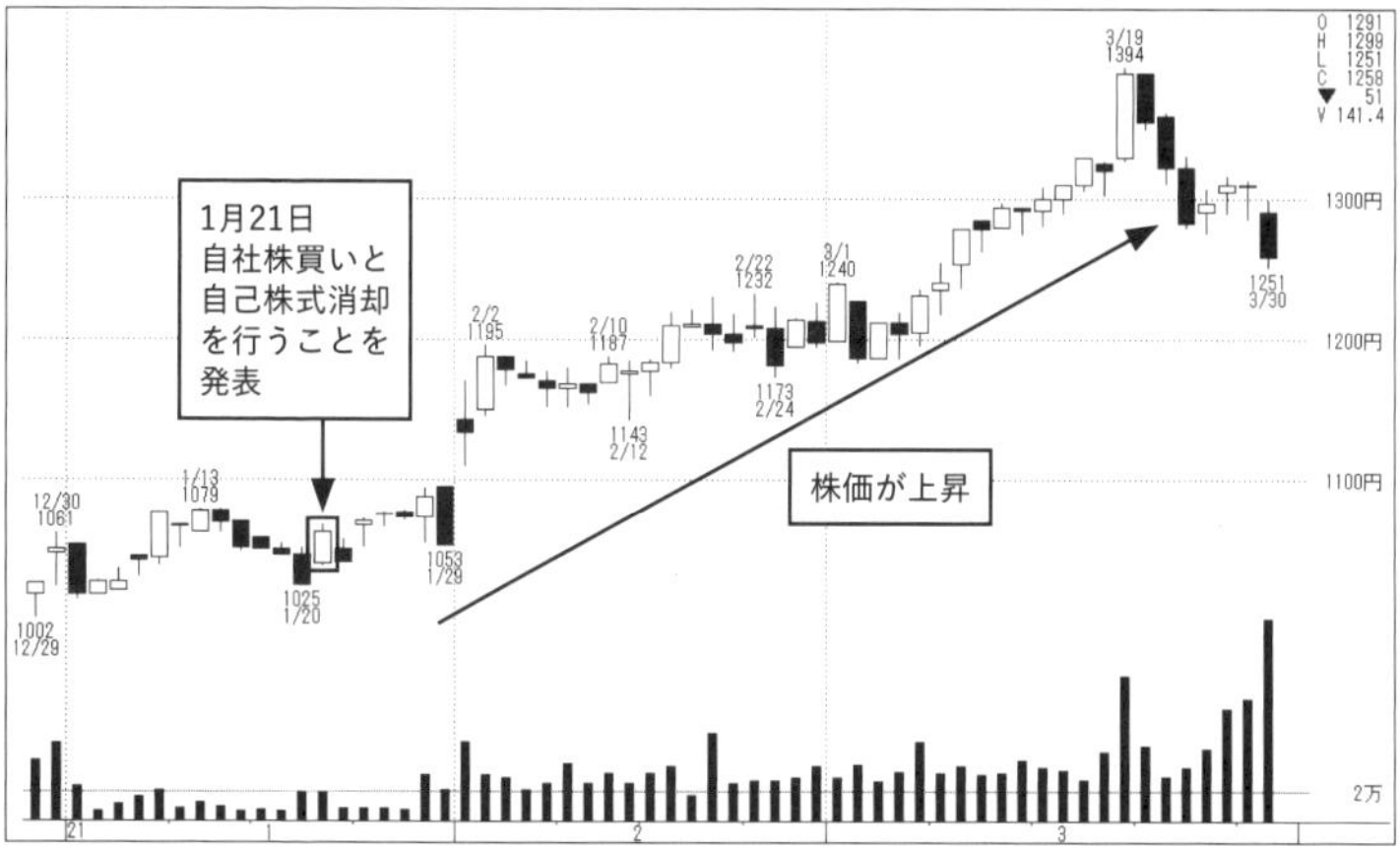

日足/2020.12～2021.3

は企業に対して「配当を増やせ」「自社株買いしろ」「ROEを上げろ」といった主張をすることが多く、企業もそれに応えて増配などを行うようになってきています。特に、内部留保が厚い企業に対しては、そのような主張が強くなりやすいです。

　したがって、**内部留保が十分にある一方で、配当や自社株買いがまだ不十分な企業では、今後は増配や自社株買いを行う可能性がある**と考えられます。

●配当&自社株買いの例（プロネクサス）

　実例として、上場会社のディスクロージャーやIRの支援を手掛ける**プロネクサス（7893）**があります。2021年1月21日、50万株・5億円を上限とする**自社株買い**（取得期間2021年2月1日～6月30日）およ

表1-5●株価の割に1株あたりの利益剰余金が多い銘柄の例（2021年11月18日時点）

銘柄名（証券コード）	1株あたり利益剰余金（円）	株価（円）	1株あたり利益剰余金に対する株価の割合
GMB（7214）	3,228.0	782	0.24
ユニプレス（5949）	2,420.8	767	0.32
東京鉄鋼（5445）	4,067.4	1,333	0.33
日本プラスト（7291）	1,487.8	535	0.36
永大産業（7822）	787.2	285	0.36
エイチワン（5989）	1,750.4	671	0.38
カメイ（8037）	2,657.5	1,023	0.38
タイガースポリマー（4231）	1,094.3	426	0.39
はるやまHD（7416）	1,452.2	571	0.39
エクセディ（7278）	3,969.2	1,728	0.44
タカノ（7885）	1,571.7	687	0.44
T&K TOKA（4636）	1,792.4	811	0.45
リケン（6462）	5,767.1	2,667	0.46
中山製鋼所（5408）	853.7	441	0.52
小野建（7414）	3,011.1	1,597	0.53

※利益剰余金、発行済み株式数は直近本決算の数値

び２００万株の**自己株式消却**（消却予定日２０２１年2月15日）を発表しました（図1・18）。

この発表を受けて、１０７０円付近で推移していた株価は急騰し、2月2日には高値で１１９５円をつけました。また、２０２１年3月期の年間配当は記念配当2円を含む32円（2円の増配予想）でした。その後も上昇し、3月19日に高値で１３９４円をつけました。

同社は利益剰余金が潤沢で、株主への利益還元として配当性向（40％以上を基準）や自己株式取得を重視しており、21年3月期の総還元性向は71・7％でした。また、株主優待（ＱＵＯカード贈呈）もあります。

ネットキャッシュが潤沢な企業は特に狙い目

単に内部留保が厚いだけでなく、「ネットキャッシュ」（Net Cash）が厚い銘柄は、より狙い目になります。

ネットキャッシュとは？

ネットキャッシュは、**現預金に短期保有の有価証券を足して、有利子負債を引いた額**です。有利子負債を全部返済したとしても、手元に残る現金（または現金に近いもの）にあたります。

ネットキャッシュが潤沢な企業は、「資金を十分に活用していない」と株主から迫られることが多くなります。また、**企業買収のターゲット**として狙われやすくなります。これらの問題をかわすために、**増配や自社株買いを行う可能性が高い**と考えられます。また、それによって株価も上がる可能性があります。

図1-19　潤沢なネットキャッシュもあり増配を続ける伊勢化学工業

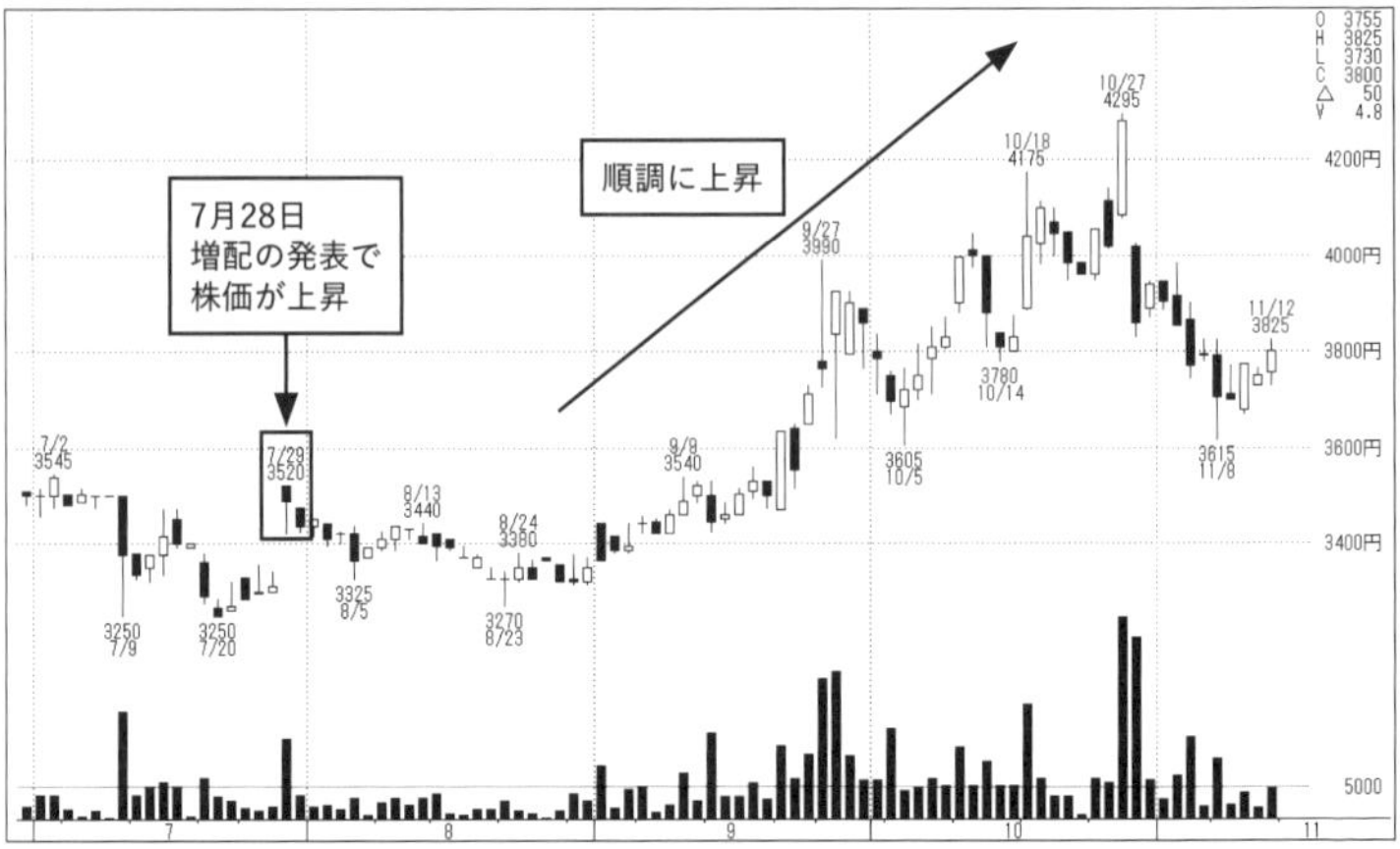

日足/2021.7～11

●ネットキャッシュが潤沢で増配した銘柄の例（伊勢化学工業）

実例として、**伊勢化学工業（４１０７・二部）**があります。同社はヨウ素の生産で世界屈指の企業です。伊勢化学工業は総資産が約３１０億円であるのに対し、現金及び現金同等物を１００億円近くも保有していて、有利子負債は６億円しかありません。かなりのキャッシュリッチといえます。そのうえ、利益剰余金も１９２億円（２０２１年９月末）と潤沢です。

配当も60円→75円→90円と増配を続けており、２０２１年７月28日、今期（２０２１年12月期）の業績予想を上方修正するとともに、年間配当予想を前期に比べ15円増配の１０５円とすることを発表しました。

表1-6●ネットキャッシュが潤沢で配当利回りも高い銘柄の例（2021年11月19日時点）

銘柄（証券コード）	株価（円）	予想配当（円）	配当利回り（%）	NC倍率（倍）
オーハシテクニカ（7628）	1,553	57	3.67	1.08
クリナップ（7955）	518	20	3.86	1.22
テイ・エス テック（7313）	1,453	54	3.72	1.29
日比谷総合設備（1982）	1,845	80	4.34	1.34
三洋工業（5958）	1,867	70	3.75	1.35
ドウシシャ（7483）	1,605	60	3.74	1.45
ハピネット（7552）	1,494	50	3.35	1.65
共和レザー（3553）	648	28	4.32	1.70
安藤ハザマ（1719）	893	40	4.48	1.74
蔵王産業（9986）	1,857	64	3.45	1.74
帝国通信工業（6763）	1,334	50	3.75	1.99
オリジン（6513）	1,354	40	2.95	2.55

※ネットキャッシュ、発行済み株式数は直近本決算の数値

この発表を受けて、前日3310円だった株価は、窓をあけて高値で3520円まで上昇しました（図1・19）。いったん元の水準に戻ったものの、その後は上昇基調が続きました。

●ネットキャッシュ倍率も見る

ネットキュッシュの潤沢さを見る指標として、「ネットキャッシュ倍率」があります。これは、**時価総額（＝株価×発行済み株式数）をネットキャッシュで割った値**です。この値が低いほど、ネットキャッシュが潤沢だと判断します。

本書執筆時点で、配当利回りが比較的高く、かつネットキャッシュ倍率が低い銘柄としては、表1・6のようなものがあります。

会社予想の進捗率が高い銘柄は業績上方修正の可能性がある

企業の年間（通期）の業績予想に対する四半期ごとの進捗率から、増益（とそれに伴う増配や株価上昇）を狙うことも考えられます。

業績予想の進捗率とは？

企業は毎年期末に決算を行い、**本決算**として発表します。その際に、多くの企業は今季の業績予想も併せて発表します。

売上／営業利益／経常利益／税引き後当期純利益／1株あたり当期純利益の5つの予想値が発表され、それを元にした投資判断が行われています。

また、上場企業は3か月ごとに「**四半期決算**」を出すことが義務づけられています。四半期決算では、四半期単位における右の5つの予想値が開示されます（図1・20）。決算時点の業績予想と、その後の四半期決算とを見比べて、予想と実際との差を調べることもよく行われます。その際に出てくる値が「**進捗率**」です。

図1-20●企業の決算スケジュールの例（3月期決算企業の場合）

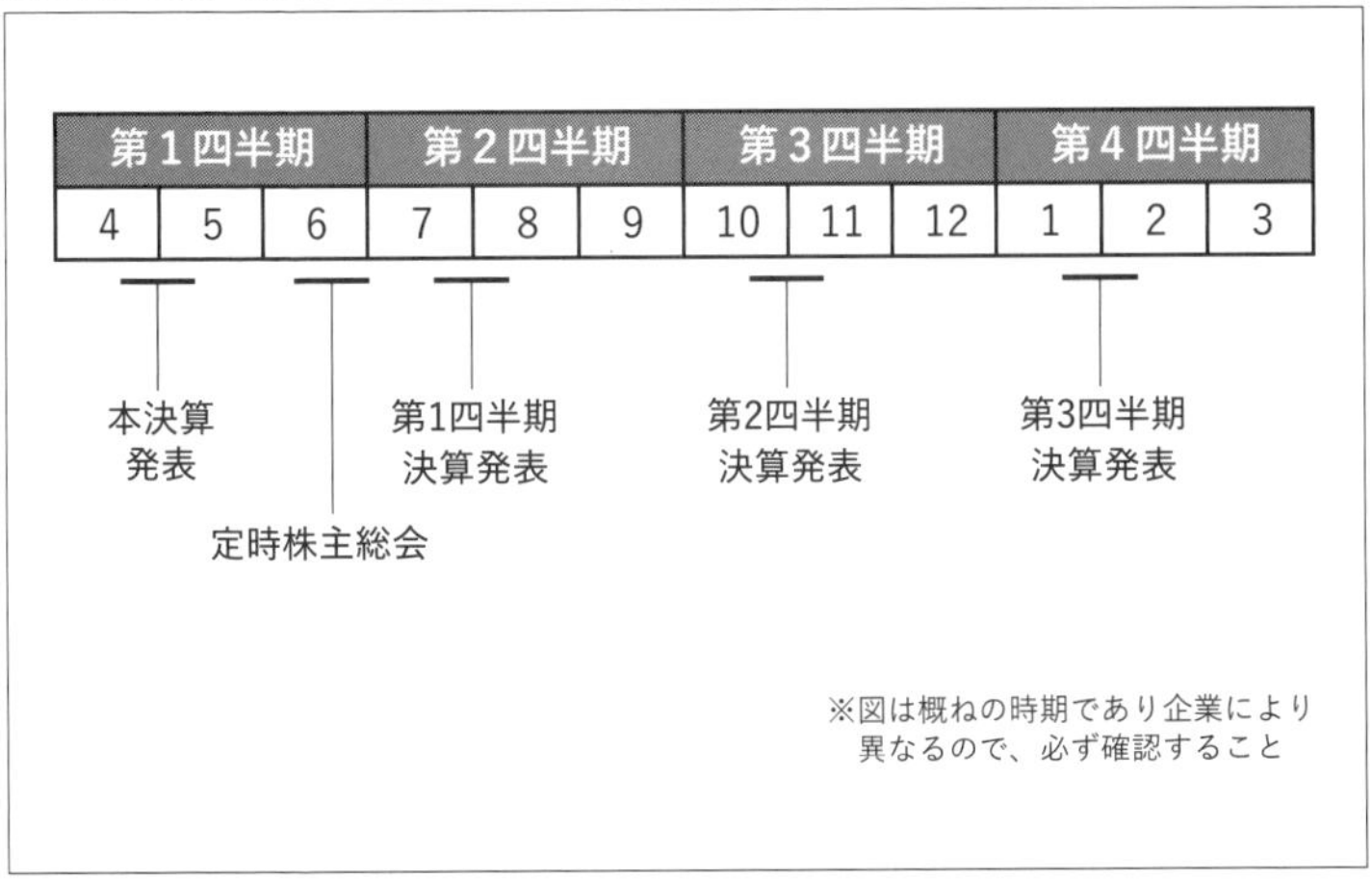

図1-21●各四半期の進捗率は基本的に25%ずつ伸びる

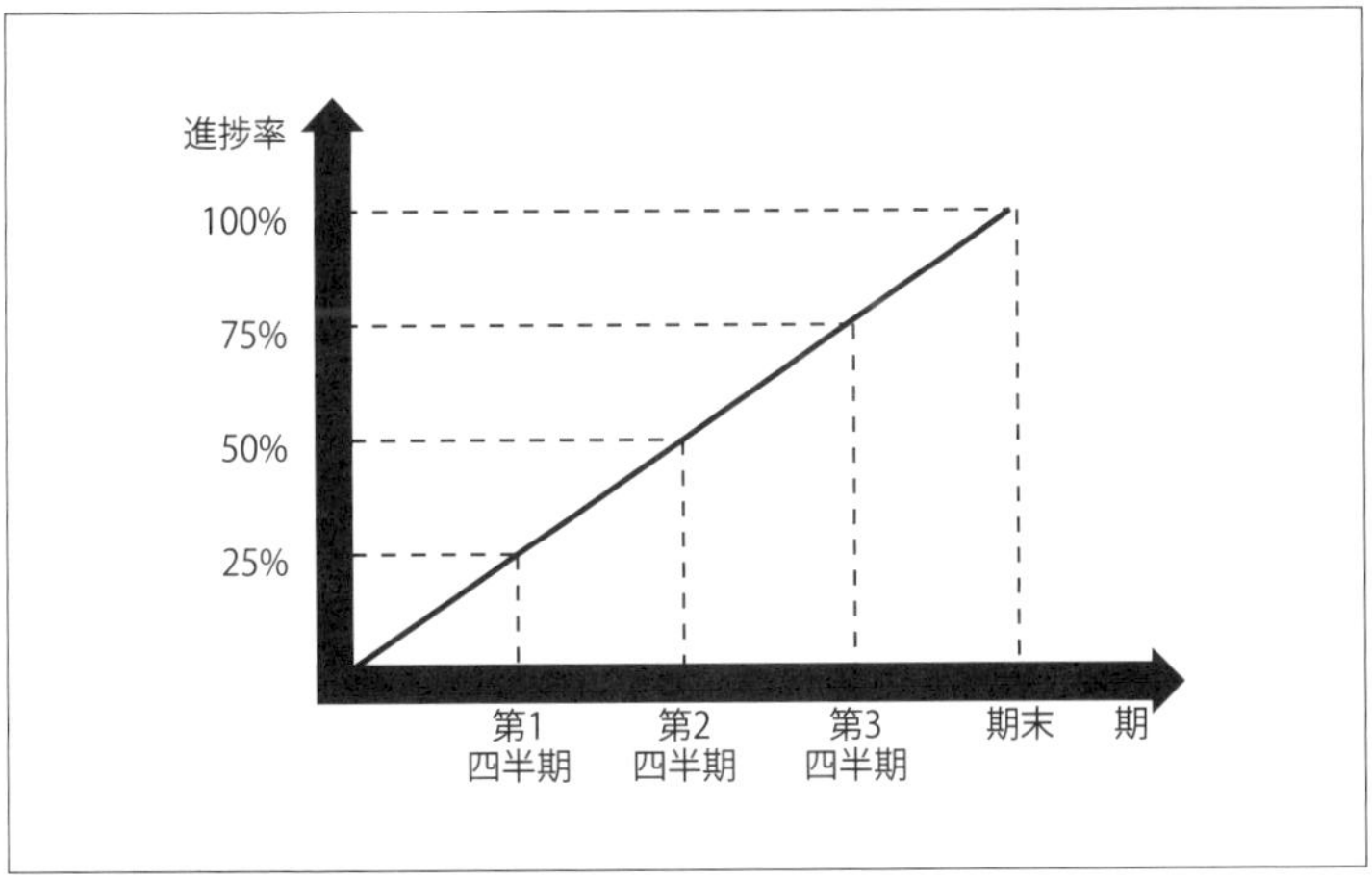

進捗率とは、**今季の業績予想に対して、各四半期単位の実績がどの程度の割合になっているかを表す値**です。以下のようにして求め、パーセント単位で表します。

進捗率＝実績値÷予想値

第1四半期決算の場合だと、年度が始まって最初の4分の1を消化した時点の業績なので、単純に考えれば、進捗率は25％前後になっているはずです。同様に、第2四半期（中間決算）だと進捗率は50％前後、第3四半期だと75％前後になっていると考えられます（図1・21）。

各四半期の決算を見て進捗率を計算すると、単純に考えた値よりも高い値になっている場合があります。例えば、第1四半期の時点で進捗率が30％だったとすると、そのペースで1年続けることができれば、30％×4＝120％となり、予想の20％増しの業績になりそうだと予想することができます。

期首の業績予想よりも好業績になりそうな場合は、企業は業績予想を上方修正します。上方修正があると株が買われることが多く、例えば業績予想がプラス20％に修正された場合、株価も20％程度上がることが多いです。

図1-22●進捗率が高く、その後上方修正した高配当株の例（出光興産）

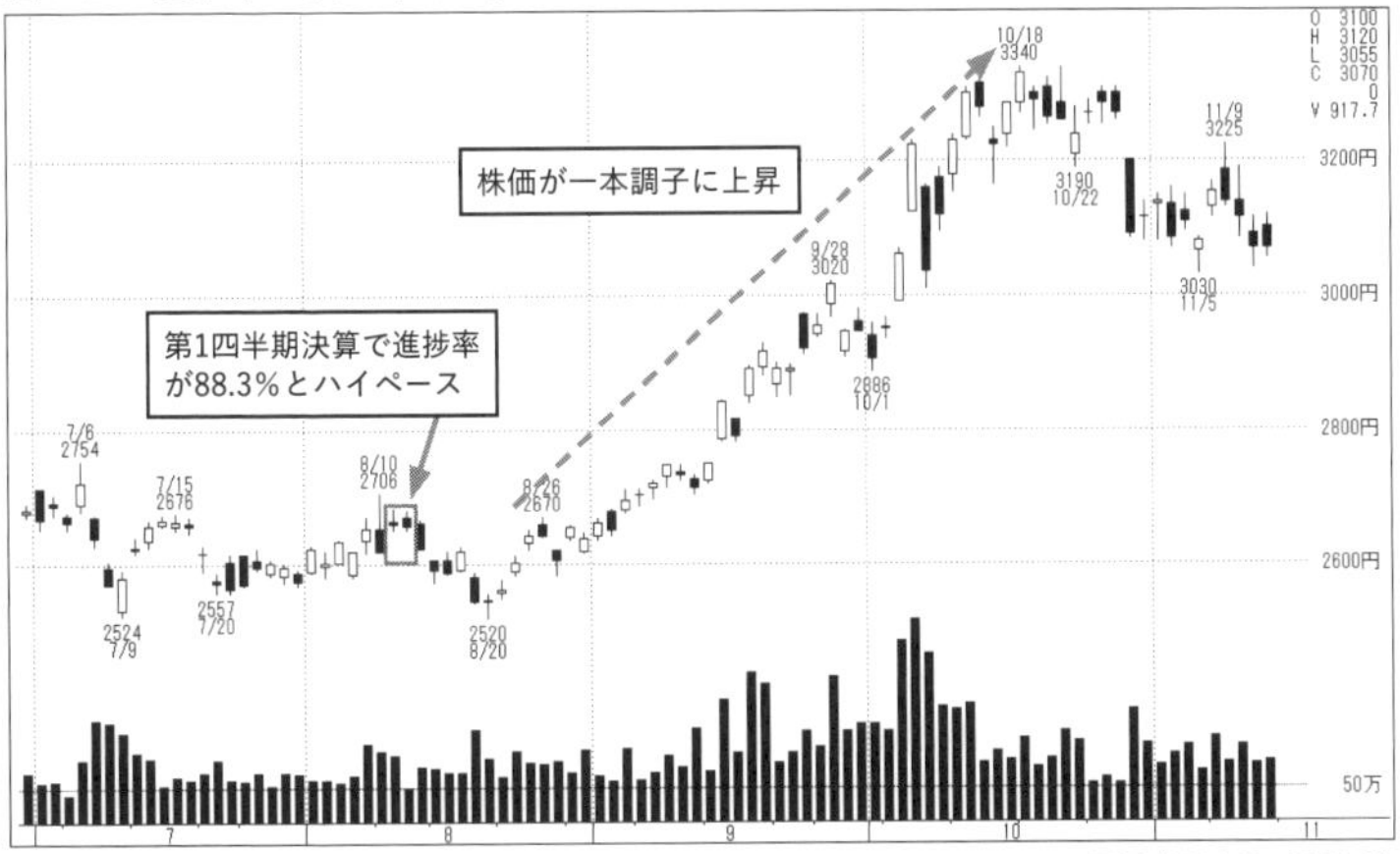

日足/2021.7～2021.11

●進捗率が高く株価も順調に上昇した高配当株の例（出光興産）

石油精製・元売り大手の**出光興産（５０１９）**を取り上げます。

出光興産は、２０２１年8月6日、２０２２年3月期第１四半期決算を発表しました。その時点での経常利益は１２３６億円で、通期当初予想の１４００億円からの進捗率は88・3％と大幅な伸びでした。前述のように第１四半期の進捗率は通常は25％前後なので、88・3％はかなりのハイペースだといえますが、この時点では業績上方修正はありませんでした。

その後株価はやや下げた後、ほぼ１本調子で上昇し、10月18日には高値で３３４０円をつけました。四半期決算の時点で進捗率を見て、8月20日までの少しもたついている間に出光興産を買っておけば、その後の株価上昇で利益を得られることができたわけです（図1・22）。

出光興産は2021年11月9日に、2022年3月期第2四半期決算を発表し、経常利益の予想を1400億円から3300億円に引き上げました。235・7％の大幅な上方修正です。当期純利益予想も、850億円から2200億円へと大きく上方修正しました。

本書執筆時点では、配当予想は当初予想のままですが、増配も期待できるかもしれません。進捗率が高い銘柄は業績予想の上方修正の可能性がありますが、逆にいうと進捗率が悪い銘柄は下方修正の恐れがあり、それに伴って株価が下落することもあり得ます。

企業の業績の進捗率を調べる

企業の業績の進捗率は、「日本経済新聞」「会社四季報オンライン」「株探」「株式新聞」「みんかぶ」といった経済メディアでニュース配信されています。証券会社のツールでも、進捗率が高い銘柄を探すことができます。

企業によって、業績予想が控え目なところもあれば、強気なところもあります。控え目な企業の場合は、期中に業績予想の上方修正で株価の上昇が多くなりやすいでしょう。逆に、強気の企業では、業績予想の下方修正で株価が下がるリスクが高くなります。

　そこで、これまでに**業績予想の上方修正／下方修正がどの程度あったか**も、調べておく方が良いでしょう。調べてみたところ、トヨタ自動車は上方修正が多くなっていました。業績予想を控え目に出す傾向があると考えられます。例えば、業績予想が10％下方修正されると、株価もそれに連動して10％程度下がることが考えられます。

　高配当株投資は中長期保有が基本なので、少々の下方修正では売らないようにします。しかし、大幅な下方修正があった場合、その後も業績が振るわない状態が長く続く恐れがありますので、保有を続けるかどうかを検討した方が良いでしょう。

　前述したように、進捗率は基本的には四半期ごとに25％ずつ伸びていくと考えられます。しかし、企業によっては売上や利益が季節や特定の時期に偏って、進捗率の伸び方が直線にならない場合もあります。

　例えば、期末に売上が偏る企業の場合、第3四半期までは進捗が進まず、期末で一気に進捗する形になります。このような銘柄の場合、単純に現在の進捗率を見るのではなく、**過去数年間の進捗率の推移と比較してみて、それより良いかどうか**を見るようにします。

　例えば、例年では第1四半期の進捗率が15％程度の企業で、今年の第1四半期の進捗率が25％だった場合、例年より進捗率が高い状態ですので、上方修正の可能性があると考えることができます。

高配当株でも投資に適さない銘柄や注意すべき銘柄

高配当株投資をする上で、配当利回りが高くてもあまり投資すべきではない銘柄や、投資する際には注意が必要な銘柄もあります。

株価や配当が大きく下がりそうな銘柄は避ける

高配当株投資は、中長期にわたって株を持ち続け、高い配当をもらいつつ、株価の大きな値上がりも狙うという手法です。しかし投資期間が長期にわたるほど、株価が下がったり、配当が減ったりするという場面に遭遇する可能性が高くなります。

どのような銘柄であれ、多かれ少なかれ株価が下落する局面はあります。ただ、頻繁に大きく下落するような銘柄もあれば、そうならない銘柄もあります。投資する前に候補銘柄の業績や財務、過去の株価などを良く調べ、**株価や配当が大きく下がりそうな要因がある銘柄**はなるべく避けておくべきです。

以下に、注意点を挙げていきます。

▼企業の実力以上に配当性向が高すぎる銘柄は要注意

株式会社の基本は、事業で利益を出し、それを株主に配当として還元することです。したがって、利益が出ているのにろくに配当が出ないような銘柄は不適切です。

ただ、利益の大半を配当する（＝配当性向が高い）銘柄が無条件に良いかというと、そうともいい切れません。前述の伊藤忠エネクスのように、毎年安定して利益が出ていれば、そこから高い配当を出し続けることも可能です。しかし、利益が安定していないと、配当が年によって大きく変化することにもなります。そのような銘柄は株価が変動しやすくなり、長期保有にはあまり適さないことになります。

また、利益の大半を配当に回し、成長のための投資が不十分な場合もあります。そのような銘柄では長期的な成長は望みにくく、これも投資対象としては適切ではありません。

●利益を超えた配当を出している銘柄は要注意

配当の原資は利益ですから、基本的には配当はその年の利益の中から出すものですが、これまでに蓄積した利益（利益剰余金など）の中から出すことも可能です。そのようなケースでは、利益を超えた配当になる（配当性向が100％を超える）ことがあります。

例えば、これまで毎年安定した配当を出していた企業が、何らかの理由で利益が落ち込

図1-23●利益を超える配当を出すことが多い高配当株の例（SANKYO）

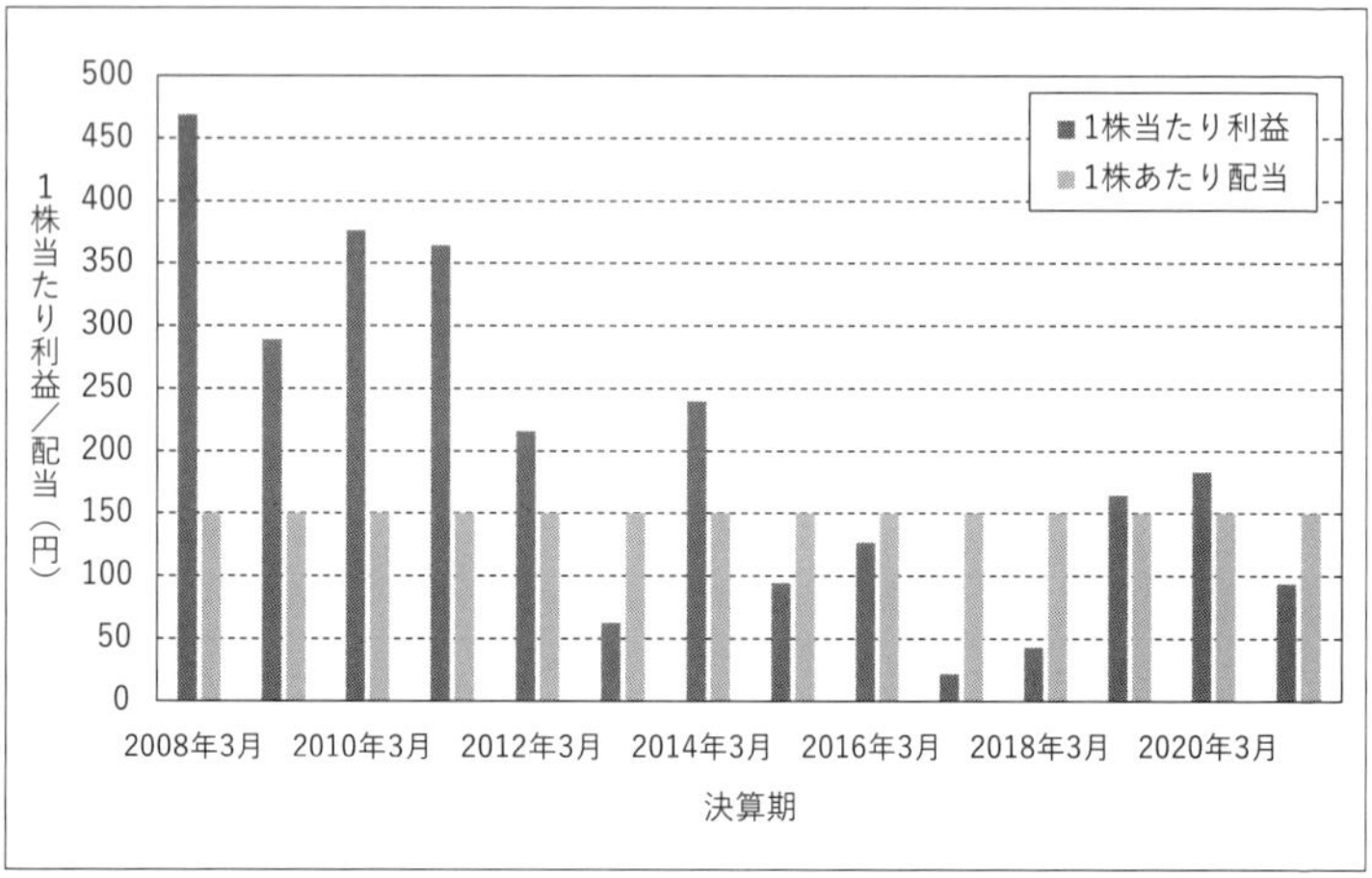

んだとします。その場合、配当を減らす（減配する）と株価に悪い影響が出ますので、過去の利益の蓄積を一部取り崩して、配当を据え置くことがよくあります。

このような状況が1年だけなら特に問題はありません。しかし、利益が落ち込んだ状態が続いているにも拘わらず、配当を維持している銘柄は、リスクが高いといえます。

そのような企業は、いずれは配当を維持することができなくなり、減配や無配に追い込まれる可能性があります。減配は株価に悪い影響を与え、株価急落の原因になります。

●利益を超えた配当を出している高配当株の例（SANKYO）

例えば、パチンコのメーカーであるSANKYO（6417）は、過去14年間にわたって1株150円の配当を続けています。本書執筆時点の株価で計算すると、配当利回りは約3・6%あり、高めといえます。

近年では売上や利益が減少傾向で、利益を超える配当を出すことが増えていました（図1・23）。SANKYOは利益剰余金が潤沢で現金をかなり持っているので配当を維持できていましたが、今期の予想配当は100円で、50円の減配予想となっています。

配当利回りが高めだが割高な銘柄は避ける

42ページで「高配当に加え割安度も考慮して選ぶ」と述べましたが、逆にいえば割高な銘柄（＝PERやPBRが高すぎる銘柄）は避けるべきだといえます。

基本的に、PERやPBRが高い銘柄は伸び盛りで成長性が高いケースが多く、利益を成長のために投資することが多いため、配当は出していないか、出していても少額なので、利回りは高くありません。そのような銘柄が高配当株投資の対象になることは、あまりありません。

しかし、配当利回りがそこそこあるにも拘わらず、PERやPBRが高い銘柄もあります。こういった銘柄では、あまり成長性がないにも拘わらず、株主をつなぎとめるために高めの配当を維持していて、**配当利回りの良さで買われている**面があります。

図1-24●減配で一気に株価が下がった京都きもの友禅（現：YU-WA C HD）

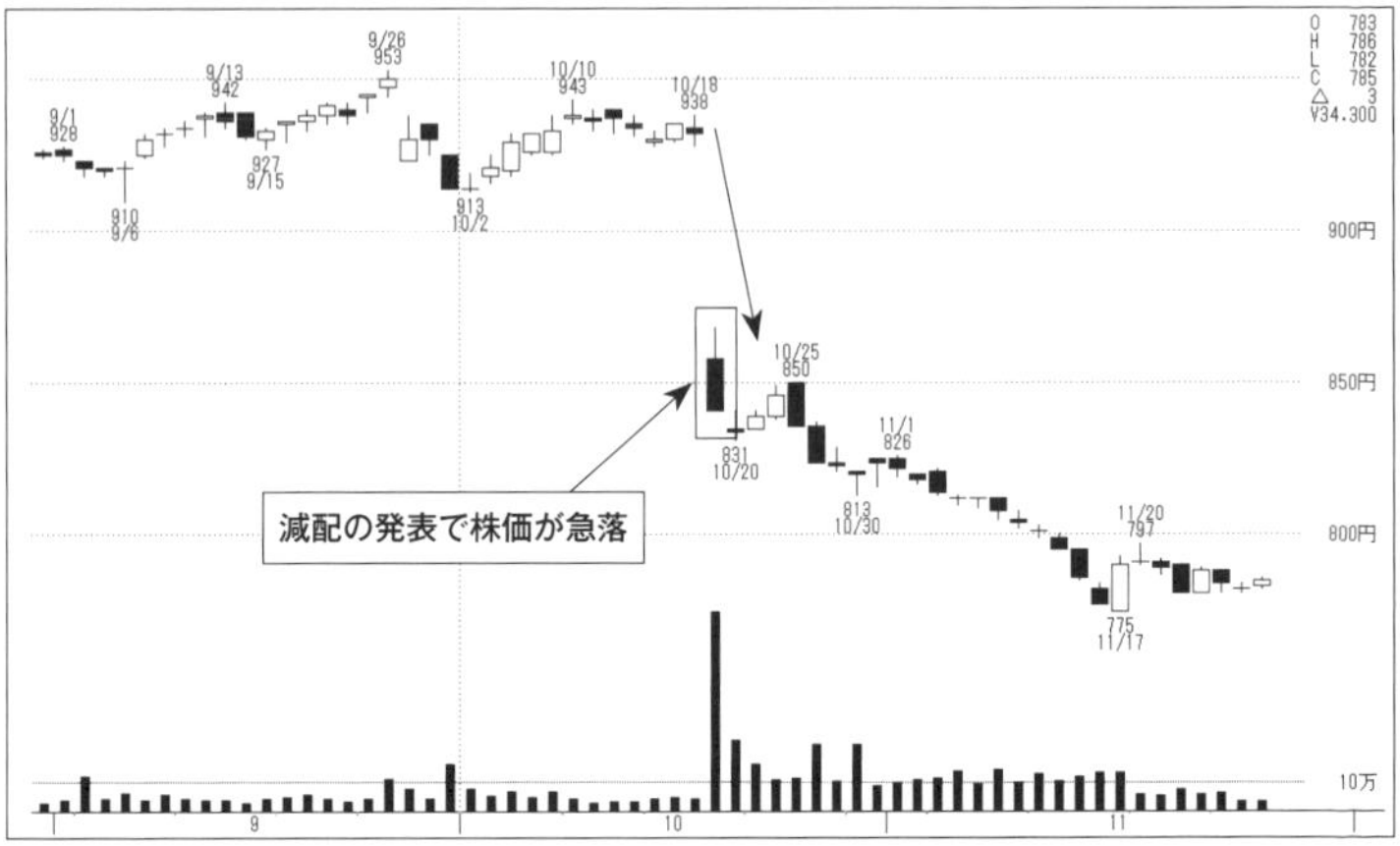

日足／2017.9～2017.11

配当を維持している間は株価も高値を維持しやすいですが、**いざ減配になると、配当狙いをしていた投資家が一斉に売りに走り、株価が急落する恐れ**があります。

●減配の発表で一気に急落した高配当株の例

例えば、**京都きもの友禅（2021年10月から「YU-WAコーポレーションHD（7615）」に商号を変更）**は、2010年から2015年にかけて、株価は1000円前後で安定していました。配当が年42円あり、配当利回りが4％程度あるために、配当狙いの買いに株価が支えられていたと考えられます。

しかし、着物需要の減少や、社員の定着率が下がったことなどから、2015年3月期に売上や利益が大きく減り、その後も減少傾向になって、ＰＥＲが高い状態になっていました。それでも株価は比較的高い状態を維持していましたが、２０１７年10月16日に年42円から24円に減配することを発表し、株価は７００円台まで一気に急落しました（図１・24）。

記念配当や特別配当で維持している銘柄は要注意

これまで「配当」という言葉を単純に使ってきましたが、配当には「**普通配当**」「**特別配当**」「**記念配当**」などの種類があります。なかには、特別配当や記念配当の影響で配当利回りが高い銘柄もあります。これには注意が必要です。

特別配当は、予想以上に業績が上がったり、何か特別な利益が出たようなときに行われる配当で、「**特別に一時的に上乗せする配当**」という意味合いのものです。企業は特別配当で出しておけば、仮に来期に業績が下がって配当を減額する場合も、「今期は特別配当はなしだが減配ではない」との印象を持たせることができます。

また、記念配当は、「創立50周年記念」や「東証一部上場記念」など、節目の際に記念として行われる配当です。

どちらも一時的に出る配当であり、**毎年出る配当（普通配当）とは異なります。**

ネット証券などのランキングの機能で配当利回りが高い銘柄を探すと、特別配当や記念

図1-25●丸三証券の配当の推移

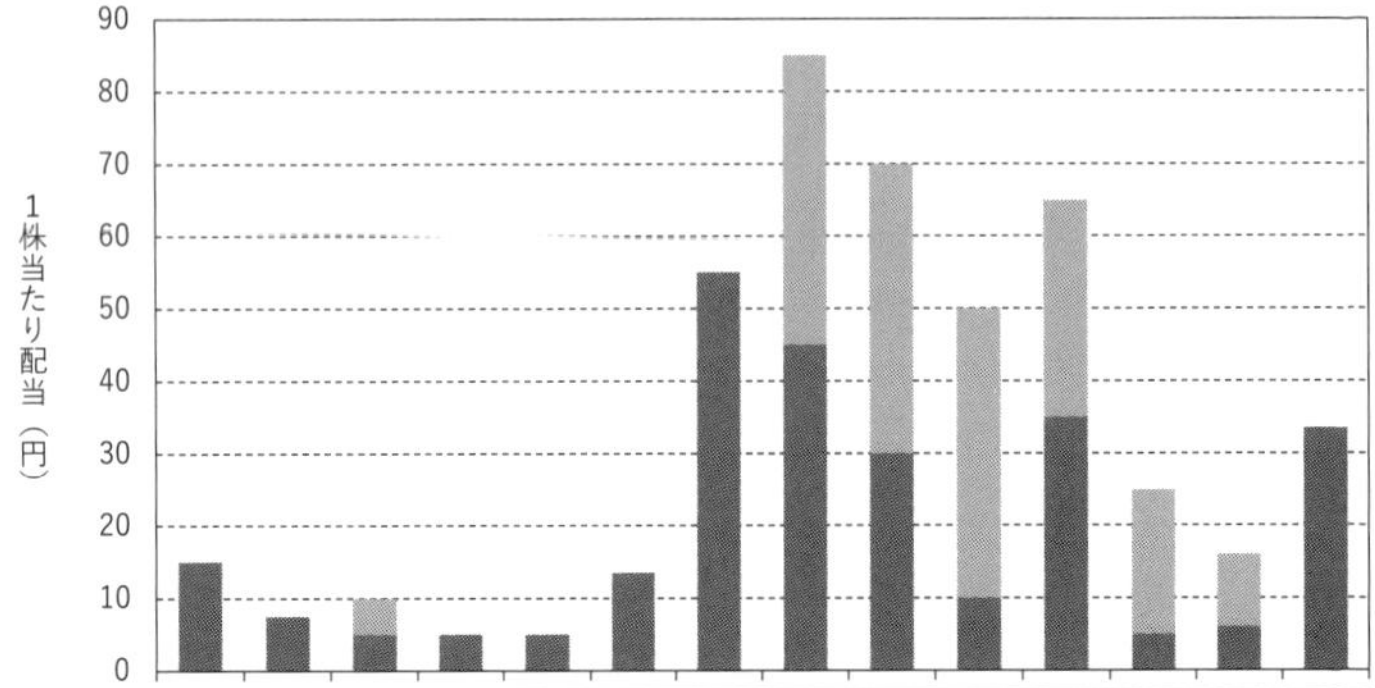

	2008年3月	2009年3月	2010年3月	2011年3月	2012年3月	2013年3月	2014年3月	2015年3月	2016年3月	2017年3月	2018年3月	2019年3月	2020年3月	2021年3月
特別配当	0	0	5	0	0	0	0	40	40	40	30	20	10	0
普通配当	15	7.5	5	5	5	13.5	55	45	30	10	35	5	6	33.5

※2010年3月期は普通配当5円と創立100周年記念配当5円

配当も含んだ配当利回りの結果が出てきます。そのため、特別配当などで一時的に配当利回りが上がっている銘柄が、ランキングの上位に出てくることがあります。

●特別配当で配当利回りが高かった銘柄の例（丸三証券）

独立系中堅証券の**丸三証券**（８６１３）は、２０１５年３月期から２０１８年３月期まで普通配当とほぼ同等ないしは普通配当を超える特別配当を出し、配当利回りが高めでした（図1・25）。

その後、計画どおり２０１９年から特別配当を減らしたものの、普通配当も減らしたため、２０１９年（特別配当20円・普通配当５円）と２０２０年（特別配当10円・普通配当6円）も、特別配当の方が多くなっています。しかし、2021年3月期は普通配当のみで年33・5円と、大きく増配となりました。

このように、配当利回りや年間配当が高いという点だけでなく、**配当の内訳や過去の履歴にも注意する**必要があります。

高配当株でも業績変動が大きい銘柄は要注意

景気の影響を受けやすい銘柄では、業績が大きく変動しがちです。大きな利益を出すこともあれば、一転して大赤字に陥ることもあります。そのような景気の先行きに敏感な銘柄を**景気敏感株や、景気循環株**などと呼び、株価や配当の変動も大きくなります。

高配当株投資では、株価や配当が安定的に推移する銘柄が理想的です。本書執筆時点では、景気は2020年のコロナ禍による落ち込みから回復しつつある途上で、業種によっては**巣籠り需要の恩恵**などを受けて過去最高益を出すなど好調な業種もありますが、全体としてはまだまだ厳しい状態です。今後景気が悪化すると、景気変動の影響を受けやすい銘柄は株価や配当が大きく下がる恐れがあります。

景気の影響を受けやすい業種として、**金属、化学、機械、海運、空運、旅行・レジャー**などがあります。このような銘柄に投資する際は、世界的に景気が悪かった2009年～

２０１１年頃の業績・配当の状況や、当時の株価水準などを調べて、**どのぐらいまで落ち込む可能性があるかを確認しておく**ようにします。

●景気動向により業績の変動の激しい景気敏感株の例（日本郵船）

２０２０年下半期に入って、コロナ禍で止まっていた経済活動が次第に再開されてくると、世界的に滞っていた物流が一気に動き出した結果、年後半から海運の運賃市況が急上昇しました。その結果、**日本郵船（９１０１）**、**商船三井（９１０４）**、**川崎汽船（９１０７）**といった海運大手の業績が大幅に急回復し始めました。

例えば日本郵船は、２０１９年３月期は赤字で、配当も年20円、株価も１６００円〜２０００円あたりを推移していました。２０２０年３月の配当も年40円で、配当利回りも２％〜３％台前半でした。ところが、２０２０年後半から業績が急回復し、２０２１年３月期の配当は２００円と、５倍の大幅増配となりました。株価も１本調子で上昇し続けていましたが、さらに２０２１年８月４日に、２００円としていた今期配当予想を７００円に上方修正しました。配当利回りは10％を超え、株価はさらに急上昇し、９月27日には高値で１万１３００円をつけましたが、１週間程で安値７０００円まで急落しました（図１・26）。

本書執筆時点の株価は、７５００円前後で高い水準ですが、予想配当が８００円とさら

図1-26●業績急回復で株価が急上昇した日本郵船

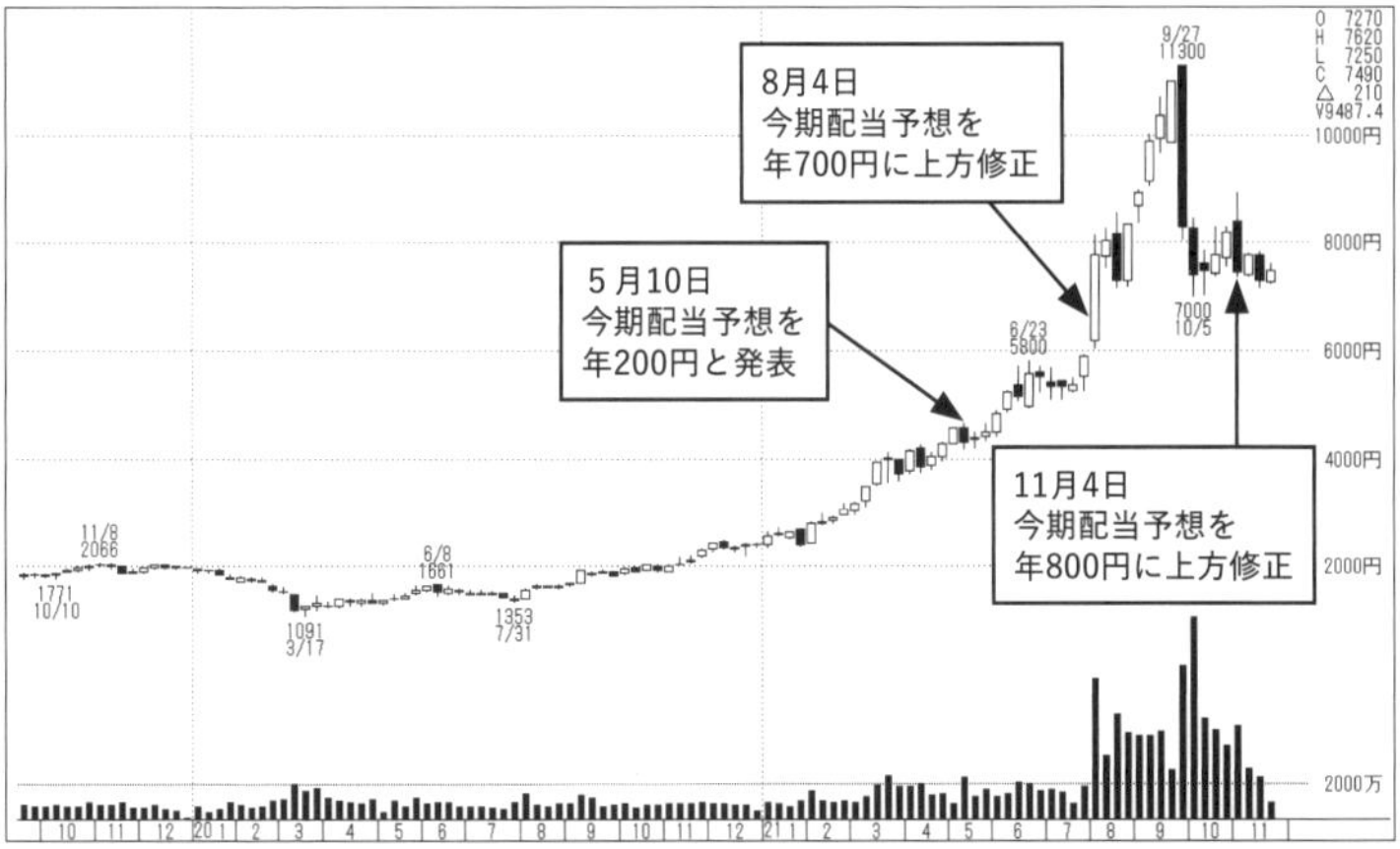

週足/2020.9〜2021.11

に上方修正されたため、配当利回りは10％を超えています。また、商船三井も同じような経過をたどり、今期予想配当８００円、配当利回りは約12％となっています。

　両社ともに業績と高配当の裏づけがあり、10％を超える配当利回りはランキングの5位以内に入るほどで、大変魅力的です。しかし、ここまで上がると来期以降は減配の可能性も考えておくべきでしょう。海運株は景気動向に敏感に反応し、**急騰して急落が珍しくない**うえに、景気低迷期には株価も長く低迷した過去もあり、落ち着いた中長期の高配当株投資にはあまり向いてはいません。

　したがって、これらの銘柄を選ぶ際には、この点に十分注意する必要があります。

表1-7●配当利回りが高いものの有利子負債が多い銘柄の例（2021年11月22日時点）

銘柄（証券コード）	売上（百万円）	有利子負債（百万円）	配当利回り（%）
乾汽船（9308）	18,879	29,080	7.60
武田薬品工業（4502）	3,197,812	4,635,371	5.65
アサヒHD（5857）	164,776	104,838	4.46
飯野海運（9119）	88,916	131,744	4.44
シキボウ（3109）	33,519	27,153	4.40
大同メタル工業（7245）	84,720	55,494	4.19
平和（6412）	107,744	121,454	4.14
進学会HD（9760）	11,860	9,033	4.08
ダイセル（4202）	393,568	267,598	3.85
京三製作所（6742）	62,218	37,608	3.66
中越パルプ工業（3877）	81,938	53,364	3.59
日本製紙（3863）	1,007,339	808,855	3.52
ヤマタネ（9305）	48,690	58,828	3.48
西武ガスHD（9536）	191,933	260,039	3.20
イチネンHD（9619）	112,618	96,657	3.03

※売上、有利子負債は直近本決算の数値

▼高配当でも有利子負債が多い銘柄は避けたい

企業の資金調達の方法の1つに、借り入れがあります。銀行などの金融機関から借り入れたり、あるいは社債を発行したりなどの方法があります。

通常の借り入れには利子が伴います。利子は費用の一種であり、企業の利益を減らす要因になります。利子が発生するような借り入れのことを、「**有利子負債**」と呼びます。

本書執筆時点では世界的に見ても超低金利なので、有利子負債に対する利子の支払いも少なくて済んでいます。しかし、長期的なスパンで見ると、今のような状態が続く保証はありません。実際に米国は、現状の巨額の量的緩和策を2021年11月から毎月150億ドルずつ縮小すること（**テーパリング**）を決定しており、緩和策は2022年の間に終了する見込みです。そして、その次に来る米国の利上げ開始の時期に市場の注目が集まっています。各国の金利が上がってくると、日本だけが超低金利でいられるかは疑問です。

ただ、市場金利が上がったからといって、有利子負債の金利も連動してすぐ上がるわけではなく、固定金利で借りていれば、その金利は返済が終わるまで一定です。

しかし、現状で大きな有利子負債を抱えているような企業だと、今後も借り入れを行うことが考えられます。市場金利が上がると、その後の新規借り入れでは高い利子を支払う必要が生じます。現時点で有利子負債が多い企業は、将来的に利子の負担が大きくなり、それによって利益が減ることが予想されます。

高配当株投資では、買った株を中長期的に保有することもあります。売上や利益に比べて有利子負債が多い銘柄は、あまりお勧めできません（表1-7）。

第1章では、ここまで主にファンダメンタルズ面を中心に、高配当株の探し方の基本的なポイントについて解説してきましたが、それ以外にもポイントはあります。第2章以降もご参照ください。

◉株主総会に参加してみよう

　株主の権利の１つとして、株主総会に参加して議決権を行使することができる点があります。開催場所はやはり東京や大阪、名古屋など企業の本社の集中する大都市が多いのですが、可能なら一度株主総会に参加してみることをお勧めします。企業のトップを始めとする経営陣から、今後の経営方針や事業計画についての説明を聞くことができます。

　株主総会は、本決算から３か月以内に開催されます。３月末決算の企業だと、６月中旬から下旬ごろになります。株主総会の時期が近づくと、企業から案内が送られてきます。日時や会場などの情報が記載されていますので、指定された日時に、案内状を持参して参加します。質疑応答の時間には、会社に対して質問することもできます。ただ、２０２０年以降、新型コロナウイルス流行後の株主総会では、感染防止の観点からできるだけ来場を控え、書面等による議決権行使を推奨する企業が目立っています。

　投資家を重視する流れから、株主総会に参加した投資家に対して、お土産を提供する企業が増えています。企業によりますが、食品メーカーなどは１０００円～３０００円相当の自社商品などや、ＱＵＯカードなどをもらえることが多いです。株主優待に加えてお土産まで得ると、利回り的にかなり良い銘柄もあります。

　なお、議決権は持ち株数に応じて与えられます。そのため、個人投資家の意見が通ることはまずありません。ただ、場合によっては大株主などが企業の議案に反対する案を出すこともあり、それに個人投資家が賛成して、企業の議案が否決されるようなこともあり得ます。

第2章

高配当株の買い方・売り方とタイミング

高配当株の買い時①

数字の裏付けのある好材料が出た時に買う

株式投資をする上で、「いつ買っていつ売るのか」ということは常に悩ましい問題です。高配当株投資を行う場合の買い時について、まず材料から考えてみます。

株価は上がることも下がることもあります。高配当株投資では、まずは配当を主な目的にしますが、**値上がり益もあわせて追求**します。なるべくなら、株価が値上がりしそうなタイミングで買いたいところです。

好材料でも数字の裏付けのあるものだけに絞る

個別銘柄で値上がりが起こりそうなタイミングは、その銘柄について良いニュース（好材料）が発表されたときです。好材料にもさまざまあり、新しい製品・サービスの発表や、他社との業務提携、大型案件の受注、業績予想の上方修正、増配、その他何らかの理由による人気化などがあります。

ただ、好材料の中には、期待感が出るだけのものもあれば、**業績につながる数字の裏付**

けがはっきりしているものもあります。

期待感だけのパターンだと、その後の株価の動きがどうなるかは、その時の状況次第になりがちです。その時々の市場のテーマに合っていれば大きな上昇になることもありますが、大して上昇しないこともあります。また、短期間で急上昇するものの、その後ほどなく元の株価水準に戻ってしまうこともよくあります。

一方、数字の裏付けがあれば、数字に沿って株価が動く傾向があり、どの程度まで値上がりしそうかをある程度予測できます。高配当株投資は基本的に中長期の投資手法です。**好材料で株を買うなら、次のような数字の裏付けがある材料に絞る**ことをお勧めします。

業績予想の上方修正

大半の企業は、本決算の際に、その次の年の業績予想を発表します。例えば、2021年3月期決算の際には、2022年3月期の業績予想を発表します。ただ、予想はあくまでも予想であり、その通りにいくとは限りません。

売上や利益が予想を上回りそうな場合は、企業は主に**四半期決算**の際に**業績予想の上方修正**を発表することが多く、そのタイミングは買いタイミングの候補として重要です。

株価は1株あたり利益に比例する傾向があるため、業績予想の上方修正で1株益も増え

図2-1●業績予想の上方修正で上昇した高配当株の例（帝国通信工業）

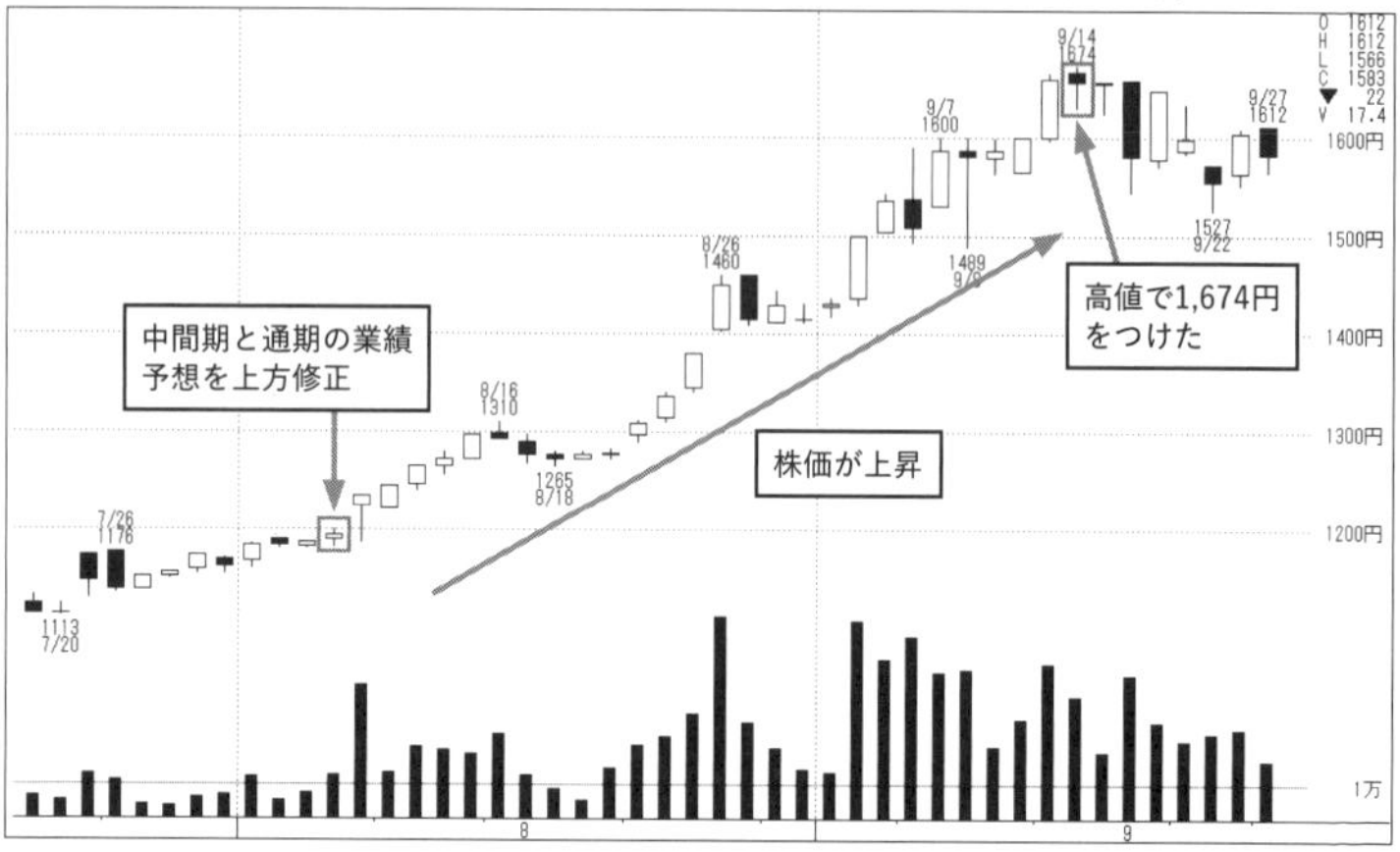

日足/2021.7～2021.9

るという発表があると、**その伸び率に応じて株価も上がる可能性**が高まります。例えば、1株あたり利益が当初の予想よりも30％増えるとすると、株価も30％程度は値上がりすることが予想されます。

●業績上方修正で上昇した高配当株の例

センサや抵抗器などの電子部品メーカーである**帝国通信工業（６７６３）**を取り上げます。

２０２１年８月５日に、２０２２年３月期の第２四半期（中間期）の業績予想を上方修正するとともに、通期予想も上方修正し、当初予想に比べ経常利益が40％（10億円→14億円（前期比では58・6％の増益）、１株あたり利益が44％程度（81・2円→１１６・８円）伸びると発表しました。

この発表前までは、株価は1200円のラインの下で推移していましたが、発表を受けてほぼ一本調子で上昇し、9月4日には高値で1674円をつけました（図2・1）。

業績予想が上方修正されると配当も増える場合があり、そうなればより望ましいです。

自社株買い

58ページで解説したように、企業が自社株買いを行ってその分だけ株を消却すると、相対的に1株あたり利益が増えます。そうすると、株価も上がりやすくなります。

●自社株買いで上昇した高配当株の例（第一生命HD）

生命保険大手の**第一生命HD（8750）**は、2021年3月31日に、取得株式の上限1億7000株、取得金額の上限2000億円、取得期間を1年間とする自社株買いを発表しました。

その時点での株価は約1900円でしたので、上限まで自社株買いをすれば、2000億円÷1900円＝約1億0500万株を買い取る計算になります。また、その時点での第一生命HDの発行済み株式数は約12億株でしたので、発行済み株式数の約11％を買い取るという計算になります。

発行済み株式数が11％減れば、1株あたり利益は相対的に11％強増えます。そのため、

図2-2●自社株買いで上昇した高配当株の例（第一生命HD）

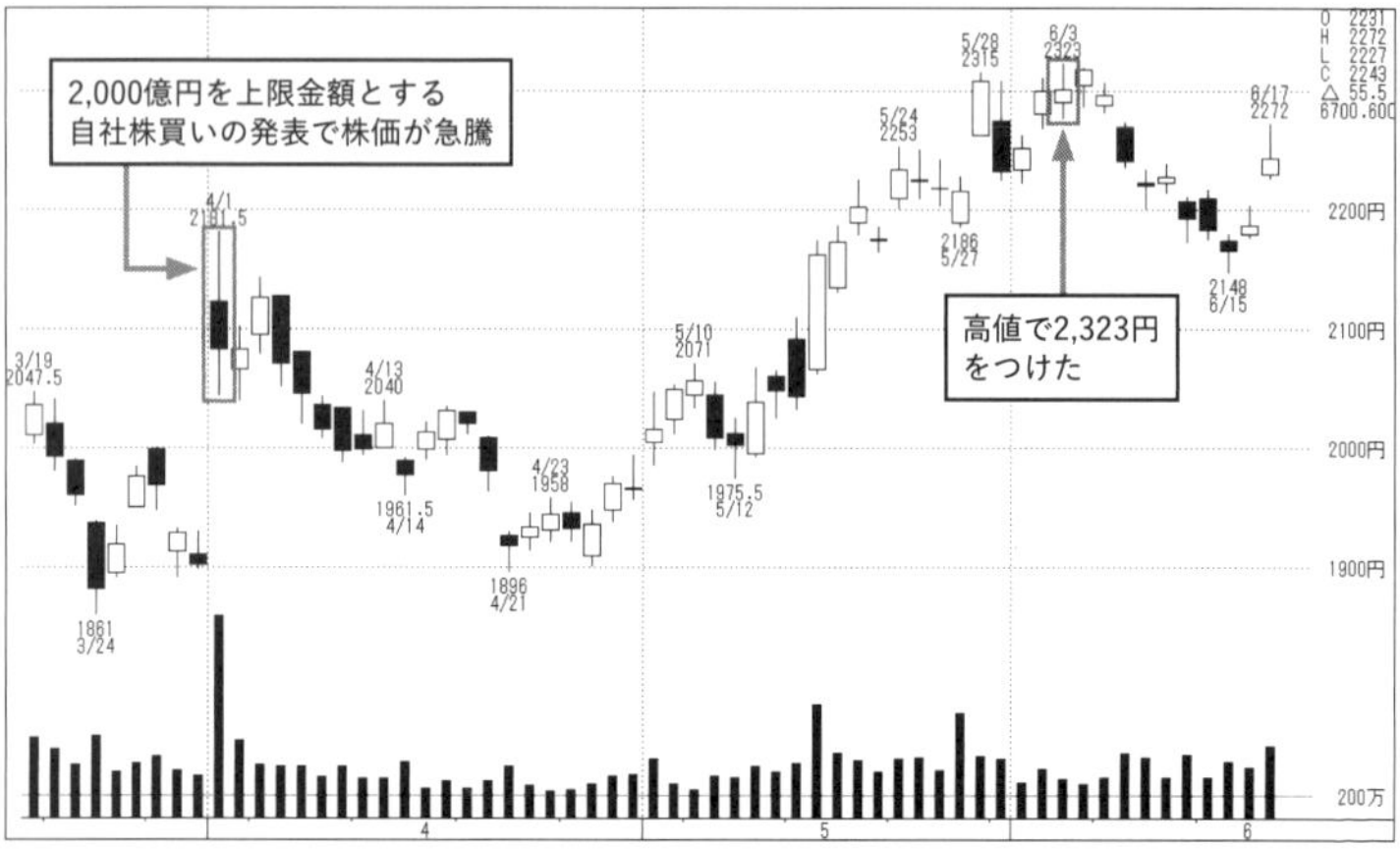

日足/2021.3〜2021.6

株価も11%程度は上がることが予想されます。

実際、発表翌日には株価は窓を開けて、終値で9・5%の上昇となりました（図2・2）。

その後も、6月3日には高値で2323円まで上昇しました。

増配

高配当株投資では増配も好材料です。実際、増配が材料になって株価が上がる銘柄も少なくありません。その例を紹介します。

明和産業（8103）は、化学品や樹脂を中心に、石油製品やレアメタルなども取り扱う三菱系の中堅商社です。

2022年3月期の期首の予想では年22円の配当を予定していましたが、業績好調で中期経営計画を上回る水準が見込まれたことで、

図2-3●増配で上昇した高配当株の例（明和産業）

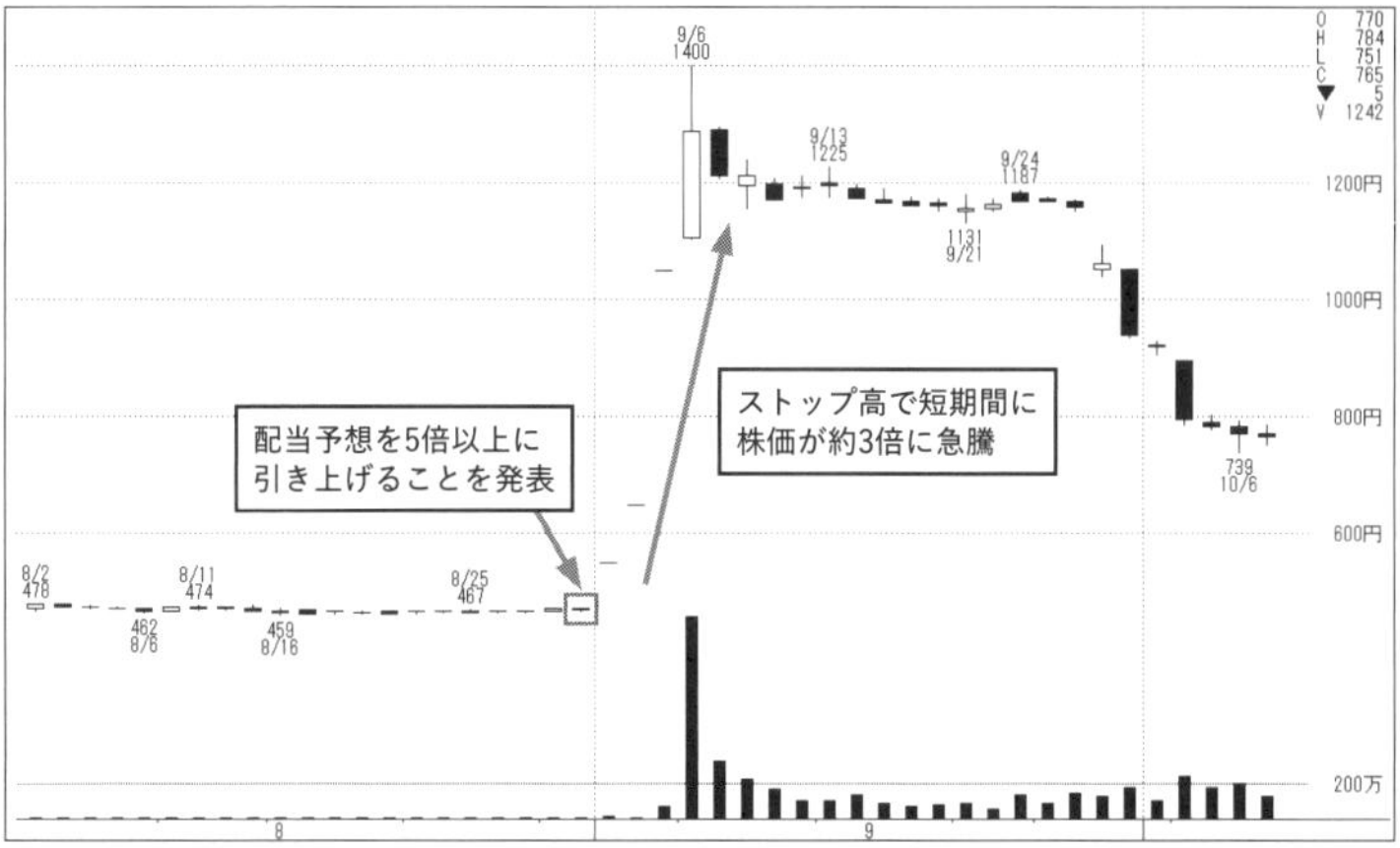

日足/2021.8〜2021.10

２０２１年８月31日に配当予想を年１１５円と５倍以上に引き上げることを発表しました（その後はさらに１１８円に上方修正）。

それまでの株価は、５００円前後で横ばいの動きでしたが、この発表を受けてストップ高の連続で、９月６日には高値で１４００円をつける急騰となりました（図２・３）。

ただし、増配の場合はその理由をよく見る必要があります。**業績が伸びた結果増配し、翌年以降も配当増の状態が維持できそうなら、買いを検討**しても良いでしょう。

しかし、その年限りの一時的な配当で、翌年以降は元に戻ってしまうようでは、あまり好材料とはいえません。特別配当や記念配当など、**一時的な増配**もよくありますので、その点に注意します。

図2-4●株式分割で上昇した高配当株の例（植木組）

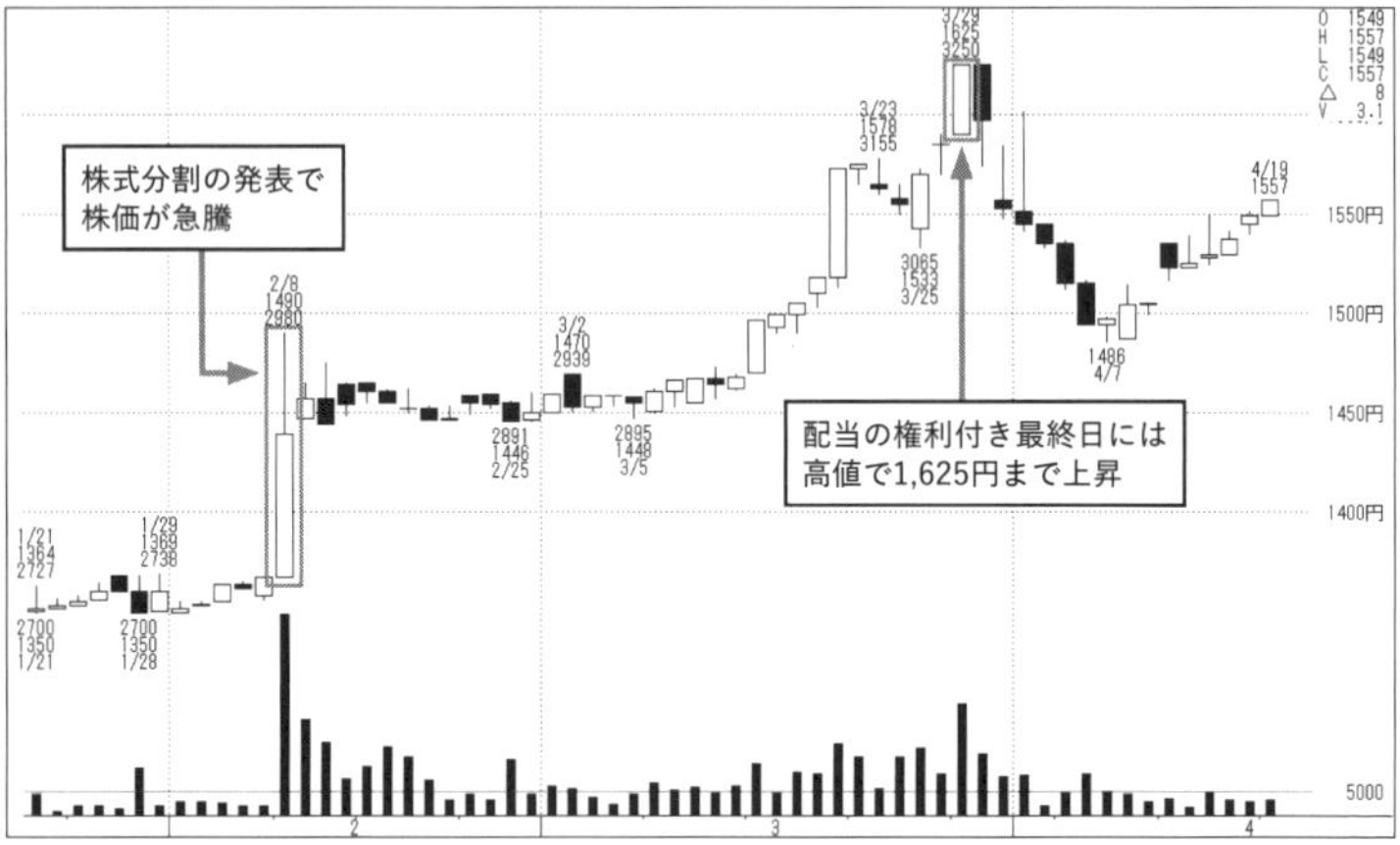
株式分割の発表で
株価が急騰
配当の権利付き最終日には
高値で1,625円まで上昇
1550円
1500円
1450円
1400円
5000

日足/2021.1～2021.4

▼株式分割

株式分割は、１株を２株に分けるなどして、株数を増やすことです。ただし、タダで株をもらえるのではなく、株数が増える分だけ株価が下がり、株式分割の前後で株全体の価値は変わりません。

例えば、１株１０００円だった銘柄が１対２の株式分割を行うと、株数は２倍になりますが、株価は半分の５００円になります。１０００円札１枚を５００円玉２枚に両替するようなイメージです。

株式分割の前後で株の価値は変わらないので、理論的には株価には影響しないはずです。ただ、株式分割で株価が下がるとより少額から投資が可能になり、**投資家のすそ野が広が**

るという期待が生まれるため、株価が上がりやすい傾向があります。

●株式分割で上昇した高配当株の例（植木組）

例えば、新潟県が基盤の中堅建設会社の**植木組（1867）**は、2021年2月8日、「2021年4月1日付けで1対2の株式分割を行う」ことを、発表しました。

発表前の株価は1350円～1400円でしたが、発表当日は高値で1490円まで急騰しました。配当の権利付き最終日である3月29日には高値で1625円まで上昇し、その後も1500円ラインより上で推移することが多くなりました（図2・4）。

▼株主優待の新設や内容拡充

それまで株主優待がなかった企業が**新たに株主優待を始めたり、既存の株主優待の内容を拡充した場合**も好材料といえます。

特に、小売りや食品、外食など、個人向けの商品やサービスを提供している企業の場合、個人投資家の買いが集まって、株価が上がりやすくなることがあります。

ただし、株主優待はあくまでも配当のおまけ的に考える方が良いでしょう。また、株主優待目当ての個人投資家が多く、株価が割高になっている銘柄の場合は、株主優待の内容が良くなったからといって、それを材料に買うことはあまりお勧めできません。

高配当株の買い時②

押し目の底や市場が急落した時に買う

株の基本は安く買って高く売ることです。それは高配当株投資でも変わりません。なるべく安く買うためのタイミングを紹介します。

押し目を待って買う

高配当株でも、安く買えれば買えるほど、相対的に配当利回りが上がって投資の成果が上がります。**良い銘柄ほど、押し目を狙って少しでも安く買いたい**ところです。

株価が上昇トレンドのときでも、一本調子に上がり続けることは少なく、一時的に下がることもあります。このような下落のことを「**押し**」と呼び、その底に近いところで買うことを「**押し目買い**」と呼びます（図2・5）。

押し目買いの一般的によくいわれる目安として、「**半値押し**」や「**3分の1押し**」があります。半値押しとは、下がり始める前の上昇幅の半分だけ下がること、3分の1押しは、上昇幅の3分の1だけ下がることを意味します。

図2-5●押し目買い

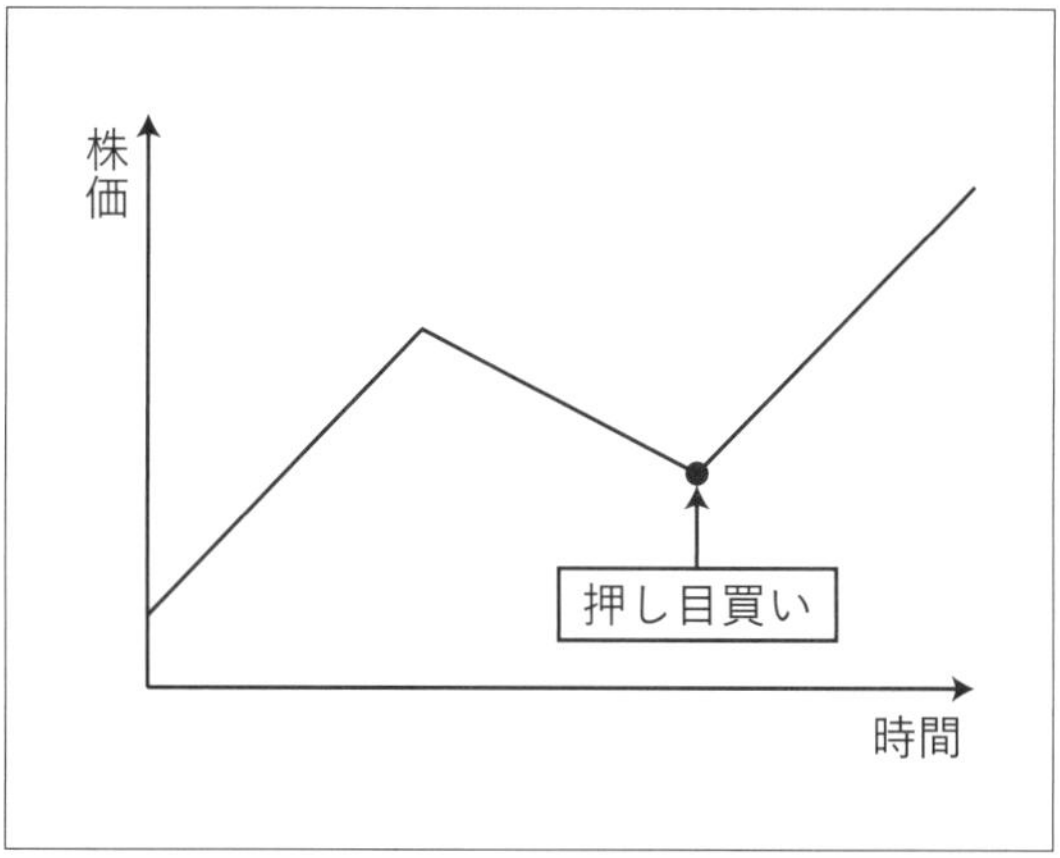

例えば、下がり始める前までの上昇幅が１０００円だった場合、半値押しだと５００円下がり、３分の１押しだと３３３円下がるのが目安です。もっとも、あくまで目安ですから、その通りになるとは限りません。

●買うのは押し目の底を打ってから

押し目買いする場合、下がっている途中で買うのか、それとも下げ終わって上がり始めてから買うのかという点も問題になります。**通常は、株価がいったん底を打って、上がり始めてから買う**ようにします。この方がより確実で、失敗を減らすことができます。

また、上がり始めに近い時期に買うこともありますが、押し目をつける前の高値を抜いてから買う方が、確実性が上がります。ただし、株価が上がってから買うことになりますので、その分、配当利回りは下がるデメリットがあります。

図2-6●高配当株を押し目買いするタイミングの例（住友化学）

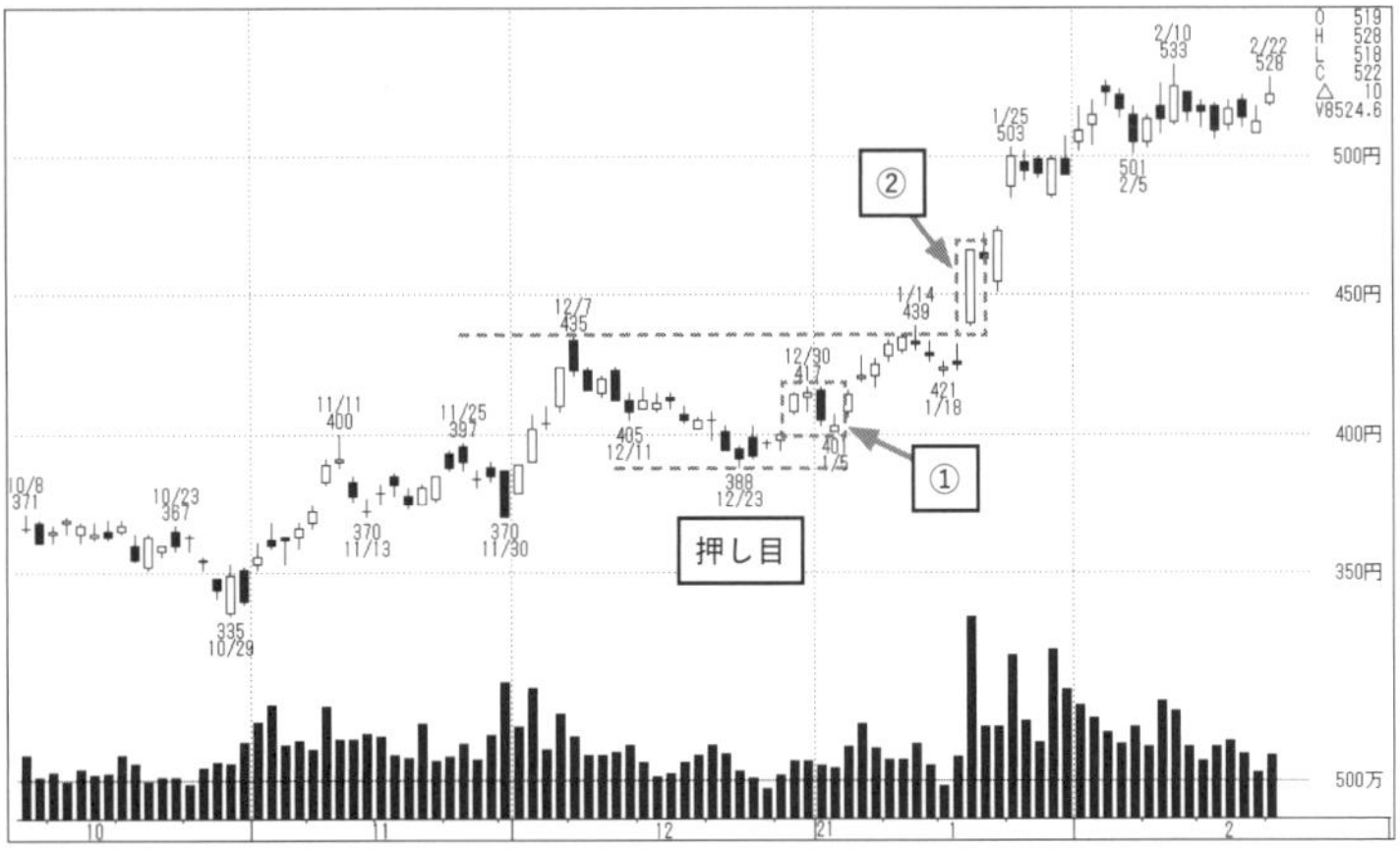

日足/2020.10〜2021.2

●押し目買いのタイミングの例（住友化学）

図2・6は、住友化学（4005）の2020年10月〜2021年2月の日足チャートに、押し目買いのタイミングを入れた例です。

12月に入って上昇し、12月下旬に押し目をつけていますが、年末年始の大納会・大発会にかけては落ち着いた状態になっています（図の①の箇所）。この時点では、12月7日につけた高値はまだ抜いていませんが、押し目買いの1つのポイントになります。

また、1月20日（図の②の箇所）では、さらに株価が上昇してきて、12月7日の高値を抜いています。ここも買いのタイミングになります。

図2-7●コロナショックで2021年2月から市場全体（日経平均株価）が急落した

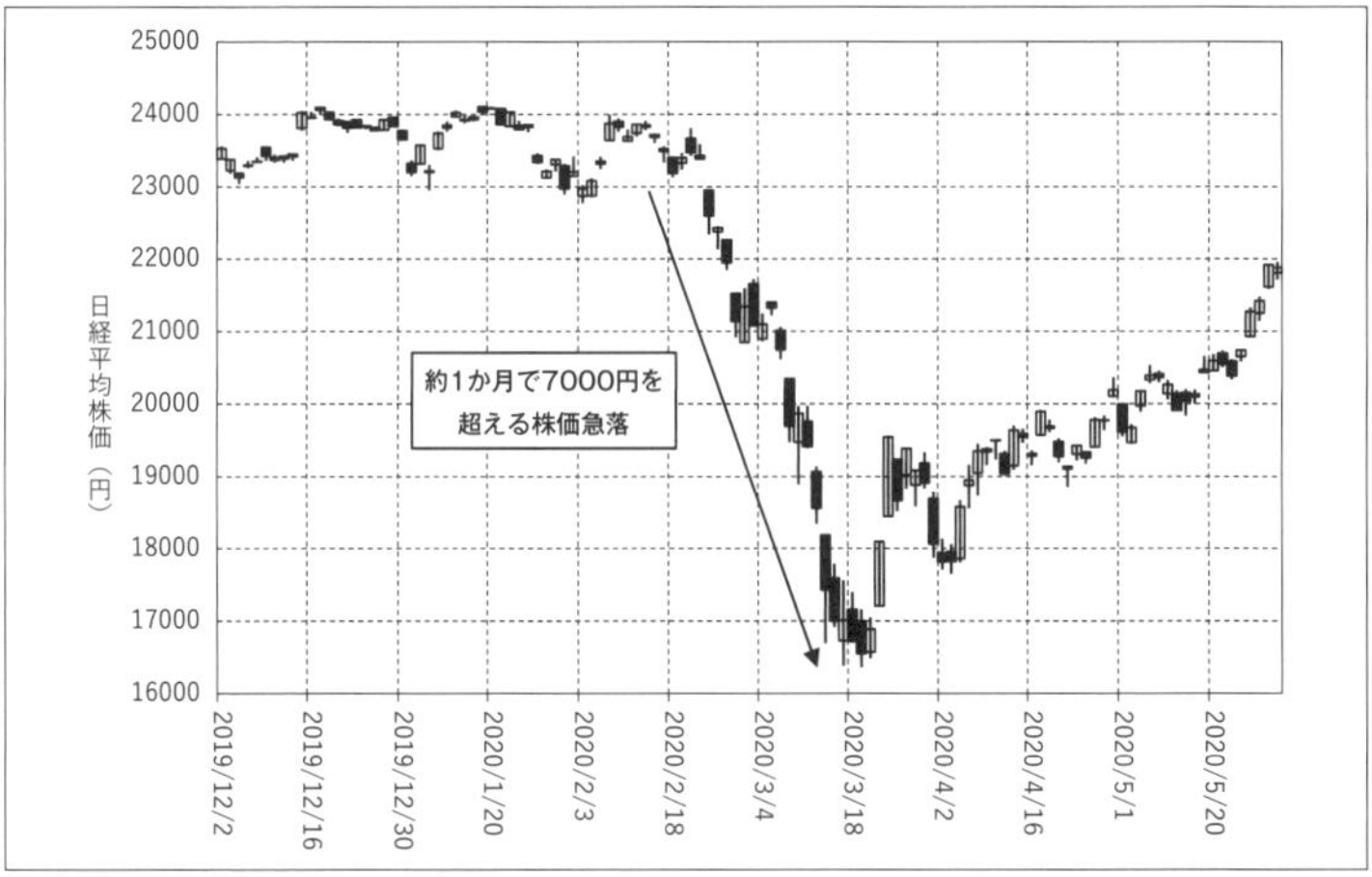

▼市場全体の急落時に買う

前述したように、なるべく安く買うために、押し目を待つのは1つの方法です。ただ、優良な高配当株はそう簡単には下がらず、押し目らしい押し目が来ないこともあります。

しかし、市場全体を揺るがすような大きな問題があれば、**優良銘柄であっても株価が下がることが多い**です。そういったタイミングは買うのに適しているでしょう。

●年に1～2回程度は大きな下落が起こる

株式市場の動きを見ていると、おおむね年に1～2回程度、大きな下落が起こることがあります。世界を揺るがすような大きな悪材料が出て、パニック的な売りが起こり、株価が急落します。

例えば、直近の例では**コロナショック**です。2020年2月中旬から3月にかけて、大幅な急落がありました（図2・7）。

2019年12月中旬から2020年2月中旬にかけて日経平均株価は、24000円に達する高値をつけていました。ところが、2020年初頭から中国の武漢で発生していたといわれる**新型コロナウイルス感染症**の症例が1月中旬には国内でも発見され、米国やイタリアなどでも患者が急増するなど世界的な広がりを見せるようになりました。2月3日に横浜港に帰港したクルーズ船からも感染者が相次ぐ事態となり、好調だった日経平均株価もその影響を受けて下落に転じました。同時期に、**NYダウを始め世界の株式市場も急落**しました。

急落前直近の2020年2月21日の終値は2万3386・74円でしたが、振替休日明けの25日から大きく窓を開けて急落し始め、3月19日には安値で1万6358・19円まで下落しました。約1か月で7000円超え、下落率で30％を超える急落となりました。

●急落の底打ちを待って買う

前述の例のように、市場全体の急落が起こる場合、日経平均株価が底に至るまでの日数は1か月～2か月程度であることが多いです。また、底までの日経平均株価の下落率は、10％～20％台になることが多いです（表2・1）。

表2-1●最近の株式市場全体が急落したときの事例

急落と底の時期	日数	急落した背景	急落直前の日経平均株価の高値（円）	底の日経平均株価の安値（円）	下落率
2020年2月6日～2020年3月19日	45	新型コロナウイルスの世界的な感染拡大	23,995.37	16,358.19	31.8%
2018年10月2日～2018年12月26日	85	米中貿易摩擦の激化	24,448.07	18,947.58	22.5%
2018年1月23日～2018年2月14日	23	アメリカの利上げ	24,129.34	20,950.15	13.2%
2016年5月31日～2016年6月24日	24	イギリスのEU離脱	17,251.36	14,952.02	13.3%
2015 年12月1日～ 2016 年2月12日	74	世界的な景気減速懸念	20,012.40	14,865.77	25.7%
2015 年8月11日～ 2015年9月29日	50	中国株式市場の急落	20,946.93	16,901.49	19.3%
2014 年12月30日～ 2014 年2月5日	38	原油安やギリシャ不安	16,320.22	13,995.86	14.2%
2013年5月23日～6月13日	22	米国の金融緩和縮小示唆	15,942.60	12,415.85	22.1%
2012年3月27日～2012年6月4日	69	EU各国の債務問題	10,255.15	8,238.96	19.7%
2011年7月22日～8月9日	19	世界的な景気後退懸念	10,149.18	8,656.79	14.7%
2011年3月4日～3月15日	12	東日本大震災	10,768.43	8,227.63	23.6%

少々急落したからといって、買うのが速すぎると、まだ下がりきっていないうちに買うことになります。大きな急落が始まったら、高値のときから数えてこの程度の日数と下落率になるまで待ちます。そして、**底打ちしたころを見計らって買う**ようにします。

●底を示唆する指標が出てから買う

株式市場全体が急落したときに、その底を示唆する指標として、「騰落レシオ」や「新安値銘柄数」があります。

騰落レシオは、市場全体での上昇銘柄数を下落銘柄数で割った指標です。ただ、1日単位で計算すると動きが激しくなるので、通常は直近25日間の上昇銘柄数を下落銘柄数で割り、パーセント単位で表します。

市場全体が上昇傾向のときには、上昇銘柄数の方が多くなるので、騰落レシオは100%を上回り、市場全体が下落傾向になると騰落レシオは100%を割り込みます。

市場全体が急落すると、下落銘柄数が急増して騰落レシオの値が大きく下がります。**市場全体が底を打つときには、騰落レシオが70%以下ぐらいまで下がる傾向**があります。

新安値銘柄数は、一定期間での最安値をつけた銘柄の数を表します。通常は、1月～3月は前年1月以降の安値、4月以降は当年1月以降の安値をつけた銘柄の数を新安値銘柄数とします。

図2-8●市場全体が底を打つときは騰落レシオも底を打ち新安値銘柄は急増

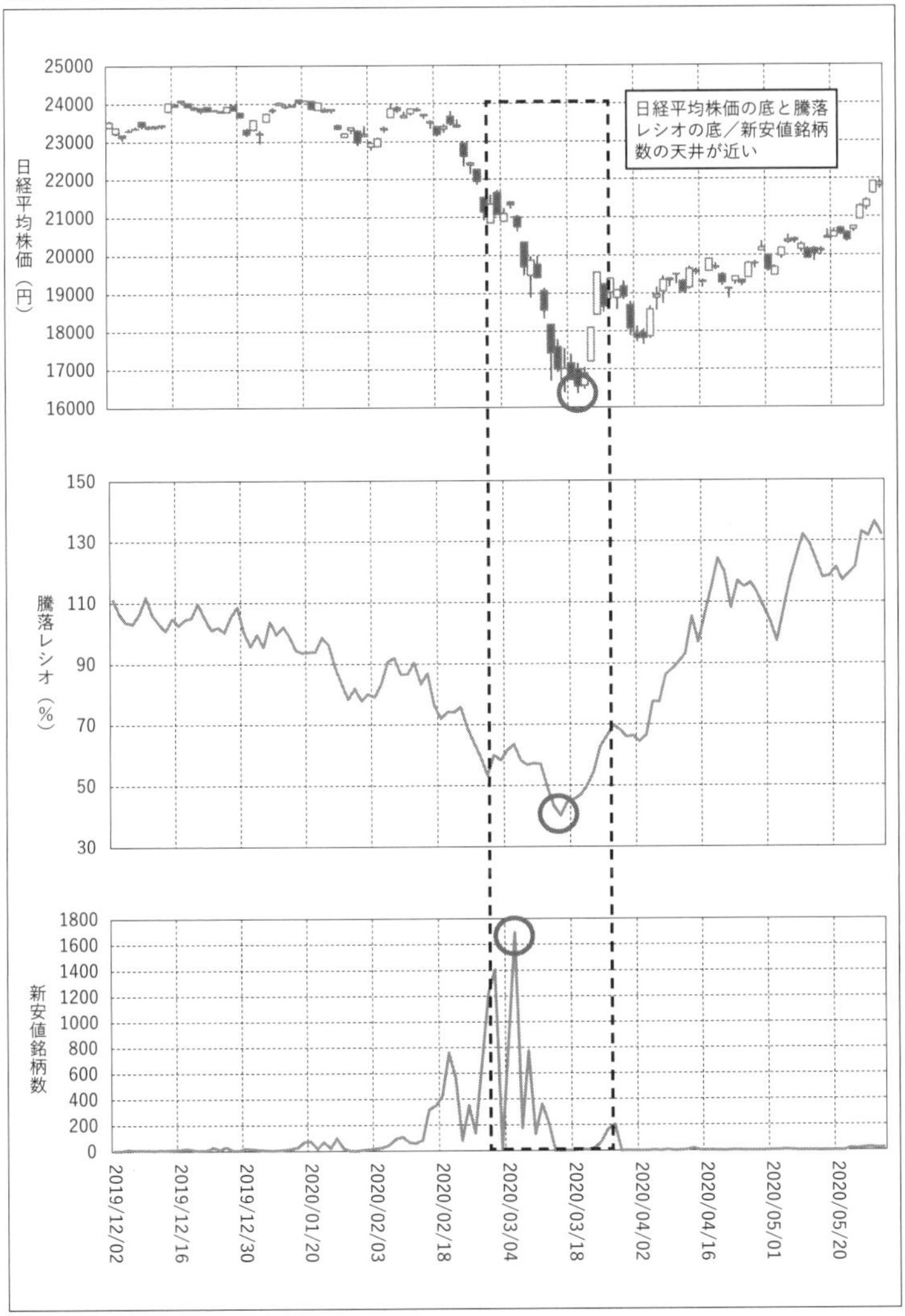

市場全体が急落すると、新安値をつける銘柄が一気に増えます。そして、市場が底を打つと個々の銘柄の株価も上がるので、今度は急激に減ります。市場全体が激しく下がったときには、東証一部全銘柄の半数前後が新安値をつけることもあります。

市場全体が急落して底を打つときには、騰落レシオも底をうち、また新安値銘柄数が急増することが多いです。例えば、前述した2021年2月のコロナ禍による急落の際にも、3月19日の底では騰落レシオが46・8％まで下がりました。新安値銘柄数のピークは3月5日の1695でした（図2・8）。

このような状況を確認して、**市場全体が上がりだしてから買う**ようにすれば、株価が比較的安いタイミングで良い銘柄を買うことができます。また、リバウンドで急騰する値上がり益もねらうことができます。

実際、前述した新型コロナウイルスのパンデミックによる急落では、底を打った2020年3月19日の終値1万6552・83円から、3営業日で約3000円上昇する急反発となりました。その後も上昇基調で、8月にはほぼ下落前の水準に戻しています。

なお、騰落レシオと新安値銘柄数の情報は、（株）ストックブレーンの「世界の株価と日経平均先物」というサイトで公開されています。たくさんの指標が見られます。

高配当株の買い時③
中期的な下落の底を打った時に買う

高配当株であっても、中期的に株価が下落トレンドになることもあります。そのような銘柄が底を打ったときも、買いのポイントになります。

高配当株でも人気が出ないときもある

市場の話題がある特定のテーマに向いたときなど、一部の銘柄や業種に買いが集中する一方で、そうではない銘柄や業種はあまり注目されなくなり株価が下がることがあります。高配当株でも同様で、**特に目立った悪材料があるわけでもないのに、株価がじりじりと下がるようなこと**があります。

悪材料でないのであれば、市場の風向きが変わってくれば、じりじりと下がっていた銘柄でも、見直されて株価が上がることは十分にあります。また、下がれば相対的に配当利回りが上がるので、高配当株では魅力が一段と増すことになります。そのため、ただ株価が下がっているだけの銘柄と比べて、見直される可能性がより高まると考えられます。

そこで、特に理由もないのに下がっているような高配当株を見つけたときには、株価の動きや市場の状況をよく見ておいて、**株価が底を打ったと思われる時点で買いを入れると**いう手法が考えられます。

●中期的な下落の底打ちで買いを入れる例（兼松エレクトロニクス）

買いの事例として、**兼松エレクトロニクス（８０９６）**を取り上げます。兼松エレクトロニクスは総合商社である兼松（８０２０）の子会社で、ＩＴを基盤に企業の情報システムに関する設計・構築、運用サービスなどを手掛ける情報システムベンダーです。

同社は２０２０年３月期まで７期連続で増配していて、配当利回りが高くなってきています。コロナ禍に見舞われた後の２０２１年３月期も減配していません。また、業績も比較的安定しています。財務面も自己資本比率が70％以上と高く、利益剰余金や現預金も潤沢で有利子負債もゼロであり、かなり良好といえます。

ここ10年の株価の動きを見ると、右肩上がりで順調に推移しています。また、２０１７年４月に２８００円のラインを超えてからは、**下値の目途はほぼ２８００円のライン**となっています。新型コロナウイルスの感染拡大のあった２０２０年２月から３月にかけては、株価は急落しました。しかし、その後はリバウンドして２０２０年11月に高値４６５０円でピークをつけてからは、下落基調になっています（図２・９）。

図2-9 兼松エレクトロニクスの株価の動き

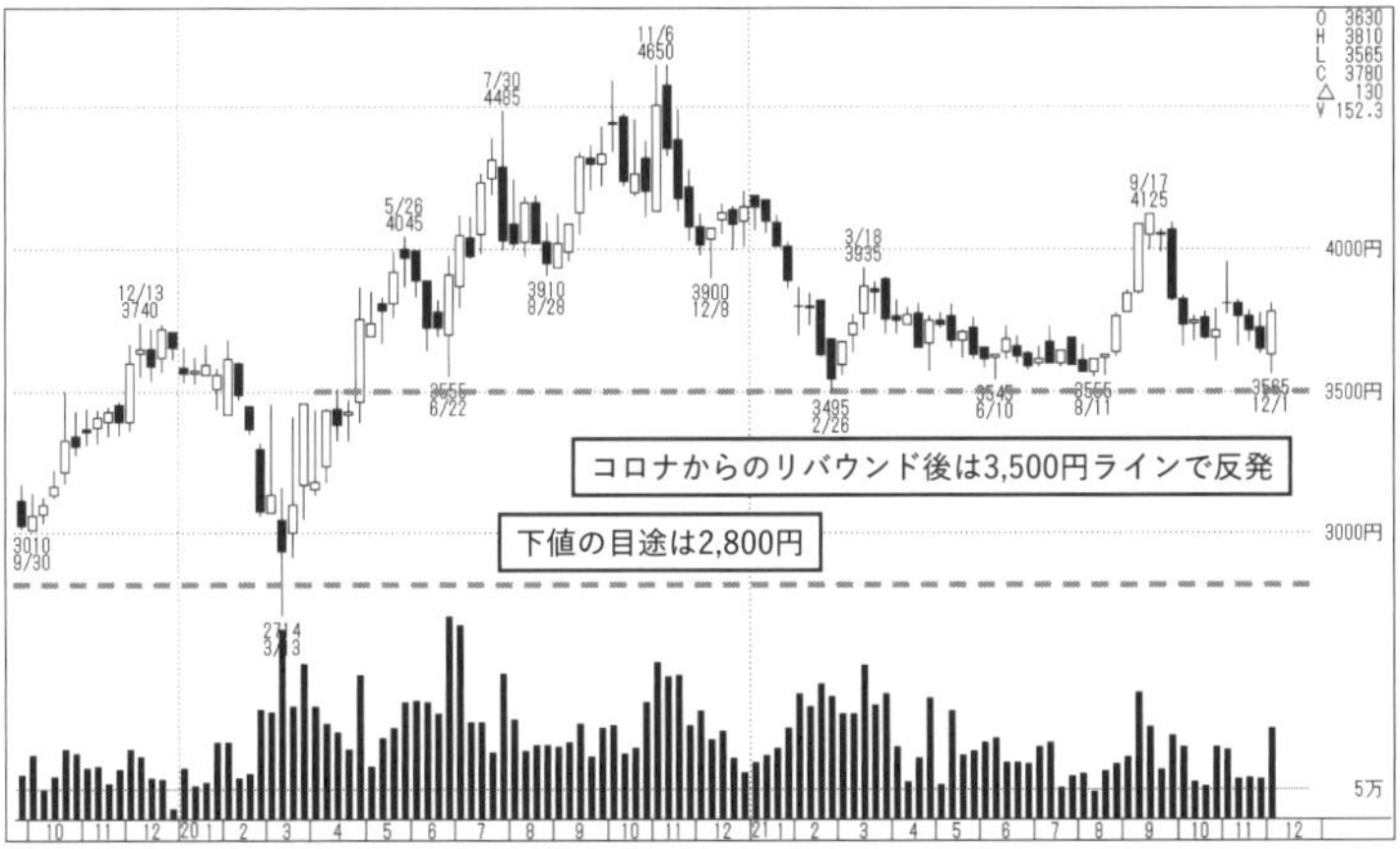
コロナからのリバウンド後は3,500円ラインで反発
下値の目途は2,800円
4000円
3500円
3000円
5万

週足/2019.10～2021.11

コロナ禍の影響により企業のＤＸ化・自動化・テレワークの普及など、ＩＴベンダーには追い風であり、これといって不利な要素は見当たりません。

兼松エレクトロニクスは２０２１年10月29日、業績予想を上方修正し、当期純利益を当初予想より７・８％増、配当予想も当初予想の年１４０円に５円上乗せした年１４５円にすると発表しましたが、特に株価は上昇していません。２０２１年11月下旬時点での配当利回りは約４％で、これ以上株価が大きく下がる可能性は低いだろうと思われます。

そこで、株価の動きを注視して底打ち感が出てきたところで買いを入れると良さそうです。その際は一度に買うのではなく、複数回に分けて買う手もあります（１７３ページ）。

高配当株の売り時①

利益が乗ったときは利食い売り

前の節では買い時について考えましたが、ここでは売り時について考えてみます。

高配当株は中長期で保有するのが基本

株式投資には、デイトレのように短期間で売買を繰り返す方法もあれば、中長期的に保有を続ける方法もあります。

高配当株投資では、まずは配当をもらうことが目的です。大半の銘柄では、配当は年に1回か2回出るので、買ってから短期間で売らずに、しばらく保有し続けることが基本になります。**株価が大きく値下がりしない限りは、中長期で保有し続け、多少値上がりしたぐらいでは売らずに、じっくりと大きな値上がりを待つ**ようにします。

ただ、状況によっては、売ってしまう方が良いこともあります。この後で、売りを検討する局面をいくつか取り上げます。

株価が短期で大幅上昇したときは利食いを検討

持ち株について、何か大きな好材料が出て株価が短期間で急上昇することもあります。そのような時には、売るのも一手です。

高配当株といっても、配当利回りは良くても年に3～5％程度です。一方、株価が急騰すれば、値上がり益が数十％になることもあります。それだけの利益を配当だけで得ようと思ったら、かなりの期間保有し続けることが必要になります。

例えば、配当利回りが3％の銘柄を保有していて、株価が50％値上がりしたとします。この場合、50％÷3％＝16・66…なので、配当が一定額出続けるとして、値上がり益と同じ利益を得ようとすると、約16年半かかります。それなら、株価が急騰した時点で売って利益を確定し、他の銘柄に乗り換える方が良いでしょう。

特に、数字の裏付けがはっきりしない材料で株価が急騰した場合や、発行済み株式数があまり大きくなく、少ない出来高でも株価が上下する銘柄の場合は、上昇が短期間で終わってしまい、すぐに元の株価水準に戻ってしまうこともあります。

●短期間で急騰しほどなく元に戻った高配当株の例（エーアイテイー）

例として、日中間の海上輸送が強みのエーアイテイー（９３８１）を紹介します。

図2-10●短期間で急騰し上下動の激しい高配当株の例（エーアイティー）

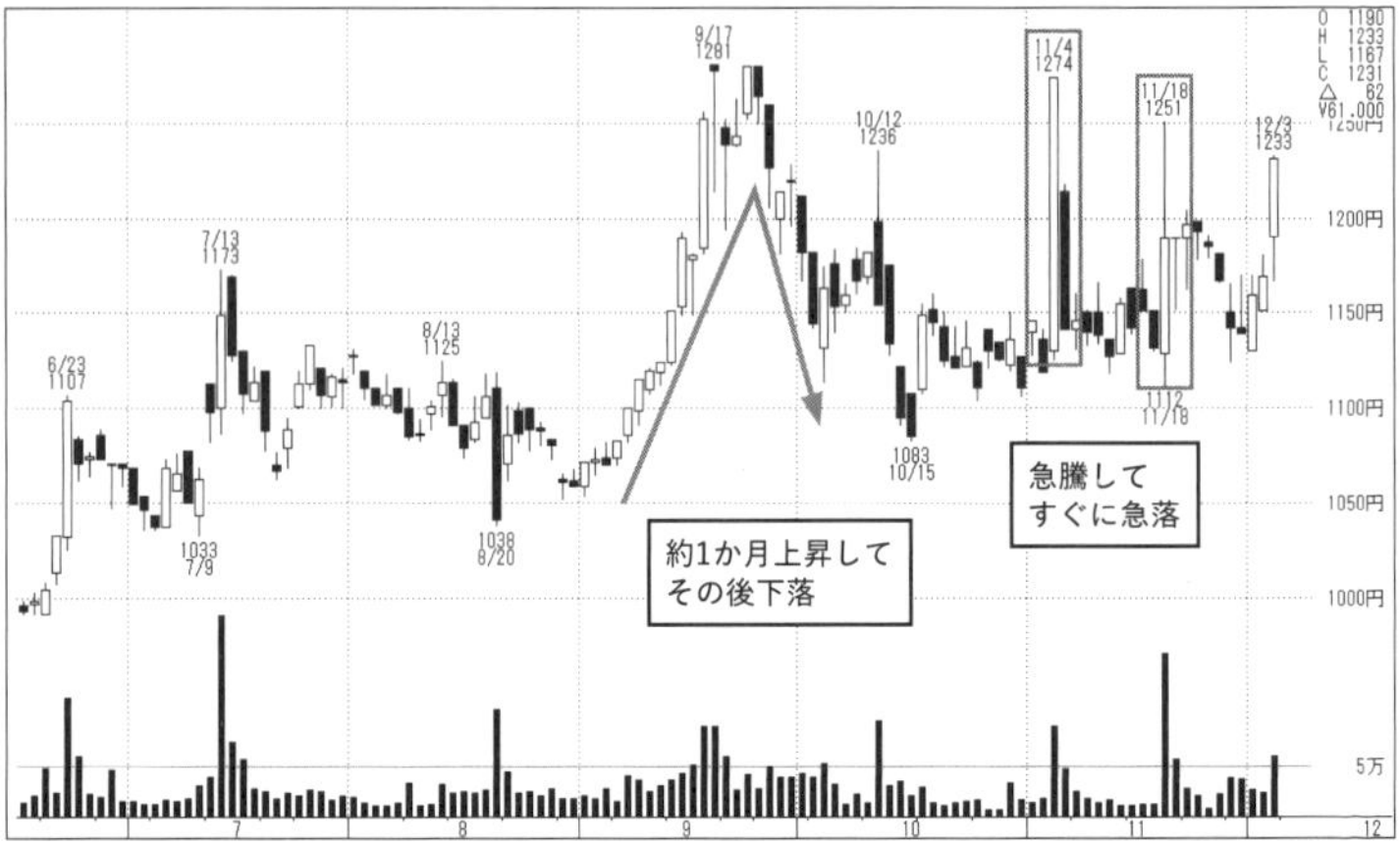

日足/2021.6～2021.11

２０２１年８月20日、配当予想の上方修正を発表しました。８月末の中間配当の権利落ち日が過ぎても株価は下がらず、９月に入ると約１か月上昇して元に戻りました。11月４日は１５５円高と急騰しましたが、翌日には元に戻りました。11月18日にも業績予想と配当の上方修正を発表し急騰しましたが、長くは続きませんでした（図２・10）。

　エーアイティーは出来高が多くはなく、１日２万株に満たない日も割とあります。そのため、上昇するとすぐに売られて上下動の激しい状態になっていると考えられます。

成長して大きく利益が乗ったら？

買った銘柄が中長期的に堅実に成長し、株

価が上昇して大きく利益が乗ってくることもあります。そのような銘柄は、**成長が続く限り保有を続けて、株価上昇をさらに追求していく**のが良いでしょう。

また、それだけ成長して上がった銘柄だと、52ページで解説した連続増配銘柄や長期で減配しない銘柄のように、**配当も大きく増えているのが普通**です。となると、買ったときの株価と比較した配当利回りも上がって、配当だけでも毎年利益を得られると思われます。このような「お宝」的な銘柄は、そうやすやすと手放すべきではありません。

さらに、大きく利益が出ている銘柄を持っていると、「いつ売っても利益が得られる」という精神的余裕もできて、落ち着いて保有できるというメリットもあります。

●成長に陰りが見えてきたら利食い売り

ただ、いつまでも成長を続ける銘柄は、そうそう存在しません。徐々に成長に陰りが出てきて、株価や配当の伸びも衰えてきます。そうなったら、売って次の銘柄を探すことを考えても良いでしょう。

また、後の章でお話ししますが、世界的にしばらく景気が後退する局面が来ることも考えられます。そうなると、いくら安定的に成長を続けている銘柄であっても、景気の影響を受けて業績が悪化し、株価や配当が下がることも十分にあります。そのようなときには、いったん**売って利益確定することも検討**します。

高配当株の売り時②

大きな悪材料が出たら売り

持ち銘柄について悪材料が出たとき、小さな悪材料であれば、一時的な下げで終わる場合もあります。しかし、大きな悪材料が出ると株価が大きく下落してしまい、それを配当で取り返すのは困難になります。

大きな悪材料が出たときは売る

例えば、配当利回りが年3％の銘柄があるとします。そして、その銘柄に大きな悪材料が出て、株価が一気に30％値下がりしたとします。すると、その分を配当で取り返そうとすると、単純計算だと30％÷3％＝10年も時間がかかることになります。

また、業績悪化など、悪材料の内容によっては、急落だけでなく減配することもあります。そうなると、値下がり分を配当で取り返すことは、ますます難しくなります。

したがって、持ち株に悪材料が出たときには、その内容をすばやく検討して売るかどうかを判断します。以下のような**業績に大きく影響する悪材料には注意が必要**です。

減益や業績予想の下方修正

決算発表の際には、来期の業績予想も発表されます。その際に、今期よりも業績が悪化するという予想が出ると、株価に影響します。期の途中で事業計画の進捗状況が思わしくなく、当初予想の利益を達成できそうにない時には、企業は業績予想を下方修正します。どちらの場合も、数字の裏付けがある悪材料なので、株価への影響を比較的予想しやすいものです。

1株あたり利益が減ると、それに比例して株価も下がりやすく、例えば1株益が当初予想よりも20％減の下方修正があった場合、株価も20％程度下落することが見込まれます。

●業績下方修正で急落した高配当株の例（天馬）

例えば、家庭用品などのプラスチック加工メーカーの**天馬（7958）**は、2021年11月5日、業績予想の下方修正を発表して株価が急落しました。当期純利益の通期予想がそれまでの28億円から15億円となり、当初予想より約46％の減益予想でした。理由は、原材料費の高騰や取引先の生産本格化の遅れ、などでした。

減益発表前の株価は2806円でしたが、月末には安値で2400円を割るところまで下がりました（図2・11）。

図2-11●業績予想の下方修正で急落した高配当株の例（天馬）

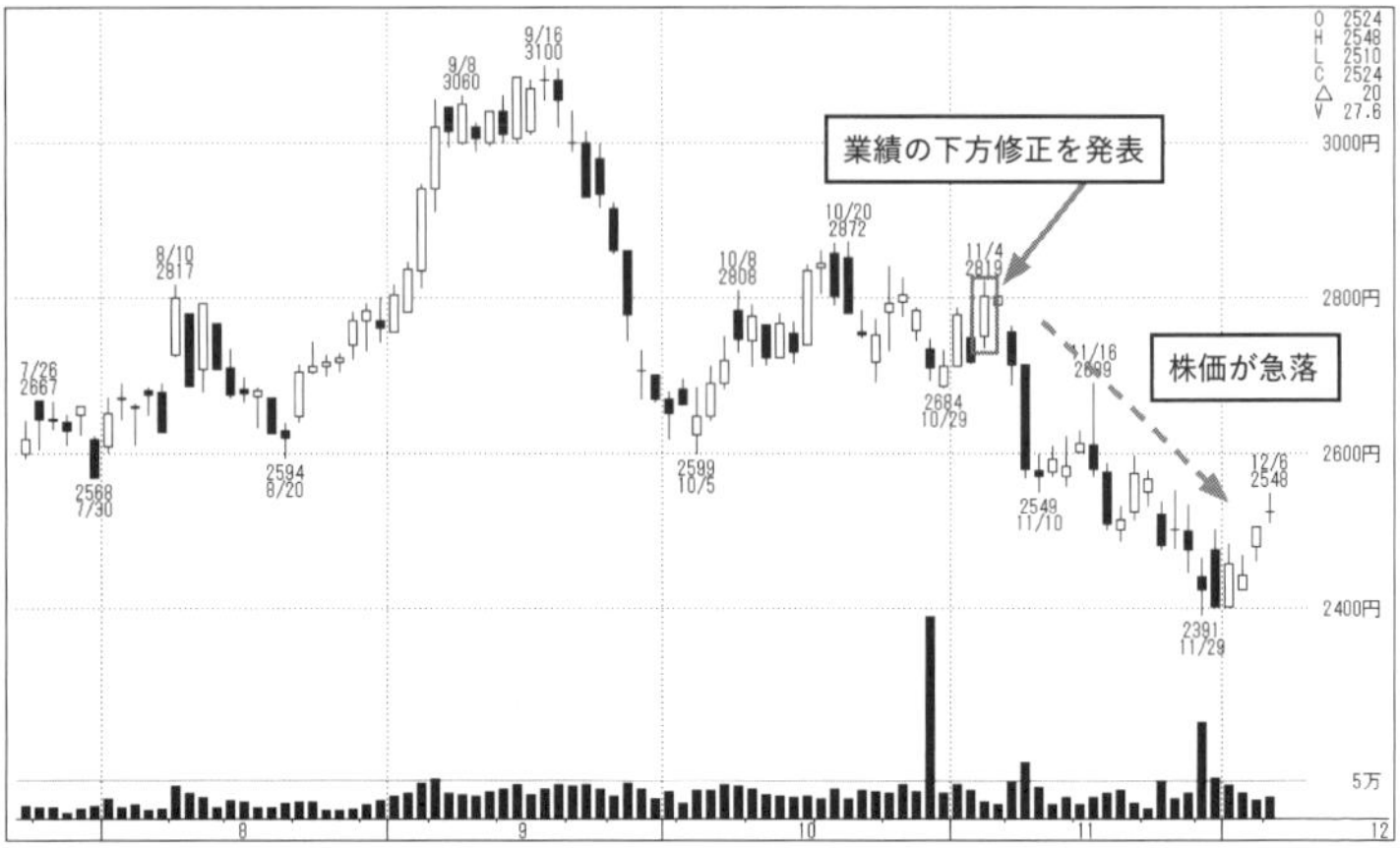

日足/2021.7〜2021.12

ただし、業績の下方修正では、①何が原因なのか、②減益幅はどのくらいか、によって売るかどうかを判断する必要があります。特別損失の発生など、一時的な要因で業績を下方修正した場合は、翌年以降は元の業績に戻る可能性もあります。そのような場合には、売らずに保有を続けることも考えられます。

増資・自己株式の処分・売り出し

株式会社が資金調達する方法の1つに、新株を発行して投資家に販売すること（**増資**）があります。また、会社が持っていた自社株を再度売り出すことを、「**自己株式の処分**」と呼びます。さらに、大株主が持つ株式を同一条件で多数の投資家に売り出すことを、「**売り出し**」と呼びます。

増資や自己株式の処分を行えば、発行済み式数が増えます。一方、それらを行ったからといって、すぐに利益が増えるわけではないため、相対的に1株あたり利益が減り、**株価に悪影響**を与えます。なお、増資や自己株式の処分などによって、1株あたりの価値が下がることを、「**希薄化**」と呼びます。

例えば、税引き後当期純利益が10億円で、発行済み株式数が1億株の企業の1株あたり当期純利益は、以下のように10円になります。

1株あたり当期純利益＝税引後当期純利益÷発行済み株式数＝10億円÷1億株＝10円

ここで、この企業が増資を行って発行済み株式数が2500万株増えるとすると、1株あたり利益は以下のように8円となり、20％減ります。

1株あたり当期純利益＝10億円÷1億2500万株＝8円

となると、株価も20％程度下落すると考えられます。

58ページで、自社株買いと株消却で発行済み株式数を減らすと、株価上昇につながるという話をしました。増資や自己株式の処分等は、それとは逆になり、悪材料にあたります。

図2-12●売り出しで急落した高配当株の例（かんぽ生命）

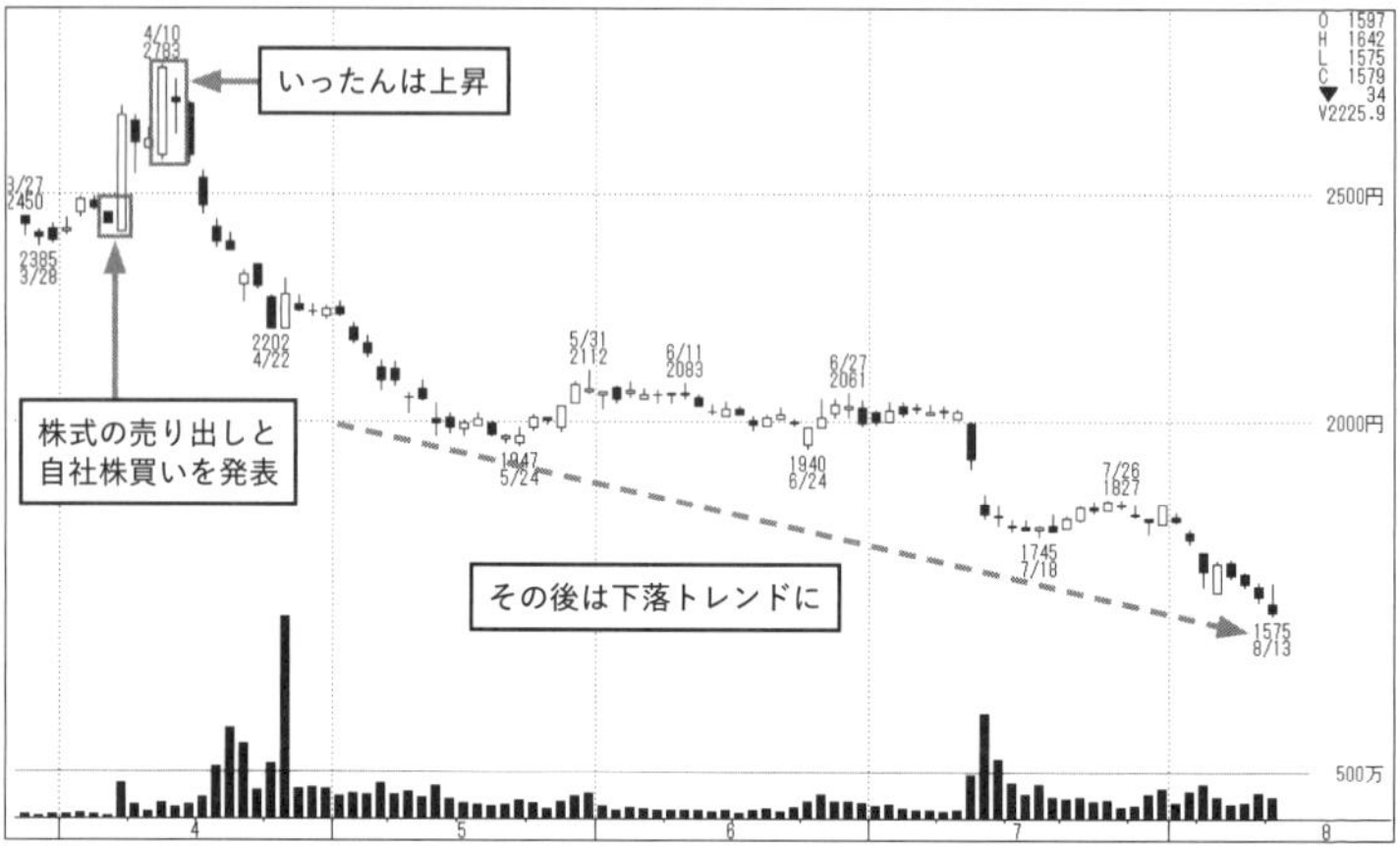

日足/2019.3〜2019.8

●売出しで急落した高配当株の例（かんぽ生命）

日本郵政グループの**かんぽ生命（１７９７）**は、２０１９年４月４日、親会社が持つ株式を国内外で約１億６８００万株売り出すと発表するとともに、取得上限５０００万株・上限１千億円の自社株買いを発表しました。

かんぽ生命の株価は、自社株買いへの期待からか、４月10日までは急騰しました。申込期間は４月16日〜17日で終了し、売出価格は２３７５円でした。

しかし、４月12日からは続落し、８月下旬には終値で１５００円を割るところまで下がる結果となりました（図２・12）。売り出しと同時に自社株買いも発表しましたが、売り出しの株数の方が多く、市場に出回る株が増える分、需給が緩んで株価下落につながったと考えられます。

図2-13●取扱物件の施工不良の発覚で急落したレオパレス21

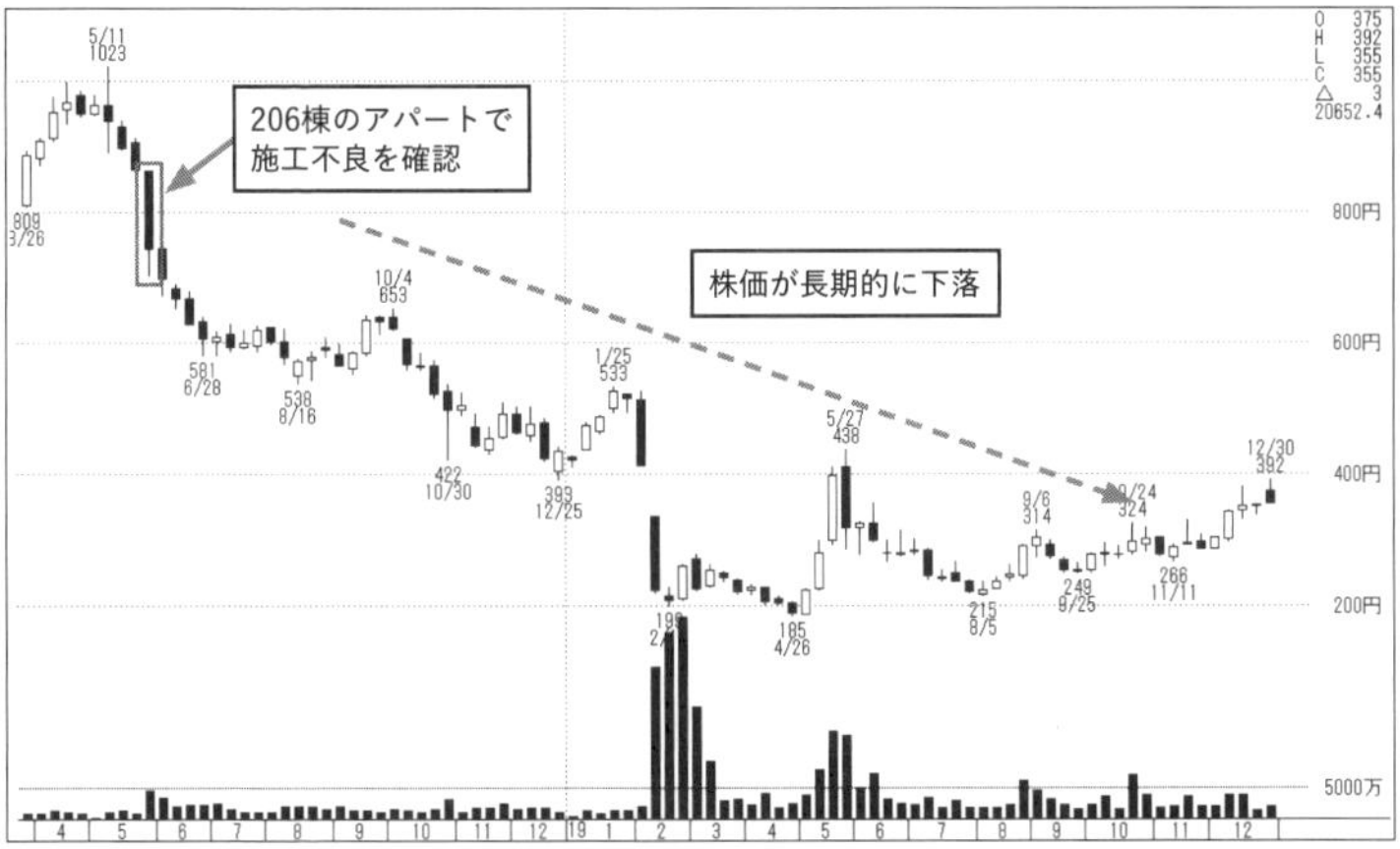

週足/2018.4〜2019.12

大きな不祥事の発覚

企業が不祥事を起こすことがあります。業績が大幅に悪化したり、企業の存続が危ぶまれるような深刻な不祥事もあります。**粉飾決算**が発覚したり、**重大な法令違反**や製品の事故などで**大規模なリコール**が起こったりした場合などが、これにあたります。

大きな不祥事はその時点の業績に直に影響しますし、イメージダウンによって将来的な業績悪化にもつながるため、不祥事を起こした企業の株は急落することが多いです。

●大きな不祥事の発覚で急落した銘柄の例（レオパレス21）

賃貸アパート管理の**レオパレス21（8848）**は、2018年5月29日、「206棟のアパートで施工不良を確認し、建築基準法違反の疑いがある。来年6月までに約3万800棟を調査する」と発表しました。翌5月30日には株価が窓を開けて急落しました。

その後も、6月19日には、国土交通省がこれまでに17棟で建築基準法違反が見つかったと会見しました。また、各地でアパート所有者らによる「被害者の会」が発足したり、多額の補修工事費用が発生するといった報道が続き、株価は長期的に続落していきました(図2・13)。

減配や株主優待の縮小・廃止

高配当株は、配当を目当てに投資している人が多いです。そのため、減配されると失望売りを招き、株価が大きく下がってしまう恐れがあります。また、減配するぐらいだと業績も良くないはずですので、その点からも株価下落につながります。したがって、減配が発表されたときには、その銘柄は売っておくべきでしょう。

2020年と2021年は、多くの業種でコロナ禍による業績悪化により、減配や無配を発表する企業も少なくありませんでした。

減配と同様に、株主優待の縮小や廃止も、個人投資家の失望売りを招きやすいです。特に、株主優待の内容が充実していて、それを目当てに買っている個人投資家が多い銘柄では、大きな株価下落につながる恐れがあります。

売った株を再度買うことも検討する

一度株を売ってしまうと、その株にはもう関心がなくなる方は多いと思います。しかし、売った株は、その後に再度買いの候補になることもあります。

悪材料に過剰に反応して株価が下げすぎとなり、割安になることもあります。すると、相対的に配当利回りは上がります。そうなれば、**一転して高配当株となって買いの候補に変わる**こともあります。

投資情報や決算発表のニュースはまめにチェック

売買のタイミングを考える上で、投資情報をうまく活用することが必要です。

買い候補銘柄や保有銘柄のニュースをチェック

買い候補銘柄や保有銘柄についての好材料や悪材料が出たときには、すばやく売買を検討する必要があります。個々の銘柄のニュースを日々チェックするようにします。

ネット証券の投資情報サービスを使えば、個々の銘柄について、ニュースや決算発表、その他の投資情報を見る機能もありますので、そこで最新情報を確認します。なお、企業が重要な情報を発表するのは、通常は市場が終わった後（午後3時以降）になります。

四半期決算やその前の時期にはIRを確認

業績予想の修正が出たときは、売買のタイミングとして重要です。業績予想の修正は、四半期決算の発表日や、その直前あたりの時期に行われることが多いです。決算発表の時

図2-14●ネット証券で決算発表スケジュールを見る（楽天証券）

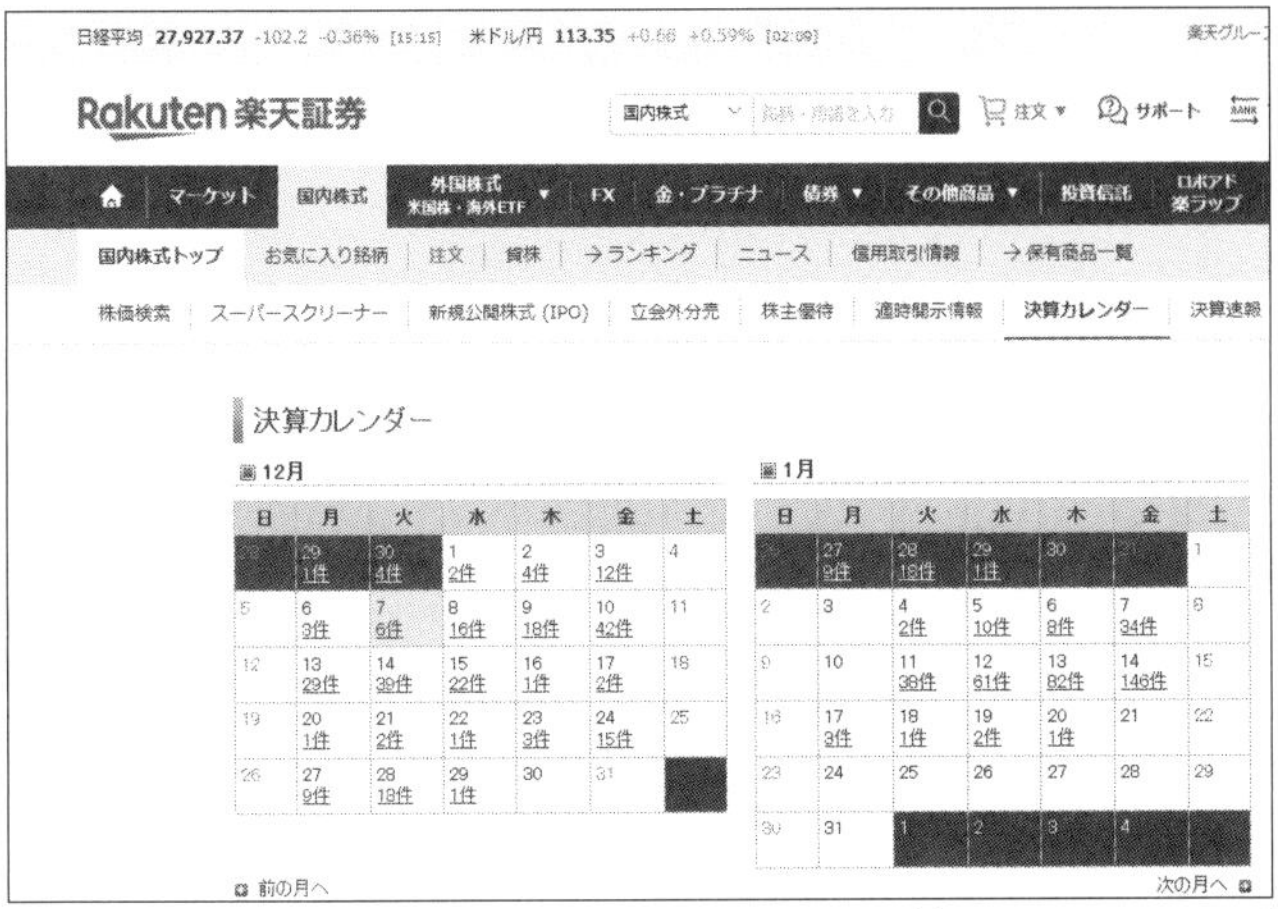

出所：https://www.rakuten-sec.co.jp/

期が近づいたら、各企業のＩＲ（投資家向け情報）のコーナーを確認するようにします。

また、四半期決算などのスケジュールは、ネット証券のサービスや各企業のサイトの「ＩＲカレンダー」を見ればわかりますから、スケジュールを確認しておきます（図2・14）。企業によっては、ＨＰに登録しておけばＩＲニュースを配信してくれるところもあります。

▼便利な株式情報サイト

株式投資をする上でおすすめの情報サイトとして、以下のようなところがあります。

●株探（https://kabutan.jp/）

さまざまな角度から投資情報をまとめた

図2-15●株探のトップページ

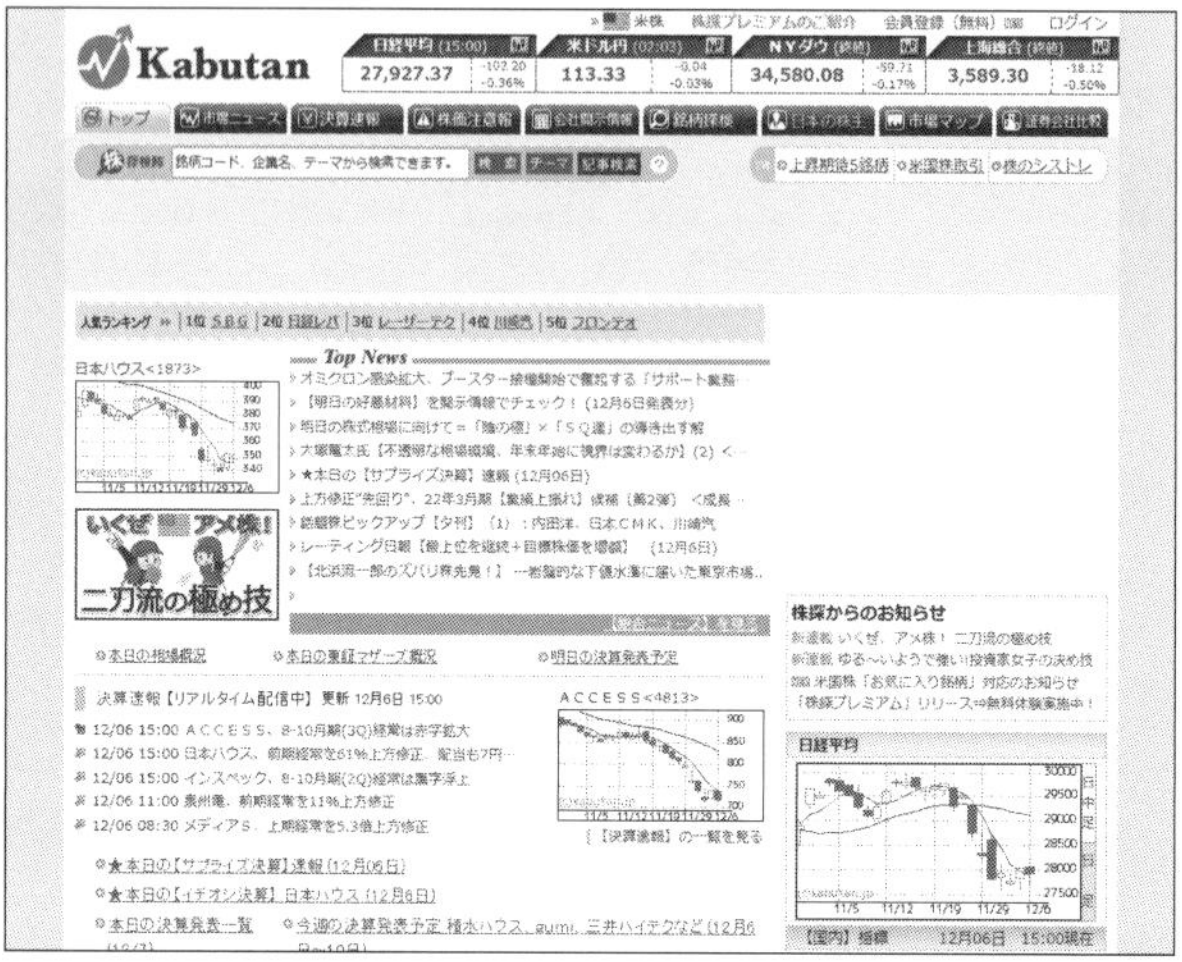

出所：https://kabutan.jp/

サイトで、銘柄を探す際に役に立ちます（図2・15）。中でも、各企業の開示情報を「決算」「自社株取得」などでグループ分けしたコーナーや企業ごとの材料ニュース、決算速報などがとても便利です。

●みんかぶ（https://minkabu.jp/）

「みんなの」の名の通り、個人投資家の動向を多く集めています。個々の銘柄についての掲示板や、売買どちらの意見が強いかといった情報もあります。

●Ullet（http://www.ullet.com/）

各企業の投資情報を集めたサイトです。特に、過去5年間の売上などの推移を表で見られる点が便利です。

銘柄検索とチャートチェックにテクニカルソフトを使う

過去の株価の動きを知る上でチャートは欠かせません。ネット証券などのサービスでもチャートは見られますが、市販の専用ソフトを使えばより長い期間でより詳しい分析が可能になります。例として、ゴールデン・チャート社の「GC HELLO TREND MASTER®」を紹介します。

長期のチャートを見る

GC HELLO TREND MASTER®では、日足／週足／月足／年足／リアルタイムのチャートに対応しています。日足で約4年、週足で約20年、月足・年足ともに約40年のデータが収録されており、過去からの長期間のチャートを表示できるとともに、東証一部・二部・JASDAQ・マザーズなどの全銘柄、日経平均株価や東証株価指数、米ドル／円などの各種指標のチャートも表示できます。リアルタイム株価は1分、3分、5分、10分、15分そしてティック足に対応しています。

また、チャートとともに、過去の業績のデータやPER・PBRなどの投資指標、その銘柄についての各種ニュースなど、多くの情報を表示できます。

多彩なテクニカル指標をチャートに表示

株価の動きを分析する際には、株価や出来高をもとに計算したテクニカル指標を使います。移動平均線やボリンジャーバンド、一目均衡表、RSIなどのポピュラーなものから、ゴールデン・チャート社の独自指標まで、全部で90種類近い指標を表示できます。また、表示指標の複数の組み合わせは自由に設定できるので、多彩なパターンでのチャート分析が可能で、高配当株の売買タイミングをつかむのにも役立ちます（図2・16）。

銘柄探しにはスクリーニング機能が便利

条件を指定して銘柄を検索するスクリーニング機能も充実していて、テクニカル指標だけでなく業績や財務、予想配当、予想配当利回り、予想PERなどのファンダメンタル指標も組み合わせて検索できるので、高配当株の買い候補を探す際にも有用です（図2・17）。

利用方法

図2-16●多彩なテクニカル指標をチャートに表示

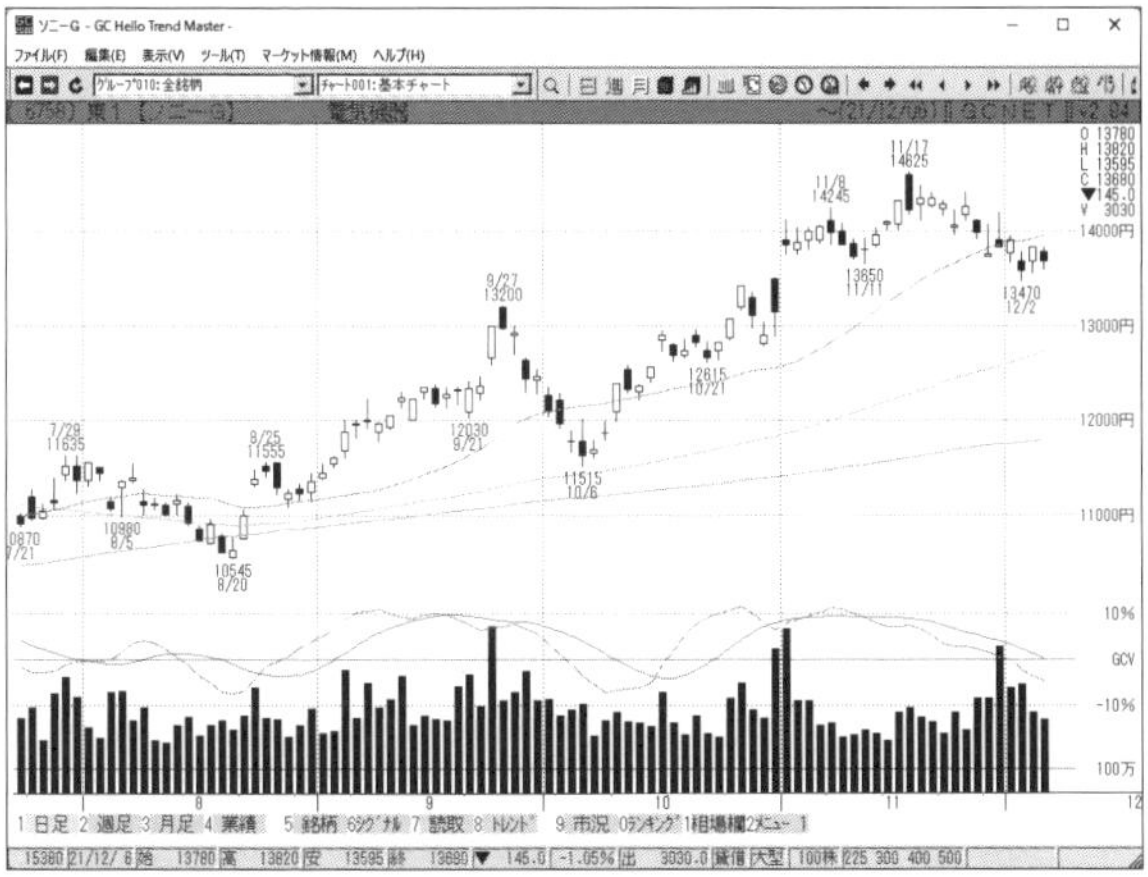

図2-17●スクリーニング機能で条件を指定して銘柄を検索

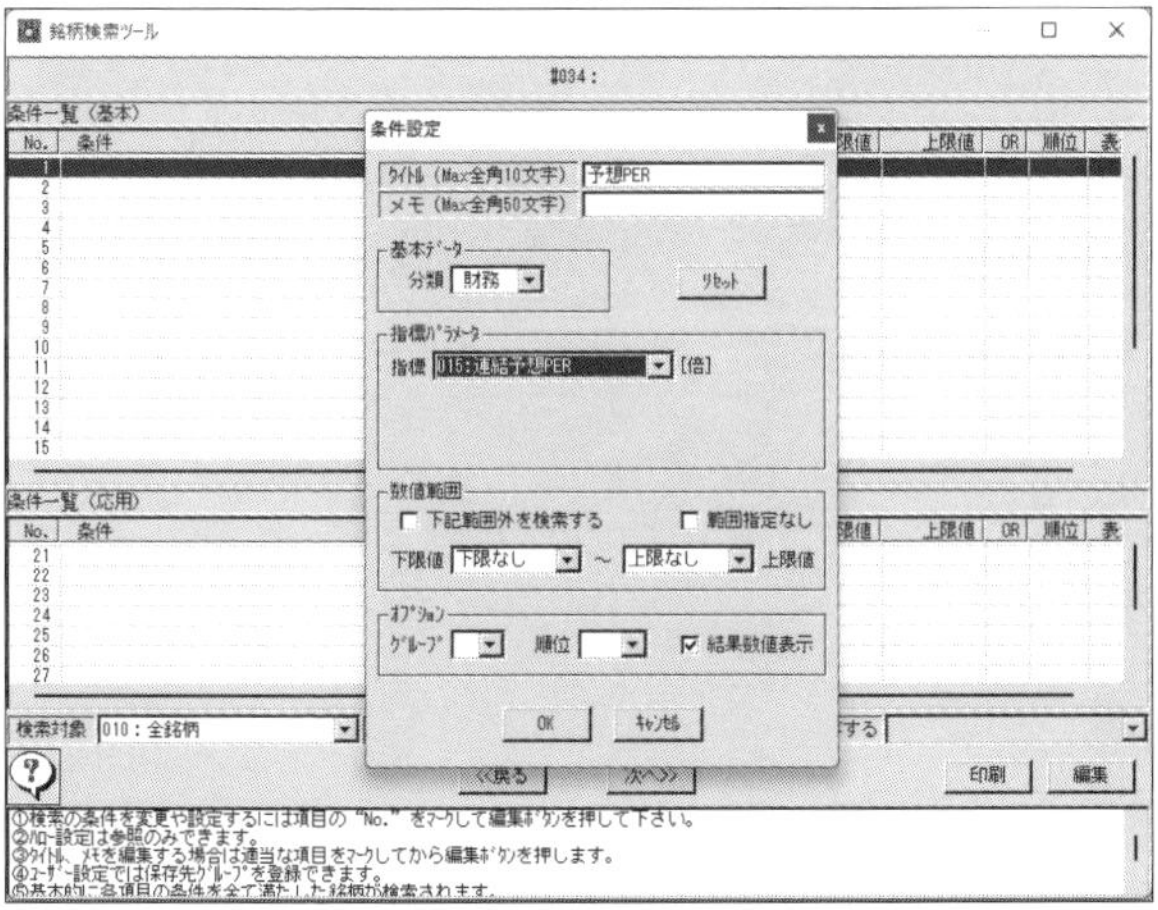

GC HELLO TREND MASTER®は初期費用に加え、月々の情報料金が必要です。詳しくはゴールデン・チャート社のHPをご参照ください（http://www.gcnet.jp/）。

厳選した優良高配当株にはＮＩＳＡ口座を割り当てる

個人投資家の場合、「ＮＩＳＡ」をうまく活用して非課税投資をすることも重要です。

売却益や配当には約20％の税金がかかる

株の場合、持っているだけなら税金はかかりませんが、売って利益が出たときと、配当を得たときには税金（所得税と住民税）がかかります。どちらも税率は**20・315％**（所得税15％、住民税5％、復興特別所得税0・315％）です。これは小さな額とはいえず、長期的な視点で見ると、資産を増やすのに差が出てきます。

例えば、最初に100万円を投資するとして、投資金額に対して毎年10％の利益を得られると仮定します。また、利益も再度投資に回すとします。

税金がかからなければ、毎年10％の利益をすべて再投資できます。しかし税金が20％かかると、10％の利益の約5分の1が税金に消えるので、毎年得られる利益は実質的に約8％に目減りします。

図2-18●税金がかかると資金の増え方が抑えられる

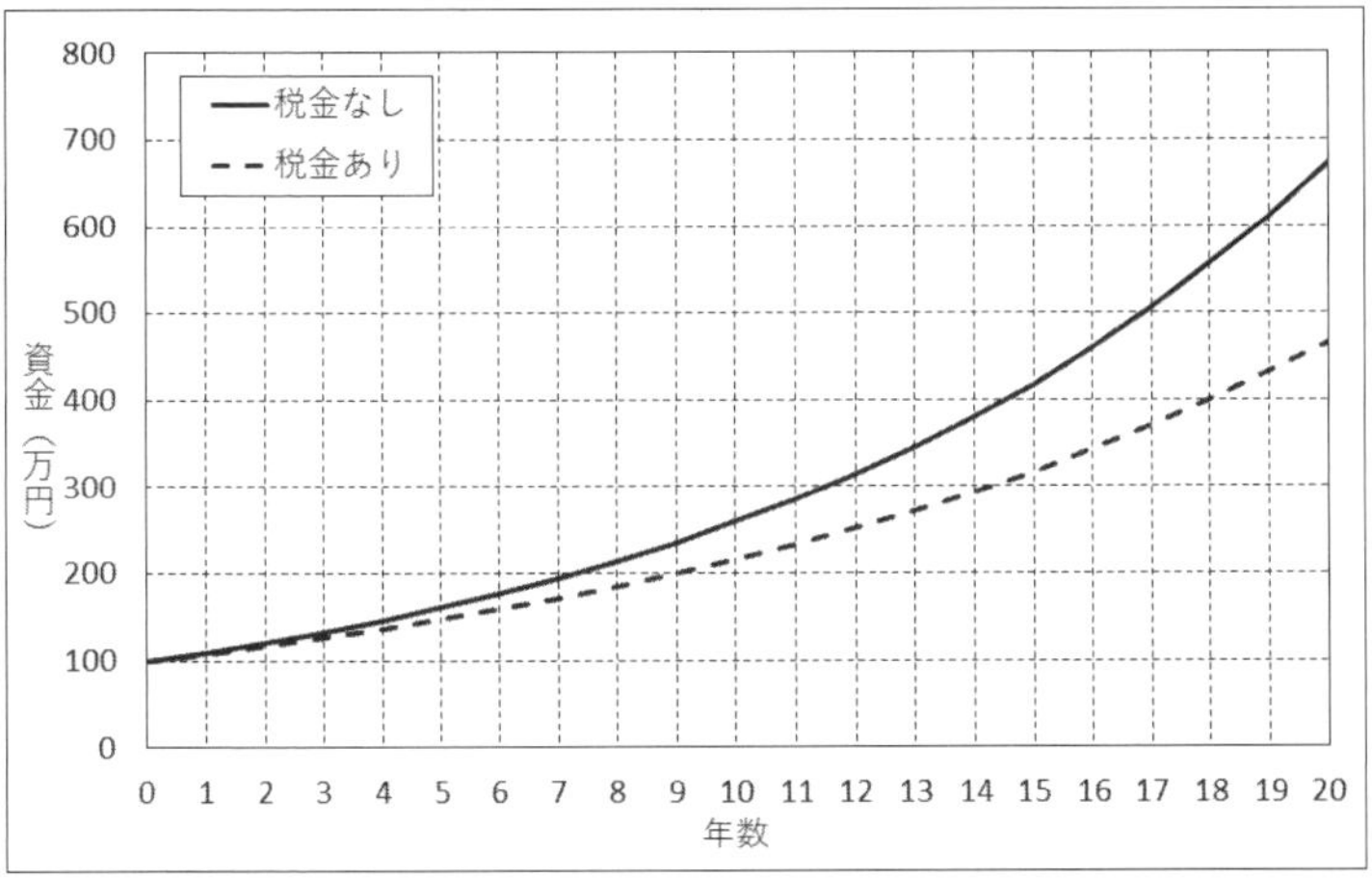

この状況で投資を続けると、非課税ならば資金は10年で約250万円、20年で約670万円に増えます。一方、税金がかかると、10年で約220万円、20年で約470万円にとどまります（図2・18）。

NISAで非課税投資

NISAは、**年間120万円までの株式などへの投資について、投資した年を含めて5年間にわたり、売却益や配当が非課税になる制度**です。本書執筆時点では、**2023年末までの期限付き**の制度になっています。

例えば、2018年にNISAで120万円までの投資をした場合、2018年から2022年までの5年間に得られる配当や、2022年末までに売却した際の売却益には、

図2-19●NISAで投資した場合の保有期限

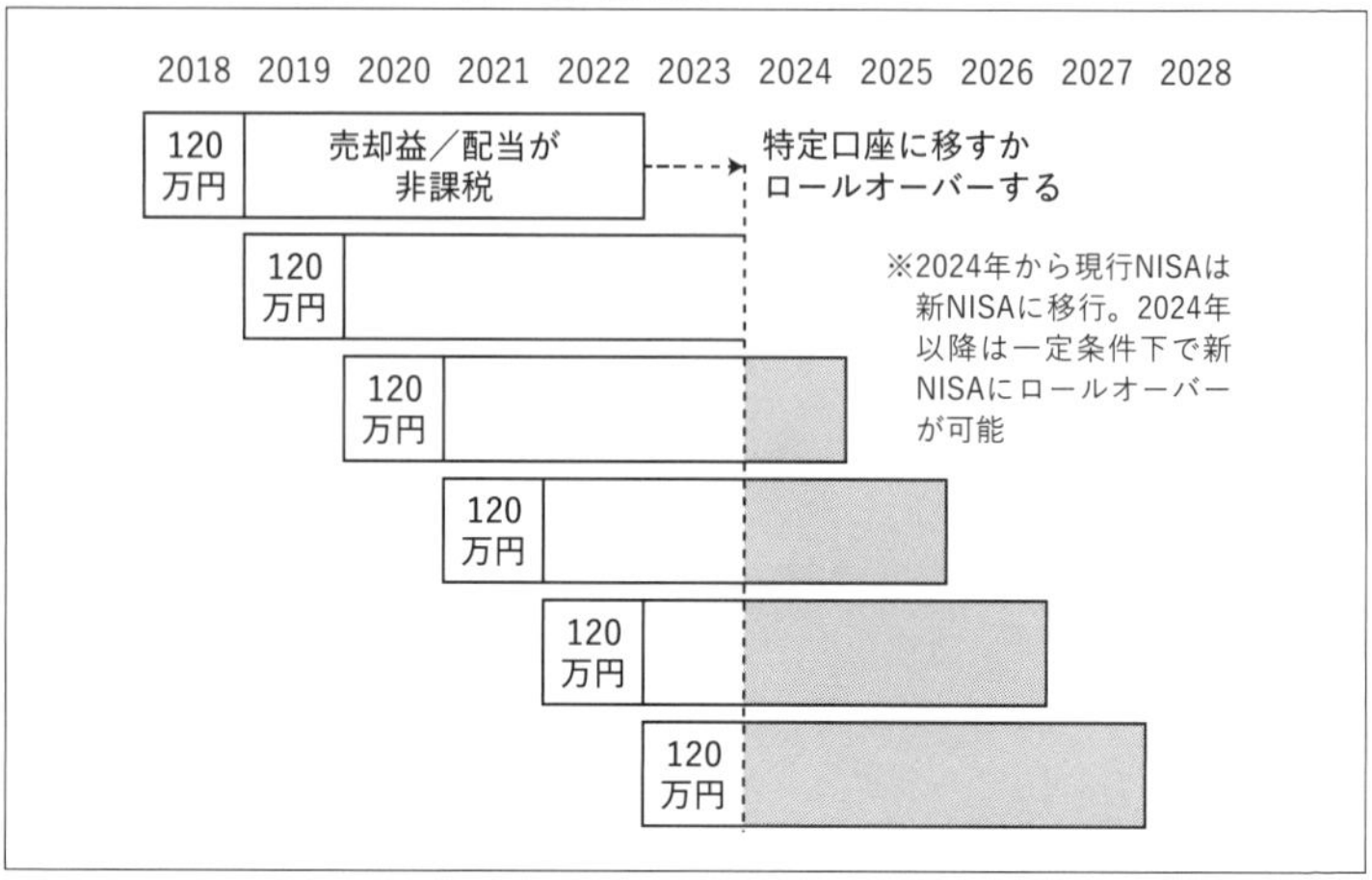

税金がかかりません。

また、２０１８年に株を買って、その後の５年間が経過した場合、特定口座に移すか、「ロールオーバー」するかを選択することができます。**ロールオーバーは、２０２３年の非課税枠にその株などを入れる**ことをさします（図２・19）。

ただし、ロールオーバーすると２０２３年の非課税枠がその分だけ減るので、２０２３年に新たに株を買う場合は、残っている非課税枠の範囲内でのみとなります。

なお、ＮＩＳＡは２０２３年末までの制度ですが、２０２４年からは後述する**新ＮＩＳＡ**に移行し、２０２８年まで5年間延長されます。

▼NISAには長期保有前提の厳選優良銘柄を安く入れる

現行NISAは年間120万円までですから、**非課税枠は5年間で合計600万円まで**となります。また、株を買って一度枠を使うと、その株をその年の間に売ったとしても、枠は再利用できません。

このように、NISAで株を買う場合は、基本的には長く保有し続け、その間に配当を非課税でもらい続けて大きな成長を待ちます。そのためには、業種や数年先の経済環境まで考えて、**堅実で成長期待が高く、よほどのことがない限り売らないで持てるくらいの厳選した優良銘柄**をなるべく安く買って入れるべきです。

●NISA口座から特定口座への移管には要注意

NISAで株を買った後、その株が上がる分には良いですが、下落したまま5年間が経過すると、問題が起こります。

NISAでは、株を買ってから5年経過後に、ロールオーバーするか、特定口座に入れることができます。特定口座に入れた場合、その時点の株価で株を買ったという扱いになります。そのため、NISA口座で値下がりした株を特定口座に入れると、その後に値上がりしたときに、**意外な税金が発生する**ことがあります。

図2-20◉NISA口座の値下がりした株を特定口座に移管する場合の税金の扱い

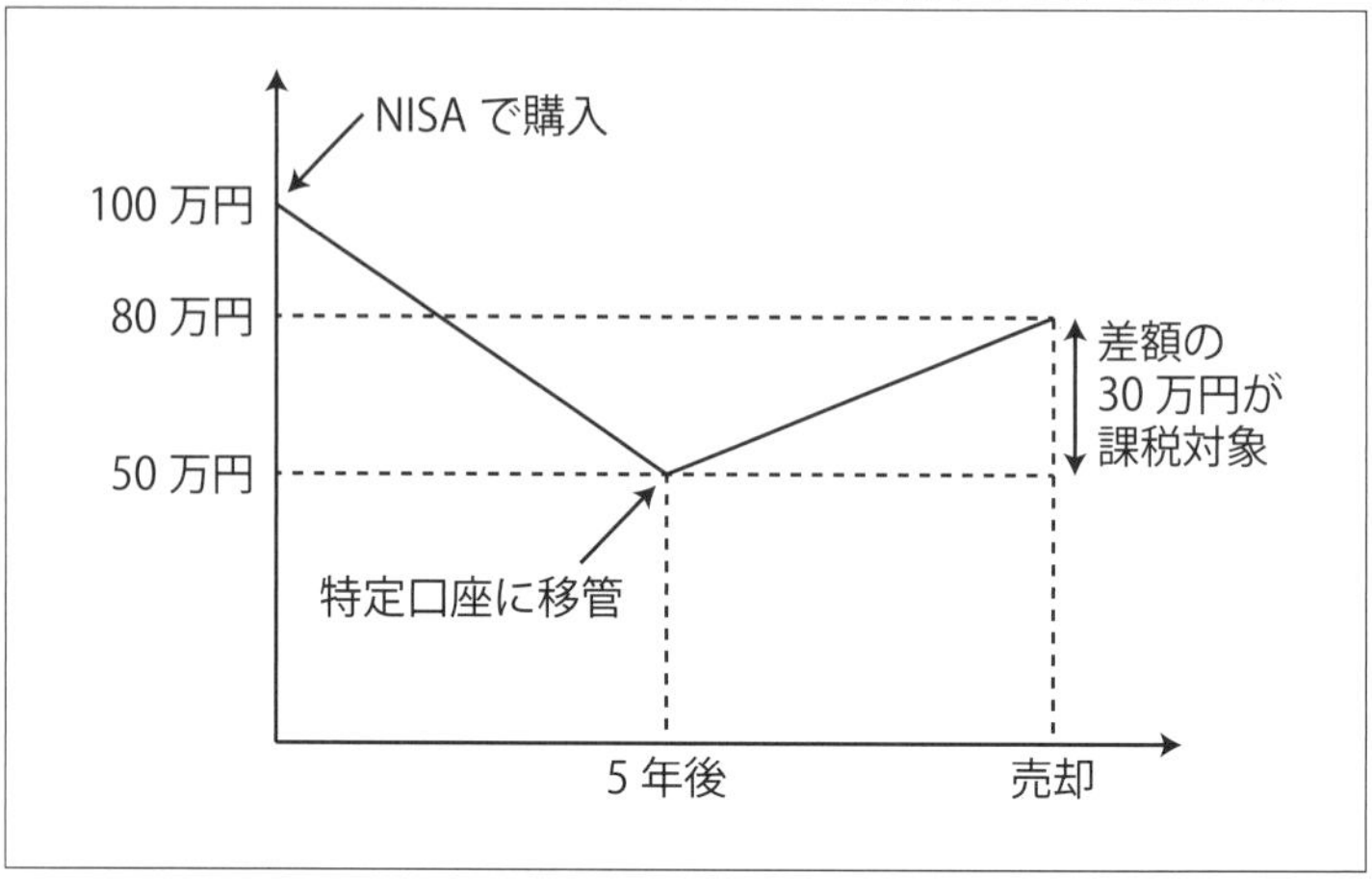

例えば、NISAで100万円の株を買って、5年経過後に50万円まで値下がりした時点で特定口座に移管すると、その株は50万円で買ったという扱いになります。

その後に株価が値上がりして、80万円まで戻った時点で売ったとすると、最初に買ったときと比べてまだ20万円の損が出ている状態です。しかし、その株の購入価格は50万円という扱いになるため、80万円－50万円＝30万円の利益が出たことになり、税率約20％で約6万円の税金が発生します（図2・20）。

こういうことが起こり得ますので、**NISAには、下落したまま塩漬け株にならないよう値動きがなるべく安定した優良銘柄を選ぶ**ようにし、もし塩漬けとなってしまった場合は移管しないで売ることも検討します。

特定口座は主に短期売買に使う

長期の高配当株投資だけでなく、短期投資もしたいという方もいるでしょう。その場合は特定口座を使います。また、現行ＮＩＳＡでは年間１２０万円までの制限がありますので、長期保有したい高配当株があってもそれを超えた額の銘柄は特定口座で買うしかありません。投資資金が豊富にある方は、ＮＩＳＡでは厳選した優良銘柄、特定口座では第２グループの銘柄と、使い分けます。

新ＮＩＳＡの概要

現行の一般ＮＩＳＡは、２０２４年から新ＮＩＳＡに移行した上で**2028年まで5年間延長**されます。

新ＮＩＳＡは１階と２階に分かれます。１階部分の投資枠は年20万円で、つみたてＮＩＳＡの対象商品のみが入れられ、株式やＥＴＦ、ＲＥＩＴは入れられません。２階部分の投資枠は年１０２万円で、現行ＮＩＳＡと同様に株式やＥＴＦ、ＲＥＩＴ、株式投資信託が入れられます。また、現行ＮＩＳＡで持っているものを一定条件下で２０２４年以降、新ＮＩＳＡにロールオーバーできるとされています。

◉配当の受け取り方

配当の受け取りは、株式投資を実感できる楽しみの1つでもあります。企業から株主総会開催の前に、ご案内と議案書が送られてきますが、議案の「利益処分案」のところに1株配当の額が記載されています。本書執筆時点では、配当の受け取り方として、以下のようなものがあります。取引先の証券会社に対して、どの方法で受け取るかを指定します。

・郵便局などで引き換え

企業から送られてくる「配当金領収証」を郵便局などに持って行って、現金と引き換えます。昔から行われていた方法です。

・株数比例配分方式

証券会社の口座に配当金を振り込んでもらう方式です。配当が振り込まれるとメールでお知らせしてくれます。受け取った配当を、次の株を買うための原資にしやすくなります。中長期的に高配当株投資をするなら、この方法をお勧めします。

・登録配当金受領口座方式

配当金を銀行に振り込んでもらう方式です。複数の証券会社に口座がある場合でも、1つの銀行口座にまとめて振り込まれます。預貯金の利息のような感覚で、配当を受け取る形になります。

第3章

高配当株投資で中長期的な資産形成

資産形成は中長期的な視点で考える

「株」というと、ギャンブル的なものを連想する人が多いようです。そういった面もありますが、中長期的な資産形成を行うという側面もあります。

今も現預金に偏っている日本の金融資産

私たちが収入を得た場合、その大半は消費に回しますが、一部は資産として保有することが一般的です。資産の形はいくつかあり、それぞれの人によって、また国によって、資産の持ち方に差があります。

日本では、資産を**預貯金**で持つことが主体になっています。日本銀行の資金循環統計（2021年3月末時点）によると、日本の家計の金融資産残高はおよそ1968兆円あり、そのうちで流動性預金（普通預金など）が約546兆円、定期性預金が約402兆円で、外貨預金なども合わせると、合わせて約956兆円が預貯金です。また、現金も約102兆円あり、**金融資産の約半分が現金と預貯金に回っている**計算になります。

図3-1●日本の家計の金融資産の内訳（2021年3月末時点　単位：兆円）

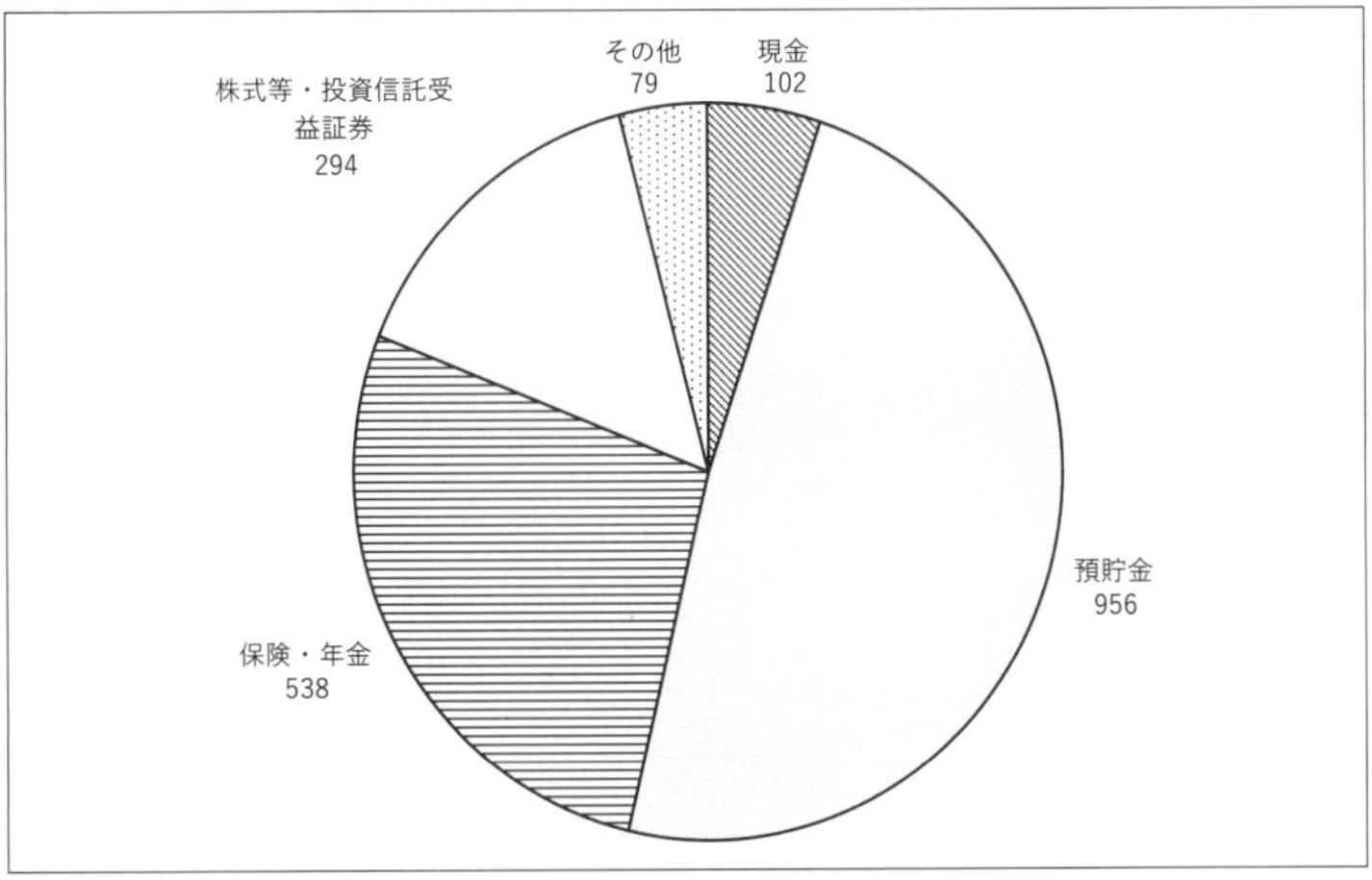

預貯金の次に多いのは保険や年金で、約538兆円あります。株式や投資信託はその次で、約294兆円です。金融資産に占める株式の割合は、およそ6分の1強にとどまっています（図3・1）。

預金ではお金はまるで増えない

1990年前後のバブル崩壊以来、日本では今も超低金利状態が続いています。

一方、米国でも新型コロナウイルスのパンデミックの影響で長期金利が下がり続け、2020年7月には0・5％台まで低下しましたが、2021年11月時点では1・6％台まで上昇してきています。また現在0・25％と最低水準にある政策金利の利上げを2022年中にも開始すると見られていますが、日本で金利が上がるのは、まだしばらく先のことになりそうです。
このような超低金利では、預貯金でお金を増やすことはほぼ不可能ですが、まだかなりの割合で消極的な行動をとる人が多くなっています。

安易なリスクの取りすぎは悲惨な結果を招く

積極的な資産運用は必要ですが、リスクを目いっぱい取れば良いかというと、そうでもありません。リスクが高い金融商品は、うまくいけば高いリターンを得られます。例えば、株で短期間に急騰する銘柄を絶妙なタイミングで売買できれば、短期間で資産を2倍3倍に増やすことも可能です。

例えば、がん治療薬やがんマーカーの開発を手掛ける**オンコリスバイオファーマ（マザーズ・4588）**は、2021年3月23日に「開発中の新型コロナウイルス感染症治療薬に関し、変異型コロナウイルスに対する有効性を実験で確認できた」と発表しました。これが材料視され、23日終値で1134円だった株価は、翌24日高値で1434円まで急騰しました。その後4月下旬から再び大きく上昇し、6月25日には高値1938円で天井を打ってから急落し、10月6日には安値で1008円をつけました。10月19日には、中外製薬との間に締結した、がんのウイルス療法「テロメライシン」のライセンス契約を解消す

図3-2●短期間で急騰したが急落した銘柄の例（オンコリスバイオファーマ）

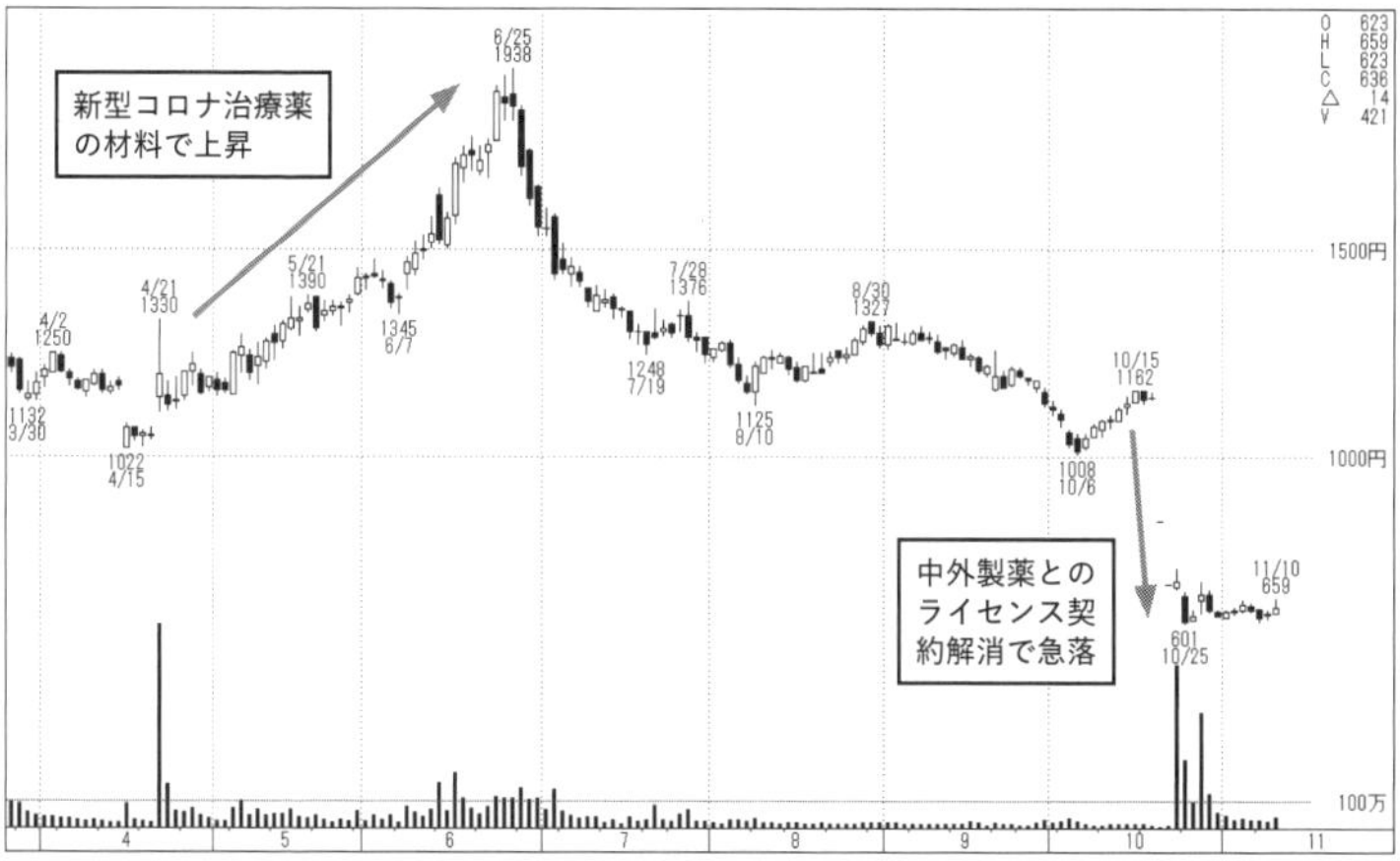

日足/2021.3〜2021.11

ることを発表しました。すると、１４４４円だった株価は2日連続のストップ安となり、21日には６９４円まで下落しました。

　バイオ株といえるオンコリスバイオファーマは、２０１９年にも1月30日の１０１４円から3月14日には高値で４４１０円をつけるなど、１か月強で3倍高となる急騰となりましたが、４月5日には安値で１７０２円まで下げるなど激しい動きとなりました。またコロナショックとなった２０２０年春も、４月～6月にかけて大きな急騰がありました。

　急騰前の安いうちから株を持っていたのであれば、大きな利益を得られたことになります。しかし、多くの人は急騰したのを見て、「これなら儲かりそうだ」と思ってあわてて買ったことでしょう。しかし、その後はどんどん下がり、ずっと低い水準で推移しました（図3・2）。この例のように、短期間で急騰するもののその後は急落したり、ずるずると下げるというのはよく見られるパターンです。したがって、急騰した銘柄を見てあわてて飛び乗っても高いリスクを取ることになり、失敗したときの損失も非常に大きくなりがちです。

大きな失敗を減らし時間を無駄にしない

前述の例のように、短期的な利益を目当てにギャンブル的な株式投資を行うこともあります。しかし、資産形成のための株なら、もっと中長期的な視点にたって、資産を増やしていくようにする必要があります。

中長期的に資産を増やすためには、大きな失敗をできるだけ減らすことが肝要です。なぜなら、大きく失敗すると、それを取り返すのに時間がかかってしまうからです。

例えば、大失敗して元手の１００万円を、半分の50万円にしてしまったとします。ここで、資産を元の１００万円に戻すには、50万円を2倍にしなければなりません。

5～10％程度の値上がりならよくあることですが、２倍はそう多くはないので、時間をかけて利益を積み上げていくことになるでしょう。

このように、大きな損失を出すほど、それを取り返すには大きな利益が必要になり、取

図3-3◎大きな損失を出すほど取り返すが難しくなる

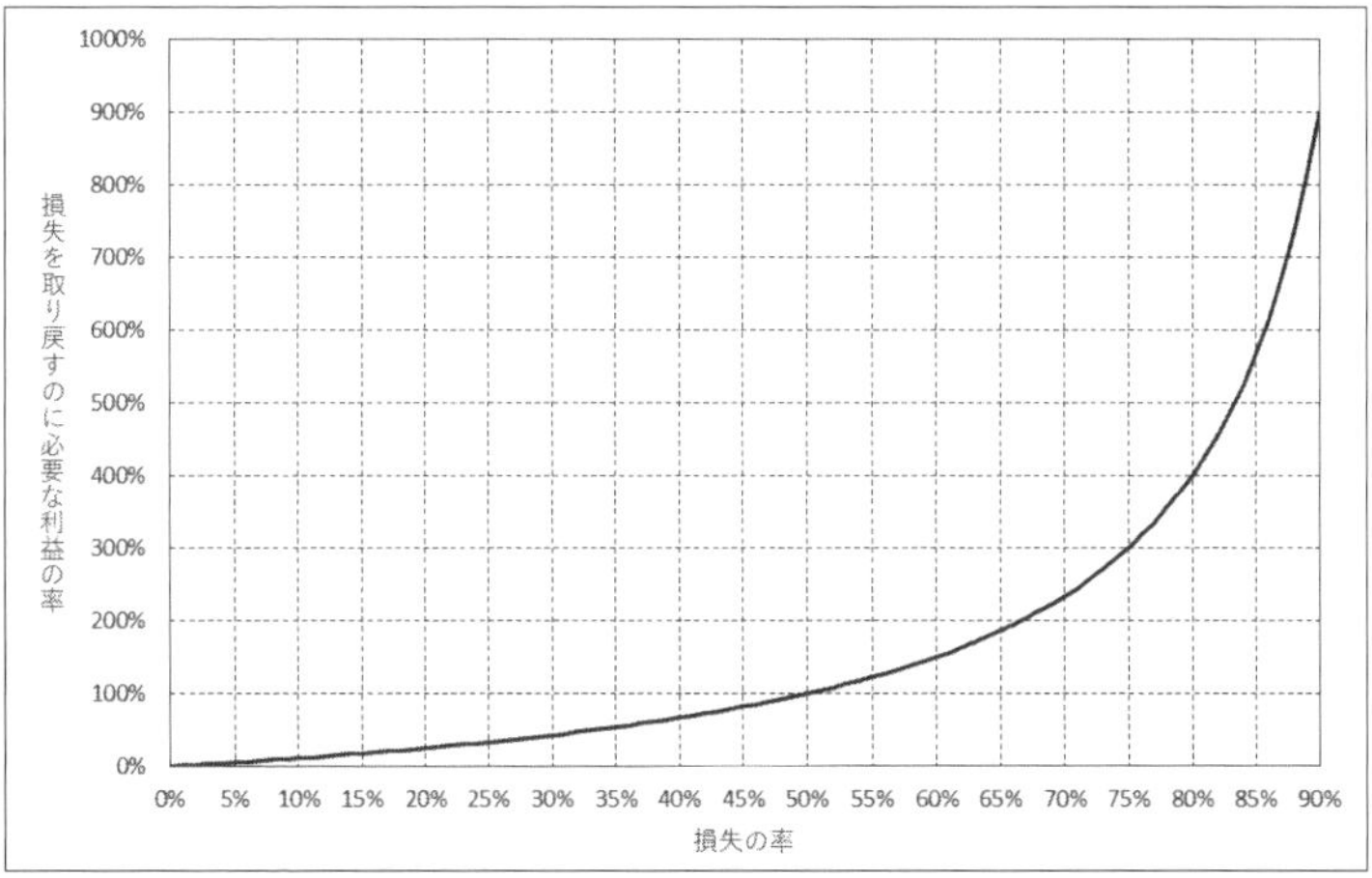

り返すのが難しくなります（図3・3）。その分時間の浪費につながります。

大きな失敗を減らすには、**大きすぎるリスクを取りにいかないこと**です。例えば、前述の例のように、**急騰した銘柄に飛び乗って買うような買い方は慎むべき**だといえます。

高配当株投資はハイリスクではない

高配当株投資も、大きな失敗を減らす方法の1つです。

第1章で、高配当株選びの基礎知識について解説しました。ただ、良い銘柄を選べばそれで良いかというと、十分ではありません。

より良い投資手法を使って、中長期的に資産を増やしていくことが必要です。

計画を立てて着実に資産を増やす

中長期的な資産形成を行う上で、計画を立てて無理のない投資を行うことは重要です。

利益を再投資して効果を高める

株で利益が出たら、その利益はどうすれば良いでしょうか？「美味しい物を食べたい」「車を買いたい」など、消費も1つの選択ですが、投資の効果をより高めるには利益をまた再投資し、元手を増やしていくことが重要です。再投資することで、利益が利益を生み、より早く資産を増やすことができます。

例えば、100万円の元手を用意したとし、年あたり10％の利益を上げられるものとします。また、利益は再投資するものとします。すると、10年後には約259万円、20年後には約673万円、30年後には約1745万円になり、加速度的に資産が増えていきます(図3・4)。

図3-4●利益を再投資することで加速度的に資産が増える

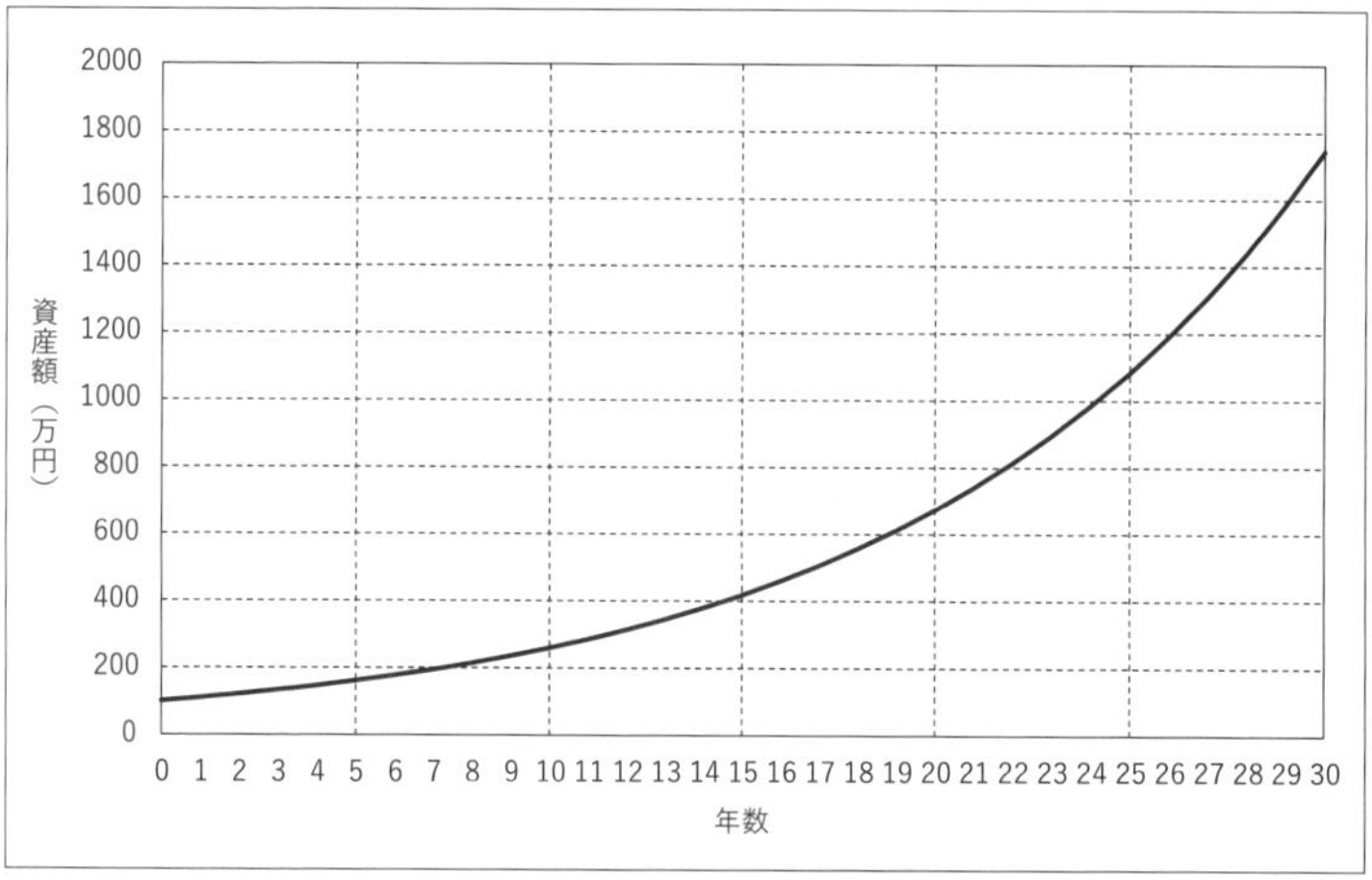

資金を定期的に追加する

一般的な資産運用では、資金を最初に1回投入するだけでなく、定期的に積み立てていくことが多いです。例えば、毎月1万円ずつ積み立てていくようなことができます。

株で資産形成する場合も、定期的に資金を追加していって、元手を増やしながら運用することが考えられます。元手が多いほど、そこから得られる利益も多くなります。

例えば、毎年30万円ずつ資金を追加していくとします。ただ積み立てていくだけだと、毎年30万円ずつ増えるだけです。10年で300万円、20年で600万円、30年で900万円…と増えていきます。

一方、積み立てた資金を元手に運用してい

図3-5●積み立てながら運用すれば資産を大きく増やせる

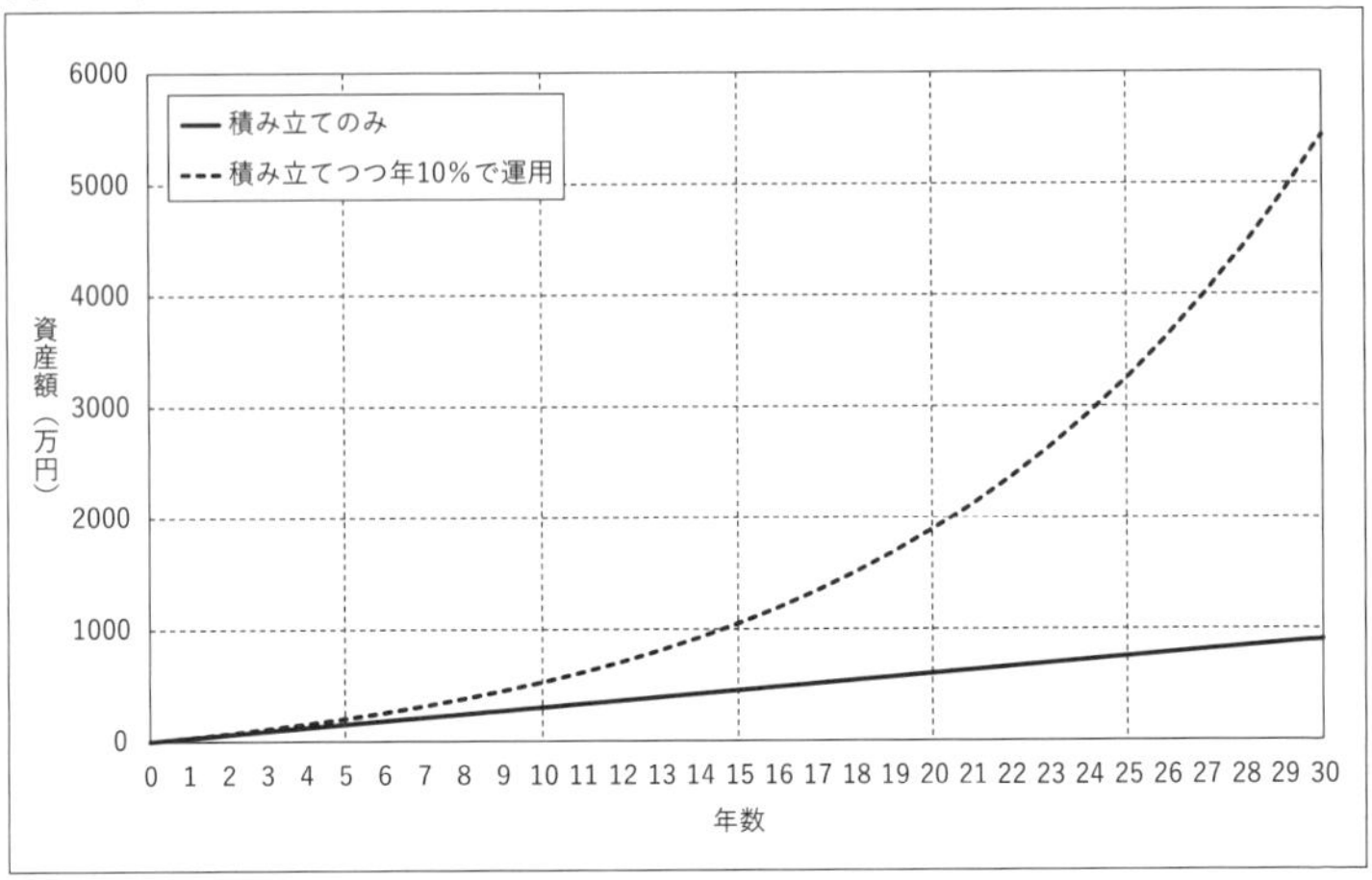

け ば、さらに増やすことができます。例えば、年あたり10％の利益を上げることができるとすると、10年で約525万円、20年で約1800万円、30年で約5428万円…と大きく増えます（図3・5）。

必要な年利を逆算する

資産を運用する上で、あらかじめ計画を立ててみて、それが実現可能かどうかを考えることも必要です。例えば、「資産を年率50％で運用したい」という方がいるかもしれませんが、年率50％はまず実現不可能です。特に高配当株投資は、まずは配当をメインにした投資手法なので、うまく運用できたとしても、年率はせいぜい数％です。

そこで、毎年の積立額と最終的に得たい金

図3-6●RATE関数での計算例

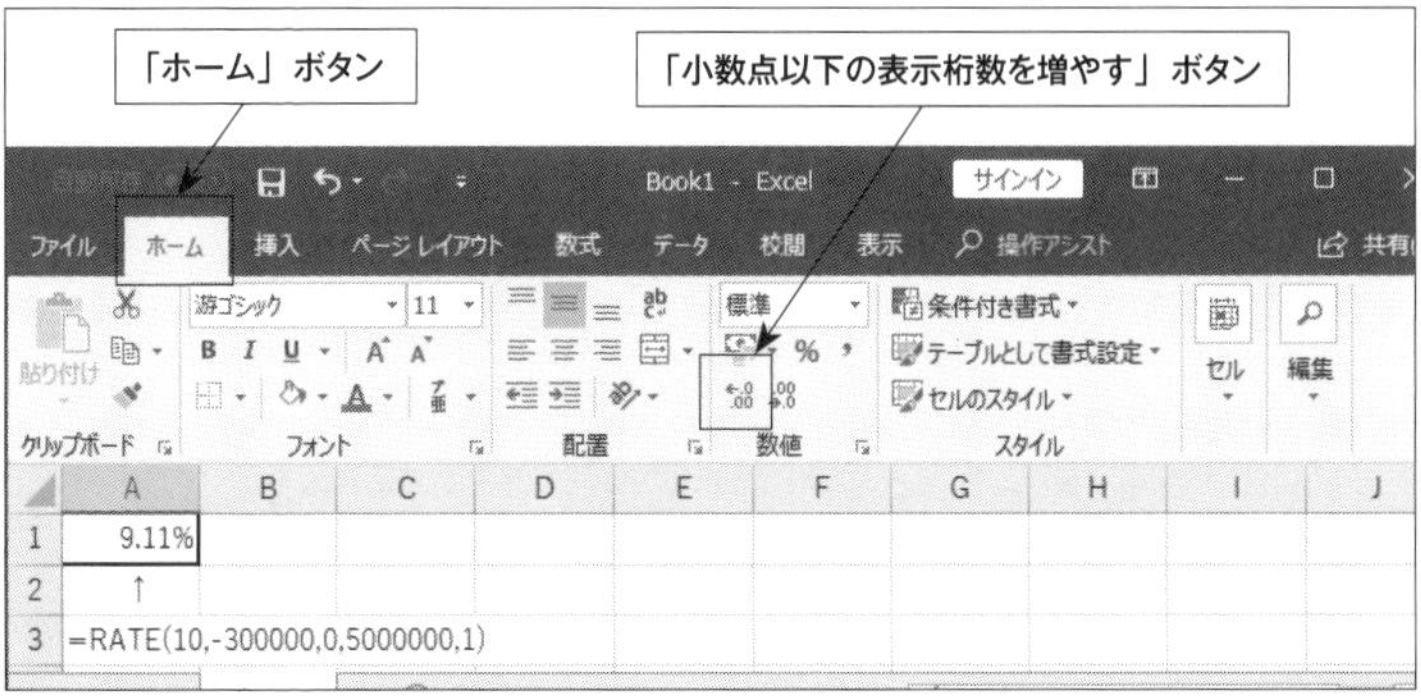

額から、年率何%で運用することが必要なのかを逆算してみます。その数字が大きすぎるようであれば、計画に無理があるということなので、計画を見直します。

表計算ソフトのエクセルを使えば、計算は簡単に行うことができます。エクセルでセルに次のような式を入力します。

=RATE（年数,－積立額,0,目標額,1）

例えば、毎年30万円ずつを10年間積み立てながら運用し、最終的に500万円にするのに必要な年率は、以下の式で求めることができます。

=RATE（10,-300000,0,5000000,1）

計算結果はパーセント単位で表示されます。

図3・6は、例に挙げた式を実際に入力してみた例です。この結果を見ると、毎年30万円ずつを10年間積

み立てながら運用し、最終的に500万円にするには、年率9・11％で運用することが必要なことがわかります。

資産を大きく増やすには時間がかかる

表3・1は、資産を増やすのに必要な年率を早見表的にまとめたものです。表の縦軸は、積立総額を何倍に増やしたいかを表し、横軸は積み立てる年数を表します。

例えば、毎年10万円ずつを10年間積み立てるとします。ただ積み立てるだけで運用しなければ、10万円×10年＝100万円になります。ここで、最終的に200万円にしたいとすると、100万円を200万円にすることになるので、倍率は2倍になります。倍率が2の行と、年数が10の列の交差するところを見ると、12・30％となっているので、年12・30％で運用する必要があるということになります。

この表を見ると、**年数が長くなるほど資産を増やすのに必要な年率が低くて済む**ことがわかります。その分、無謀な投資をする必要が減り、実現する可能性が高くなることになります。

例えば、積立総額の3倍まで増やしたいとします。毎年10万円ずつ10年間積み立て、それを運用して300万円にしたいような場合です。この場合、表3・1を見てみると、運

表3-1●積み立てで資産を増やすのに必要な年率

		年					
		5	10	15	20	25	30
倍	1	0.00%	0.00%	0.00%	0.00%	0.00%	0.00%
	1.5	13.83%	7.26%	4.92%	3.72%	2.99%	2.50%
	2	24.07%	12.30%	8.26%	6.22%	4.98%	4.16%
	2.5	32.28%	16.19%	10.79%	8.10%	6.48%	5.40%
	3	39.18%	19.35%	12.84%	9.60%	7.67%	6.38%
	3.5	45.15%	22.02%	14.54%	10.86%	8.66%	7.20%
	4	50.44%	24.33%	16.01%	11.93%	9.51%	7.90%
	4.5	55.19%	26.38%	17.30%	12.87%	10.25%	8.51%
	5	59.51%	28.21%	18.45%	13.71%	10.90%	9.05%
	5.5	63.49%	29.87%	19.49%	14.46%	11.49%	9.53%
	6	67.17%	31.39%	20.44%	15.14%	12.03%	9.97%
	6.5	70.60%	32.79%	21.31%	15.77%	12.52%	10.38%
	7	73.81%	34.09%	22.11%	16.35%	12.97%	10.75%
	7.5	76.84%	35.31%	22.86%	16.89%	13.39%	11.09%
	8	79.70%	36.45%	23.56%	17.39%	13.78%	11.41%
	8.5	82.42%	37.52%	24.21%	17.86%	14.15%	11.71%
	9	85.01%	38.53%	24.83%	18.31%	14.49%	11.99%
	9.5	87.48%	39.49%	25.42%	18.73%	14.82%	12.26%
	10	89.85%	40.41%	25.97%	19.12%	15.13%	12.51%
	10.5	92.12%	41.28%	26.50%	19.50%	15.42%	12.75%
	11	94.30%	42.11%	27.01%	19.86%	15.70%	12.98%
	11.5	96.40%	42.91%	27.49%	20.20%	15.97%	13.20%
	12	98.43%	43.67%	27.95%	20.53%	16.22%	13.41%
	12.5	100.39%	44.41%	28.39%	20.85%	16.47%	13.60%
	13	102.28%	45.12%	28.82%	21.15%	16.70%	13.80%
	13.5	104.12%	45.80%	29.23%	21.44%	16.93%	13.98%
	14	105.89%	46.46%	29.62%	21.72%	17.14%	14.16%
	14.5	107.62%	47.10%	30.00%	21.99%	17.35%	14.33%
	15	109.30%	47.71%	30.37%	22.25%	17.55%	14.49%

用期間が5年だと年率39・18％も必要ですが、30年なら6・38％で済みます。

5年間にわたって毎年コンスタントに39・18％もの利益を上げるのは、かなり積極的な運用をしたとしても、ほぼ不可能なことです。ましてや、配当主体の投資では無理です。

一方、30年間にわたって年率6・38％の利益を上げるのも、相当高いハードルです。ただ、配当主体の投資に積極的な運用を組み合わせれば、実現できる可能性が出てきます。

このように、資産を大きく増やすには時間をかけることが必要です。若いうちから、将来を見据えた資産形成を実践していくことが大切です。

なお、実際には株を一定金額ずつ購入することは難しいのですが、本節で述べたことは、中長期での株式運用の計画を立てる上での目安とお考えいただければと思います。

現在は1単元が100株で買える株がほとんどですから、例えば株価500円の銘柄は5万円から買えます。

また、証券会社によっては株式ミニ投資や、るいとう（株式累積投資）といった単元未満株を買えるサービスもありますし、ネット証券ではプチ株（auカブコム証券）、S株（SBI証券）、ワン株（マネックス証券）といった単元未満株を買えるサービスを提供しているところもあります。従来に比べれば、積立てに近い感覚で株を買える環境も整ってきたといえます。

ＲＥＩＴやインフラファンドと高配当株を組み合わせる

リスクを低減する方法の1つに、「株の個別銘柄以外にも投資する」という手がありま す。その中で、「ＲＥＩＴ」や「インフラファンド」は高配当株投資に近い性質があり、組み合わせるのに適しています。

ＲＥＩＴの概要

投資信託は、多くの投資家から資金を集めてさまざまな金融商品に分散投資し、そのリターンを投資家に配分するものです。株式を対象にしたファンドをはじめ、さまざまな投資信託が販売されています。

「ＲＥＩＴ」も投資信託の1つで、「Real Estate Investment Trust」の略です。日本語では「不動産投資信託」と呼びます。その名前の通り、ＲＥＩＴは不動産を対象にした投資信託です。投資家から集めた資金を不動産に投資して、その賃貸収入や売却益を投資家に分配します（図3・7）。投資先の不動産は、オフィスビルやマンション、商業施設、ホ

図3-7●J-REITのしくみ

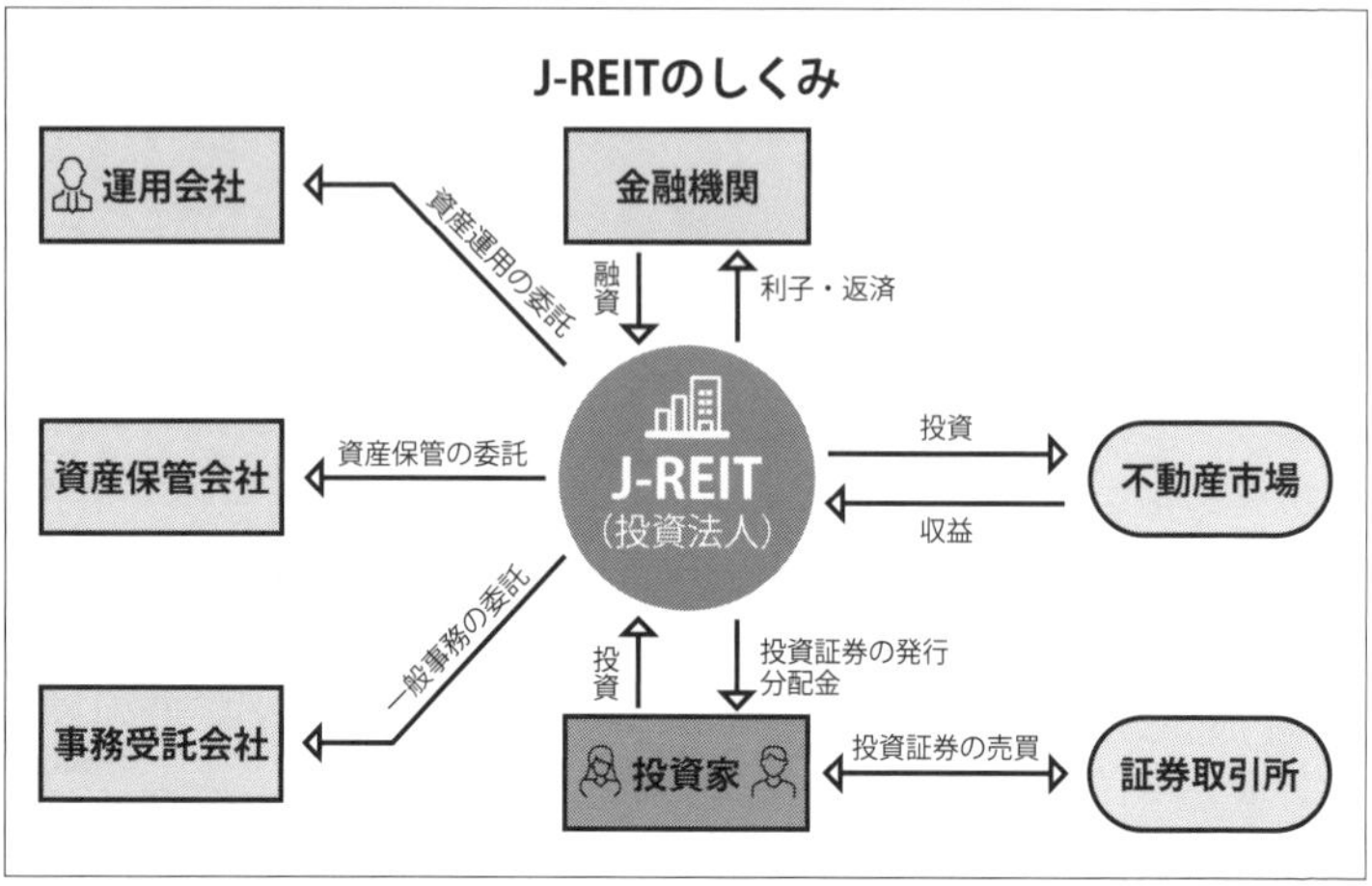

出所：一般社団法人 投資信託協会HPより

テルなどで、個々のＲＥＩＴの銘柄によって投資先の傾向は異なります。

なお、ＲＥＩＴは株式市場に上場されていて、株と同様の方法で売買できます。

実物不動産は価格が高額であるとともに、取引所を介さない相対取引ですから、個人で投資するのは簡単ではありません。しかし、ＲＥＩＴであれば比較的少額（数万円～数十万円）から売買できるので、個人投資家でも投資しやすくなっています。

上場ＲＥＩＴは２００１年９月に２銘柄からスタートし、本書執筆時点では全部で70銘柄に上っています。

▼インフラファンドとESG投資

ＲＥＩＴと似た性質の金融商品として、

「インフラファンド」があります。「インフラ」の名前の通り、各種のインフラを投資対象にしたもので、大まかにいえばREITの投資先をインフラにしたものといえます。

2016年6月に「タカラレーベン・インフラ投資法人」が上場したのが第1号ですが、本書執筆時点の上場銘柄は7つで、いずれも**投資先は太陽光発電**が主になっています。インフラファンドというよりは、「太陽光ファンド」という方が良い状態です。

ここ1～2年で**ESG投資**が注目されるようになってきました。ESG投資とは、環境(Environment)、社会(Social)、企業統治(Governance)の頭文字を取ったもので、**環境・社会・企業統治の3分野への企業の取り組みを評価して投資先を選ぶ方法**のことです。

その「環境」の中でも地球温暖化対策は中心的なテーマです。2020年10月に日本政府は、2050年までに温室効果ガスの排出を全体としてゼロにする、**カーボンニュートラル宣言**を表明しており、同様に120以上の国・地域がこの目標を掲げています。

さらに、日本政府は2021年4月の気候変動サミットにおいて、2030年度において温室効果ガスの46％削減（2013年度比）を目指すこと、さらに50％の高みに向けて挑戦を続けることを表明しました。

今後も再生可能エネルギーへの注目度は高く、太陽光発電をはじめインフラファンドは今後もさらに銘柄が増え、投資先のインフラの種類も増えていくことが予想されます。

REIT／インフラファンドは高利回り

REIT／インフラファンドは、運用で得た利益を「**分配金**」として投資家に支払います。分配金は株の配当に当たるもので、ほとんどの銘柄では年に2回（半年ごとに）支払われます。

REIT／インフラファンドはどちらも投資法人によって運営され、**利益の90％超を投資家に分配すれば、法人税が課税されない**という仕組みになっています。そのため、分配金の利回りが高いという特徴があります。100％を分配する銘柄もあります。

本書執筆時点では、REITの利回りは最も低いものでも年1・5％程度、最も高いものでは年5％を超えています（表3・2）。

また、インフラファンドも年5～6％の利回りになっています（表3・3）。

分配金が高く株より損失になりにくい

分配金の利回りの高さが、REIT／インフラファンドの最大の特徴です。どちらも、株と同様に値動きがある商品ですが、利回りが高い分、損失になりにくくなります。

例えば、年利回りが5％のREITを3年間保有すると、5％×3年＝15％の分配金が

表3-2●分配金利回りが高いREIT銘柄の例（2021年10月29日時点）

銘柄（証券コード）	価額（円）	予想分配金（円）	分配金利回り（%）
タカラレーベン不動産（3492）	111,000	6,000	5.41%
トーセイ・リート（3451）	131,200	7,060	5.38%
マリモ地方創生リート（3470）	131,600	6,818	5.18%
ザイマックス・リート（3488）	116,500	5,990	5.14%
エスコンジャパンリート（2971）	141,200	7,135	5.05%
いちごオフィスリート（8975）	86,300	4,258	4.93%
ケネディクス商業リート（3453）	290,600	14,150	4.87%
スターアジア不動産（3468）	60,400	2,931	4.85%
投資法人みらい（3476）	52,700	2,520	4.78%
Oneリート（3290）	305,500	14,310	4.68%
日本リート（3296）	438,000	20,415	4.66%
サンケイリアルエステート（2972）	125,000	5,661	4.53%
サムティ・レジデンシャル（3459）	120,200	5,398	4.49%
大江戸温泉リート（3472）	81,500	3,609	4.43%
ユナイテッド・アーバン（8960）	142,000	6,200	4.37%

※各銘柄ともに銘柄名最後の「投資法人」を省略

表3-3●インフラファンド銘柄と予想分配金利回りの例（2021年11月1日時点）

銘柄（証券コード）	価額（円）	予想分配金（円）	分配金利回り（%）
ジャパン・インフラファンド（9287）	100,100	5,834	5.83%
ネクサス・インフラ（9286）	97,500	6,000	6.15%
東京インフラ・エネルギー（9285）	102,300	6,108	5.97%
カナディアン・ソーラー・インフラ（9284）	124,700	7,500	6.01%
日本再生可能エネルギーインフラ（9283）	108,500	6,400	5.90%
いちごグリーンインフラ（9282）	66,700	3,945	5.91%
タカラレーベン・インフラ（9281）	122,100	6,857	5.62%

※各銘柄ともに銘柄名最後の「投資法人」を省略

図3-8●コロナショックではREITも大きく下落（日本ビルファンド投資法人）

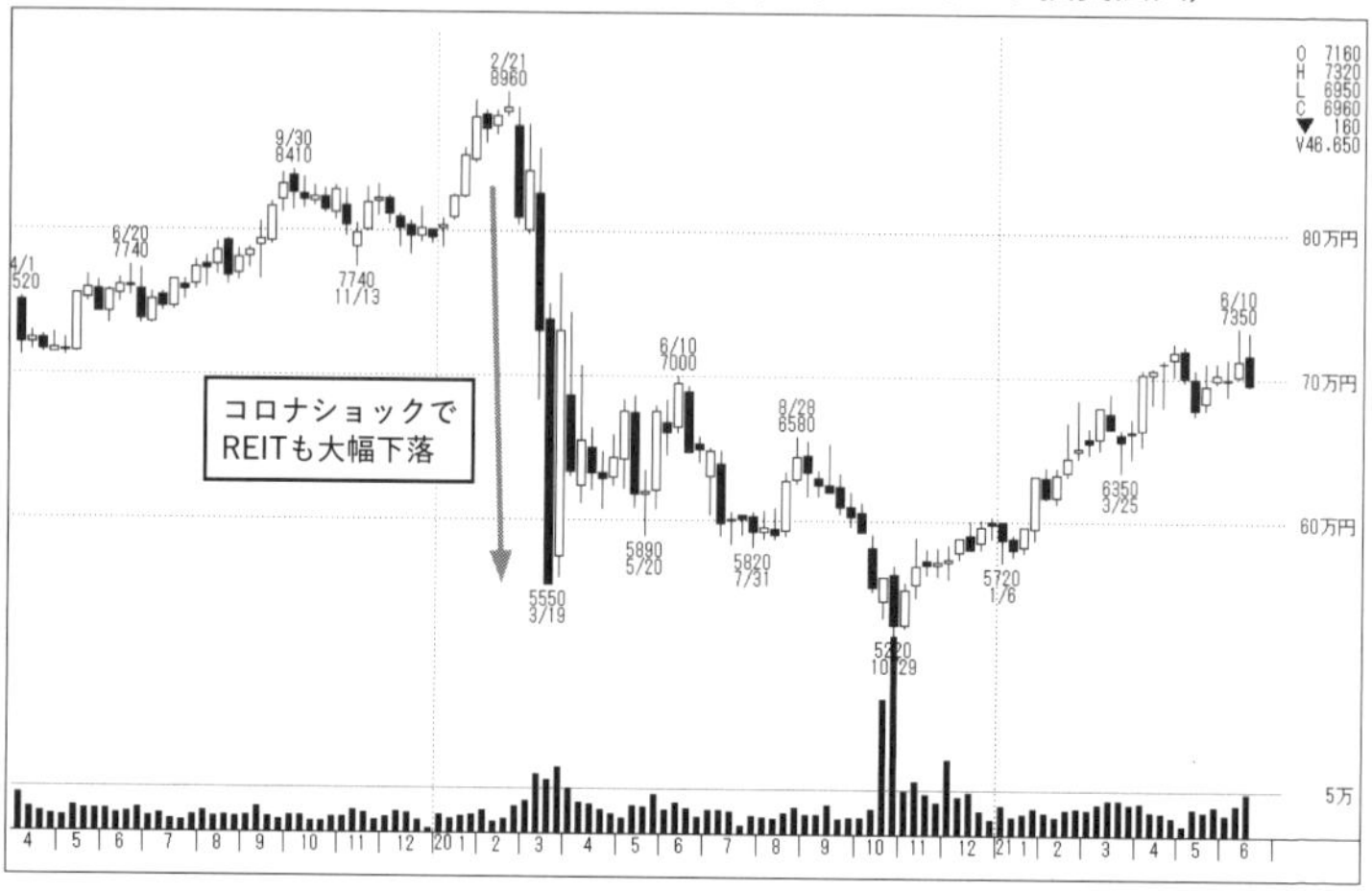

週足/2019.4〜2021.6

得られます。仮に、3年後にそのREITの価額が値下がりしたとしても、15%以内に収まっていれば、分配金の分だけ利益が残ることになります。

また、価額が値下がりすれば、相対的に分配金の利回りはさらに高くなり、魅力が高まって買いが入りやすくなると考えられます。そのため、**REITやインフラファンドは、大きく値下がりすることが少ない**というメリットがあります。

ただし、2020年の新型コロナウイルス感染拡大の初期の頃に市場全体が急落した中で、REITも大幅に下落したことがあるので、大きな値下がりがないとはもちろんいえません（図3・8）。この点には注意が必要です。

また、大きく値下がりしにくい一方で、大きく値上がりする可能性もあまりありませんので、その点も頭に入れておくべきです。

REITやインフラファンドを組み合わせる

ＲＥＩＴやインフラファンドは分配金の利回りが高く、高配当株と近い性質があるので、高配当株とＲＥＩＴやインフラファンドを組み合わせた投資も考えられます。ＲＥＩＴやインフラファンドは値動きが比較的穏やかなので、運用を安定させるのに役立ちます。

また、株とＲＥＩＴ／インフラファンドは、値動きに違いが出ることもあります。特に、現状のインフラファンドは太陽光発電による収益がベースなので、**分配金を左右するのは主に日照時間**になり、景気の影響を受ける株とは性質が異なります。となると、値動きも株とは違ったものになりそうです。

東証二部や新興市場からも高配当株を探す

高配当株は東証一部以外の市場にもあります。

東証一部以外にも市場がある

日本の株式市場の中では、東証一部が圧倒的な存在です。日本を代表する企業が約2200銘柄上場していて、売買の9割以上が東証一部で行われています。

ただ、東証には他にも**東証二部・JASDAQ・マザーズ**の3つの市場があります。これら3市場を合わせると約1600銘柄が上場しています（図3・9）。

東証二部には、東証一部に次ぐような規模の中堅どころの企業が上場しています。古くからの上場企業もありますが、JASDAQやマザーズから上がってきた企業もあります。

JASDAQとマザーズは主に**新興企業向け**の市場で、**伸び盛りの銘柄**もあります。

なお、2022年4月から東京証券取引所は現行の4市場が、**プライム、スタンダード、グロース**の3市場に再編される予定です。

図3-9●日本の株式市場

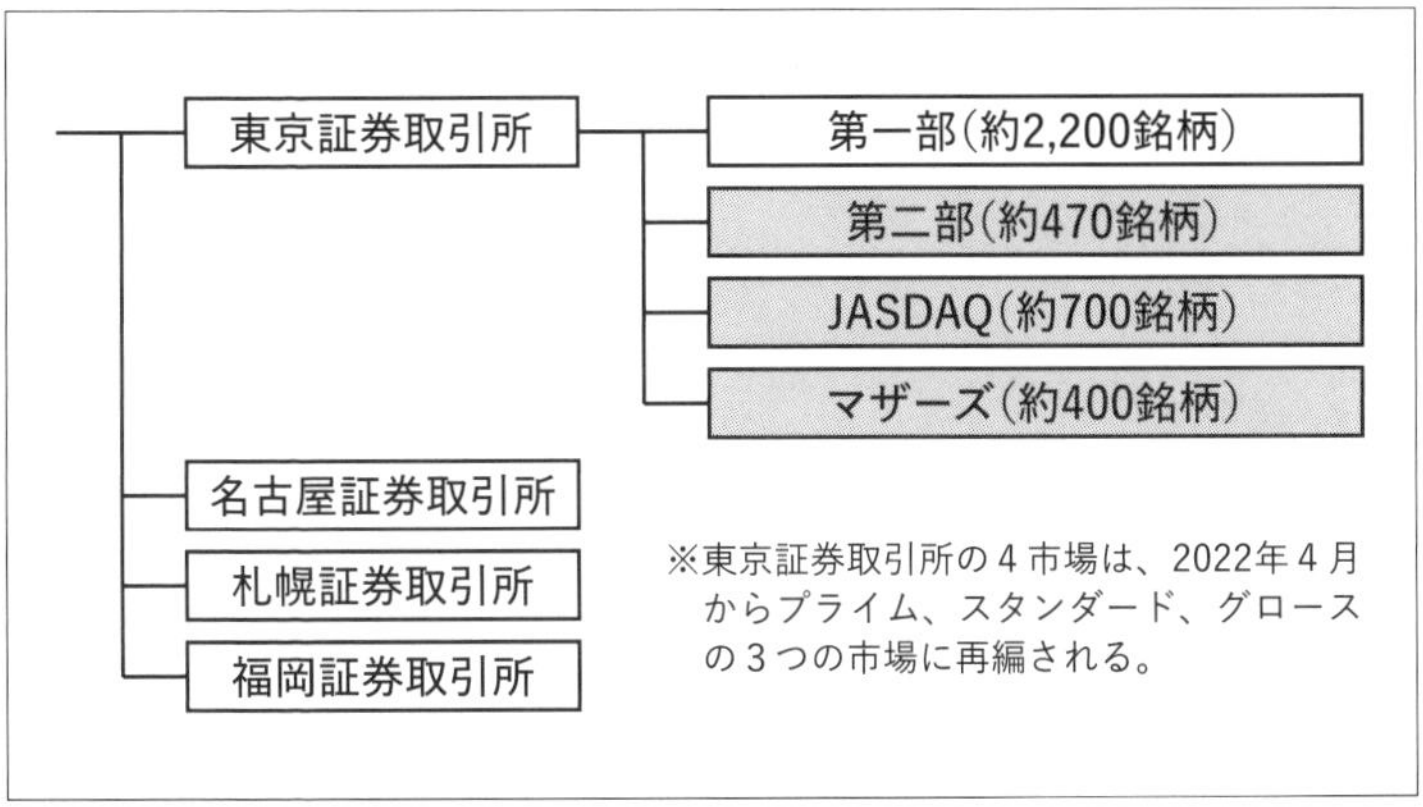

●東証二部や新興市場にも高配当株がある

東証二部や新興市場というと、若い企業が多く、配当はあまり出さないようなイメージがありそうです。確かに、マザーズに多いような上場してからまだあまり時間がたっていないような成長中の企業だと、利益を一切配当せずに、成長のための投資に回すことが多いです。

しかし、ある程度の成長企業になると、利益を配当に回すことも出てきます。また、東証二部やＪＡＳＤＡＱは古い市場なので、成長が止まったまま上場を続けている企業もあり、そうした銘柄は配当を出していることもあります。

実際、配当利回りの平均を出してみると、東証二部やＪＡＳＤＡＱの平均は、東証一部の平均よりはやや低い程度でそん色なく、中には配当利回りが高い銘柄もあります（表３・４）。

表3-4●東証二部や新興市場の配当利回りが高い銘柄の例(2021年11月2日時点)

銘柄(証券コード)	市場	株価(円)	予想配当(円)	配当利回り(%)
ベリテ(9904)	二部	465	40	8.60%
NEW ART HOLDINGS(7638)	JASDAQ	1,204	70	5.81%
藤商事(6257)	JASDAQ	911	50	5.49%
アーバネットコーポレーション	JASDAQ	311	17	5.47%
新日本建物(8893)	JASDAQ	418	22	5.26%
KHC(1451)	二部	639	33	5.16%
あかつき本社(8737)	二部	372	19	5.11%
エフティグループ(2763)	JASDAQ	1,232	63	5.11%
エーワン精密(6156)	JASDAQ	1,398	70	5.01%
クリップコーポレーション(4705)	JASDAQ	802	40	4.99%
東海リース(9761)	二部	1,609	80	4.97%
中野冷機(6411)	JASDAQ	6,140	297	4.84%
和田興産(8931)	二部	790	38	4.81%
日本電計(9908)	JASDAQ	1,877	※90	4.79%
リベレステ(8887)	JASDAQ	835	40	4.79%
扶桑電通(7505)	二部	1,370	65.5	4.78%
フォーバルテレコム(9445)	二部	358	17	4.75%
サンウッド(8903)	JASDAQ	537	25	4.66%
アズマハウス(3293)	JASDAQ	1,514	70	4.62%
森組(1853)	二部	304	14	4.61%
ありがとうサービス(3177)	JASDAQ	2,009	92	4.58%
戸上電機製作所(6643)	二部	1,751	80	4.57%
セゾン情報システムズ(9640)	JASDAQ	1,980	90	4.55%
工藤建設(1764)	二部	2,197	100	4.55%
弘電社(1948)	二部	4,850	220	4.54%
オプティマスグループ(9268)	二部	2,216	100	4.51%
自重堂(3597)	二部	6,660	300	4.50%
アールビバン(7523)	JASDAQ	668	30	4.49%
光ビジネスフォーム(3948)	JASDAQ	512	23	4.49%
アールエイジ(3248)	二部	638	28	4.39%

※2022年1月1日に予定する1:1.5の株式分割を考慮した数値

図3-10●東証一部と二部・新興市場が違った値動きをするケース

二部・新興市場銘柄は一部銘柄と違った値動きもある

東証二部や新興市場の銘柄も、日本の景気動向など、市場全体に関係がある要因から影響を受けるため、値動きの傾向は基本的には東証一部と同じようになります。

ただ、ときによってはそれと違う値動きをすることもあります。例えば、東証一部の主要な銘柄に手詰まり感が出ると、「**小型株**」に物色の矛先が向いて値動きが良くなることがあります。小型株とは大まかにいえば、発行済み株式数が少なく、またさほど売買されていないような銘柄のことです。

小型株が物色される状態になると、**ほとんどが小型株である東証二部や新興市場の銘柄**

も物色されやすくなります。

例えば、日経平均株価は2021年2月に入ってから8月末まで下落傾向でしたが、東証二部指数やJASDAQ平均株価は堅調な動きになっていて、異なる値動きになりました(図3・10)。

高配当をもらいながら東証一部昇格を待つ

東証二部や新興市場の上場企業は、東証一部への昇格を目指すところが多いです。一部上場はステータスであり、社会的な信用が上がるなど、メリットが大きいからです。

なお、東証二部から一部に進むことを、正しくは「**一部指定**」、JASDAQやマザーズから一部に進むことは、正しくは「**市場変更**」と呼びます。ここでは、両者をまとめて「昇格」と呼ぶことにします(2022年4月から東証市場は再編される予定)。

東証一部に昇格すれば、より多くの投資家に注目されますし、TOPIX(東証株価指数)に連動する投資信託などから買いが入ることも期待されます。これらのことから、東証一部に昇格した銘柄は、株価が上がることがよくあります。

そこで、東証二部や新興市場の中で**配当利回りが高く、一部昇格の条件をほぼ満たしている銘柄を買い、東証一部へ昇格するのを待ちつつ、保有を続ける**という手があります。

東証二部・新興市場の高配当株選びと注意点

東証二部や新興市場の高配当株を選ぶ際の考え方は、基本的には東証一部銘柄の場合と同じです。第1章で解説したように、配当利回りが高いということだけで判断するのではなく、その他の指標も組み合わせて判断します。

ただ、東証二部やＪＡＳＤＡＱならではの注意点もあります。まず**東証一部銘柄と比べて流通している株数が少ない**のが普通で、銘柄によっては出来高が少なく、売買がしづらいときがあります。買おうと思っても買えない（逆に、売ろうと思っても売れない）こともあります。

特に、何か材料が出ると株価の動きが一方的になりやすく、ストップ高やストップ安が連続することもあります。もし、持ち株に悪材料が出てストップ安が連続すると、売り注文が数日にわたって約定せずに、株価だけがどんどん下がることも起こり得ます。

そこで、銘柄選びの際は、高配当に加え、「**成長性を見つつ、安定した業績の裏付けのある厳選銘柄に絞る**」「**出来高が少なすぎる銘柄は避け、まずは東証一部に近いようなサイズの銘柄に絞る**」といったことに注意します。

また、多くても投資金額全体の2～3割に留め、過度に投資しないことをお勧めします。

景気循環の長期化と株価下落要因を考えておく

近年、景気循環が長期化してきている傾向があります。今後の投資を考える上で重要なポイントですので、この点も考慮に入れて考えてみます。

景気の波は上下動を繰り返す

株式市場はさまざまな要因から影響を受けますが、最も大きな要因は**景気の動向**です。景気が良くなれば株価も上がり、逆に景気が悪化すれば株価は落ち込みます。景気は拡大し続けることはありませんし、逆に悪くなり続けることもありません。景気の良し悪しは波のように上下動を繰り返します。

本書執筆時点では、日経平均株価が一時3万円を超え、株式市場は堅調といえる状況が続いています。その最大の要因は、2020年のコロナショックが起こる前までは景気が比較的良かったことです（庶民レベルではあまり実感することができませんが…）。

2012年12月に第2次安倍政権が発足し、翌年から「アベノミクス」と呼ばれる経済政策がとられました。また、２０１３年4月から日本銀行が異次元金融緩和を始めました。これらによって円安が進み、輸出企業を中心に業績が改善しました。

しかし、その前の２００８年から２０１２年にかけては、リーマンショックや東日本大震災の影響で、景気が低迷する時期がありました。

景気循環のサイクルが徐々に長くなっている

日本では、**内閣府経済社会総合研究所**が、景気の山と谷がいつだったかを判定しています。それによると、本書執筆時点では**第16循環の途中**で、２０１８年10月を山として、谷に向かっていることになっています。

第二次世界大戦後の過去の景気拡大局面を見ると、２００２年1月〜２００８年2月の73か月間が最長でした。この頃は、ＢＲＩＣｓを中心に世界的に景気が拡大しました。また、１９８０年代末のバブル景気の頃は51か月間景気拡大が続いたとされていて、戦後4番目の長さとされています。

前述したように、本書執筆時点では第16循環の途中です。この循環の景気拡大局面は２０１２年11月から２０１８年10月まで71か月間続き、戦後2番目の長さになりました（図3・11）。

図3-11●過去の景気循環の期間

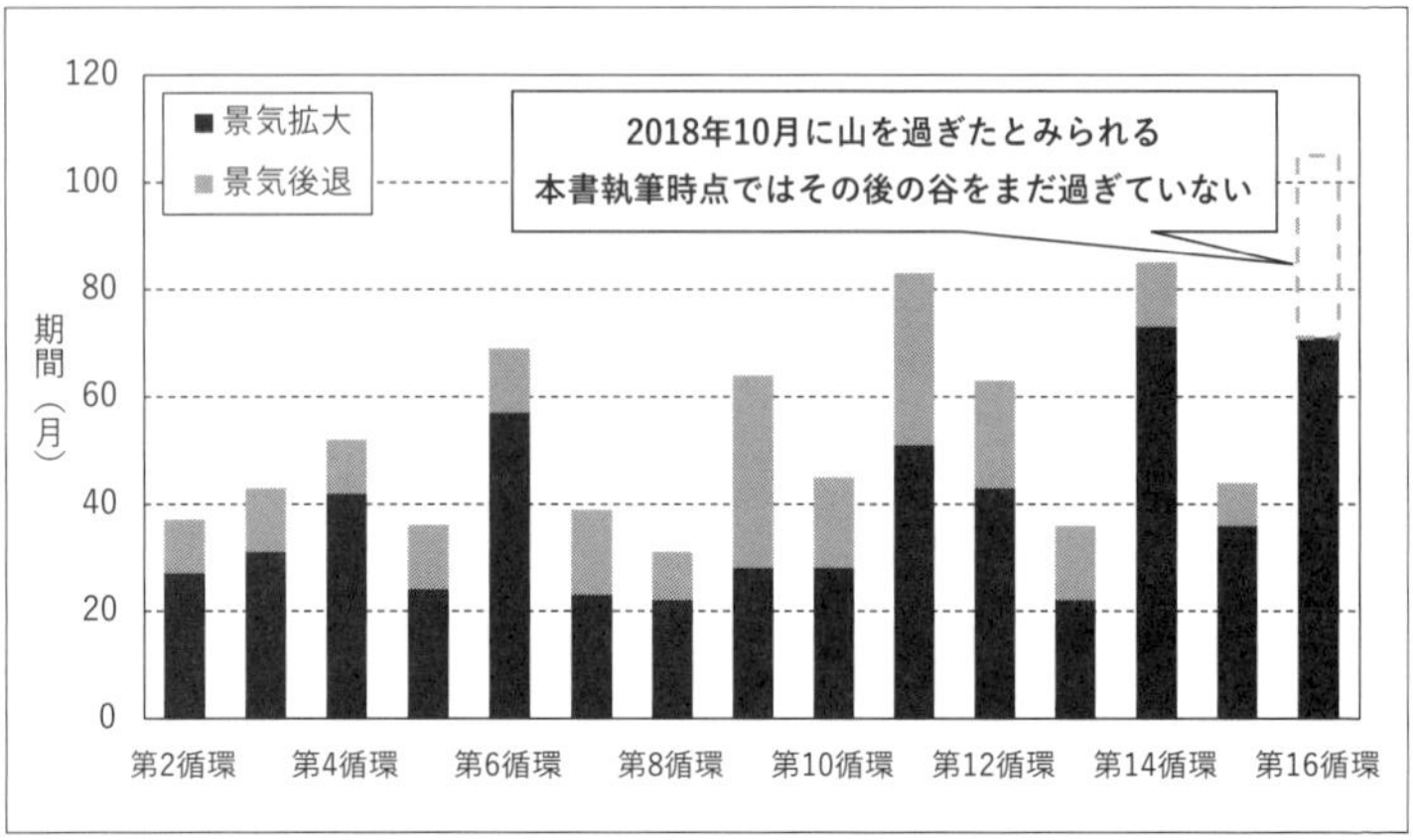

図3-12●株価の波も長くなっている（各月末の日経平均株価）

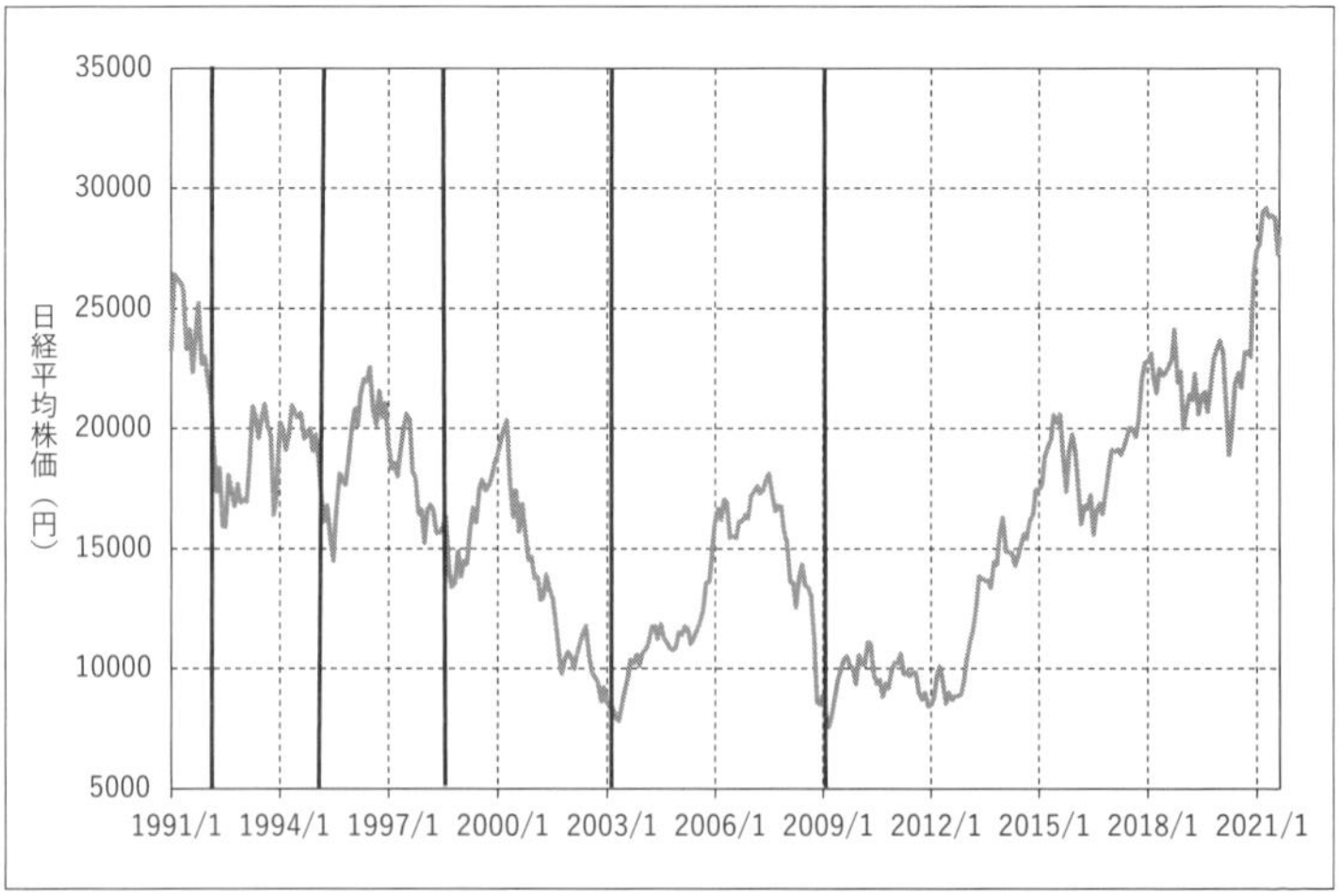

景気後退が始まっている

前述したように、2018年10月に第16循環の山を越えたと見られていて、景気後退が始まっていると思われる状態です。しかも、2020年は新型コロナウイルスが拡大した影響で、景気が大幅に落ち込みました。特に、2020年4〜6月期は年率換算でGDPが前年比マイナス28・1％となり、戦後最悪となりました。

本書執筆時点では、2020年の下げが大きすぎた反動や、ワクチンの接種がだいぶ進んではいることなどから、2020年よりは景気は持ち直しています。変異株による感染拡大の第5波は10月末時点で終息に近づきつつあり、緊急事態措置やまん延防止等の措置区域は9月末で全国的に解除されています。しかし、今後も感染の第6波の可能性もあり、まだまだ楽観を許さない状況です。

また、2020年に開催予定だった**東京オリンピック**が1年延期で2021年夏に開催されましたが、この東京オリンピックも景気の節目になる可能性があります。

1984年以降の過去の9回の夏のオリンピックで、オリンピック前後で開催国の経済成長率がどのように推移したかを調べてみました。すると、9回のうちの6回で、オリンピック開催年より翌年の方が、経済成長率が下がっていました。また、前年→開催年→翌

図3-13●オリンピック前後の開催国の経済成長率の推移

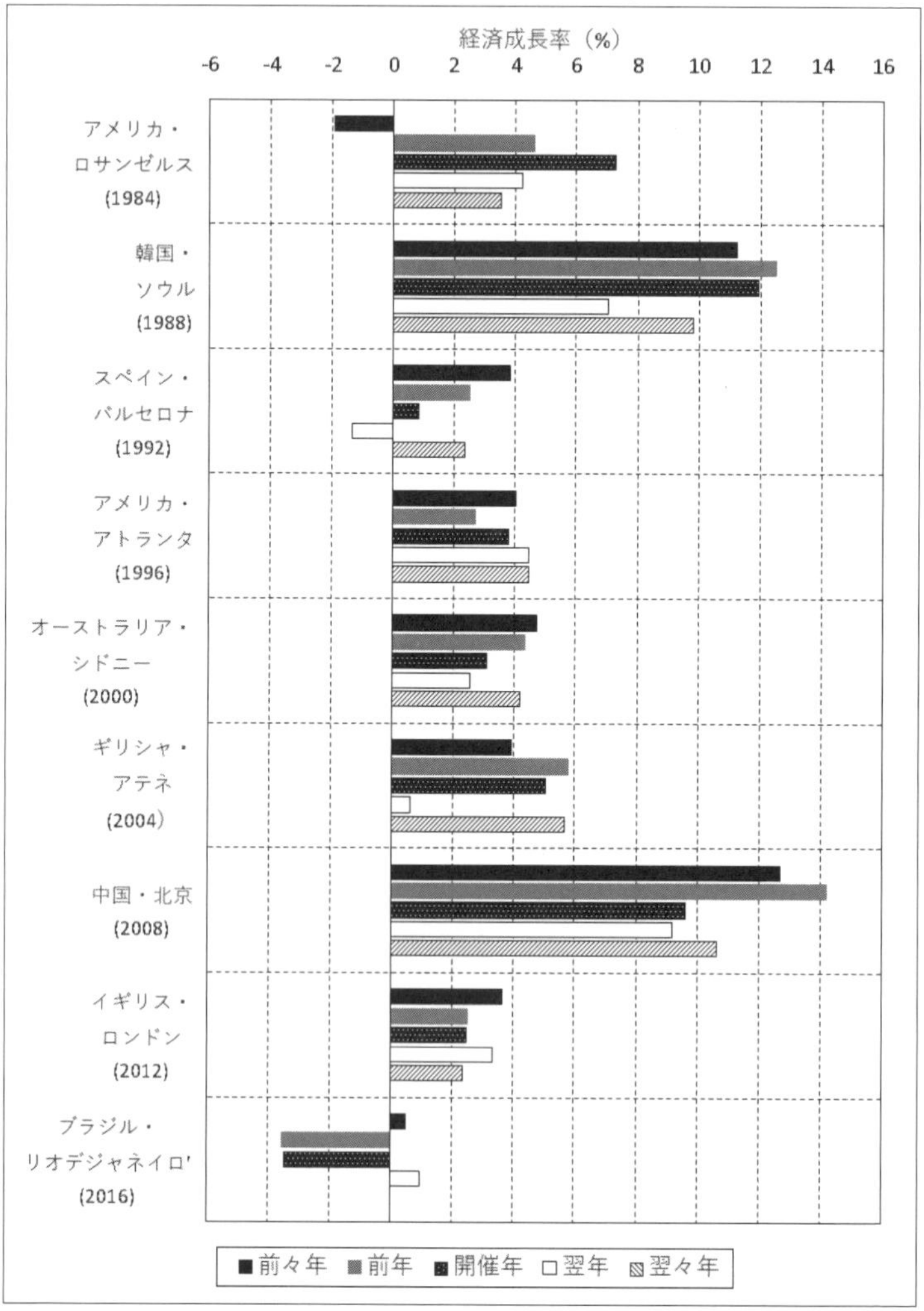

出所：IMF「World Economic Outlook Databases」

年と経済成長率が連続して下がったことが5回ありました（図3・13）。

ちなみに、日本では1964年にも東京オリンピックが開催されましたが、1964年から1965年にかけて、オリンピックの反動で「昭和40年不況」や「証券不況」と呼ばれる不況が起こりました。

まして今回の東京オリンピックは、当初は7300億円ほどといわれた費用を大幅に超過し、3兆円を超える費用を費やしたといわれています。しかし、無観客開催となり、入国制限によって、期待された外国人観光客のインバウンドもありませんでした。

消費税増税の悪影響もあり得る

景気への悪影響となるもう1つの材料として、2019年10月に消費税が10％に引き上げられたことがあります。

消費税は1989年4月から税率3％で導入されました。その年は年末まで日経平均株価が上昇して史上最高値をつけましたが、翌年以降はバブルが崩壊して、株価が大幅に下落しました。また、1997年4月に消費税が5％に引き上げられましたが、株式市場は増税前の1996年6月から下落し始め、1998年10月頃まで下落トレンドが続き、日経平均株価はその時点でのバブル後最安値をつけました。

2014年4月に消費税が8％に引き上げられた時は、株式市場にはさほど影響は出ずに済みました。しかし、1989年と1997年には大きな影響が出ていることや、本書執筆時点で新型コロナウイルスや東京オリンピックの影響があることも考えると、2019年10月の消費税増税も株価に悪影響を与えることになりそうです。

2020年5月から「新型コロナウイルス感染症緊急経済対策」として、**国民1人あたり10万円の特別定額給付金**が支給されましたが、現在のところは目に見えて消費に使われたという状況にはなっていません。

株価の大幅下落の恐れもなくはない

バブル崩壊以降の日経平均株価の動きを見ると、株価が下落し始めると、底を打つまでに大きく下がる傾向が見られます。特に、21世紀に入ってからは、日経平均株価は2003年4月に7603・76円、2008年10月に6994・90円まで下がったことがあり、下げ方が一段と厳しくなっています。「山高ければ谷深し」という相場格言がありますが、まさにその通りの動きをしています。

ちなみに、2003年4月に株価が底を打ったときには、その前の2001年9月11日に米国同時多発テロが起こり、10月からは米英などがアフガニスタンを攻撃して、アフガン戦争が起こっています。さらに、2003年3月19日から米英などが軍事介入して**イラク戦争**が起こり、1か月ほどで大規模戦闘が終結するという経過をたどりました。

また、2008年10月の底は、**リーマンショック**（2008年9月15日）の影響によるものです。

本書執筆時点では、**新型コロナウイルス**の影響があります。新型コロナウイルスの問題が深刻化した2020年初頭の頃を見ると、日経平均株価は1月に2万4000円台まで上昇していたのに対し、3月には安値で1万6000円台まで急落しており、大きな影響が出ました。その後はリバウンドし、比較的短期間で2万円台を回復しましたが、今後、**新たな変異株によってワクチンが効かなくなるといった事態が起こると、再度急落することも十分にあり得る**と考えられます。

▼高配当株も市場の長期下落では低迷を避けられない

高配当株は、株価が下がると配当利回りが相対的に上がって魅力が増すので、下がりにくい（下げ止まる）傾向があります。しかし、2003年や2008年、また2020年春のような大幅な株価下落が起こると、さすがに下げ止まることは難しいです。

例えば、配当の優等生である**花王（4452）**でも、新型コロナウイルスの感染拡大が

図3-14●花王もコロナ禍の影響で株価は下落トレンド中

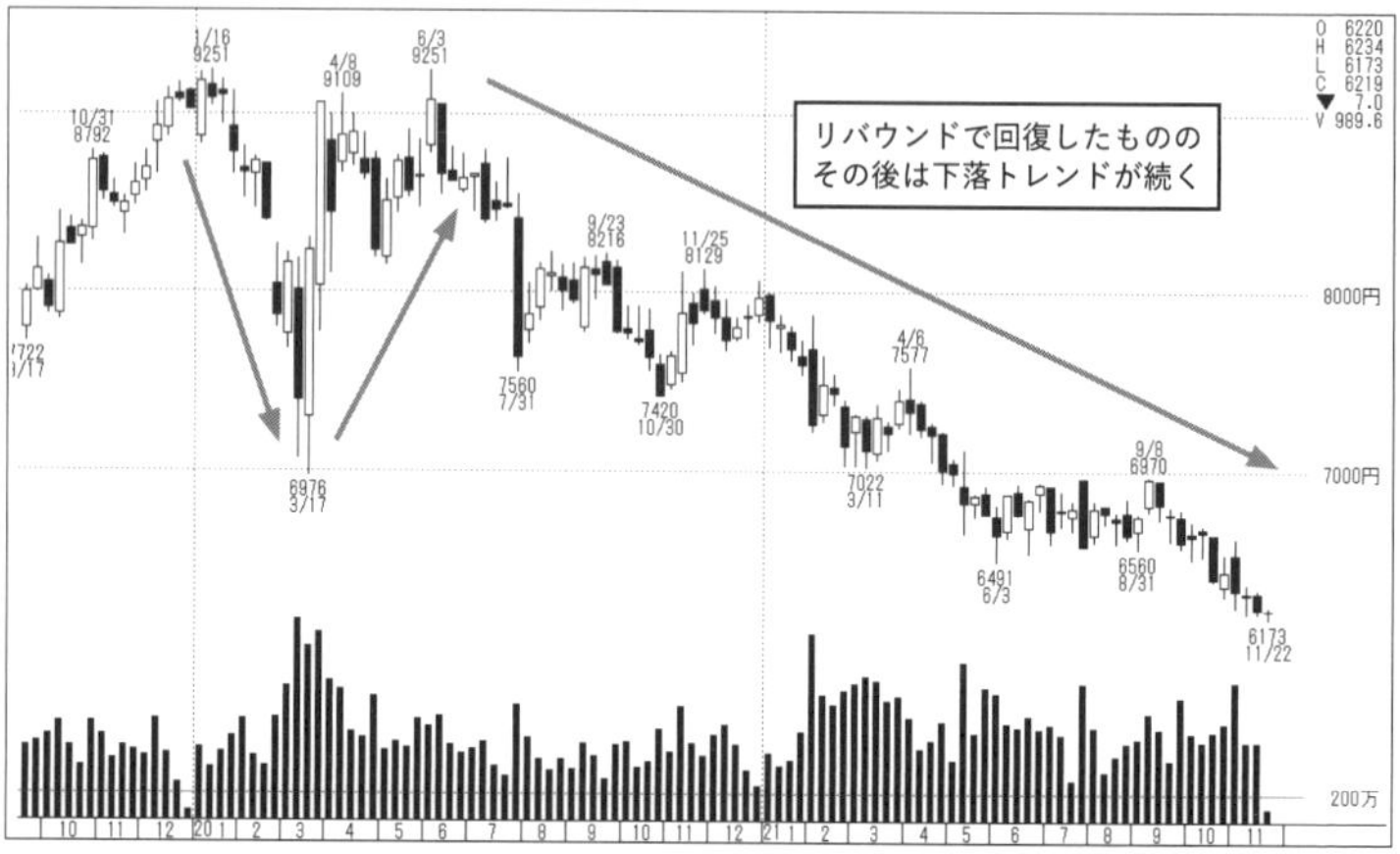

週足/2019.10～2021.11

始まってからは、株価下落が続いています。感染拡大前の２０２０年１月には高値９２５１円をつけましたが、その後は徐々に下落しており、本書執筆時点では６０００円近くまで下がっていて、およそ30％の下落になっています（図３・14）。

２０２０年半ばから２０２１年にかけて日経平均株価は持ち直しましたが、花王はあまりその恩恵を受けることができなかった状態です。これで日経平均株価まで大幅下落することになると、花王の株価もさらに下落して低迷が長続きする恐れもあります。

ちなみに、リーマンショックの後にも花王の株価は大幅に下落しましたが、リーマンショック前の水準まで戻るのに、およそ６年かかりました。

株価低迷期の対処法

前項で述べたように、今後景気が悪化することによって、株式市場が低迷期に入る可能性もあります。高配当株投資をする前に、それも頭に入れておく必要があります。

定期的に買い増しして平均買値を下げる

市場低迷期の1つの対処法は、**有望な高配当株を定期的に買い増しする**ことです。ナンピン買いのような買い方になり、平均買値を下げることができます。そして、配当をもらいつつ、景気回復と株価上昇を待ちます。

この場合、「ドルコスト平均法」がよく使われますが、これは定期的に一定額ずつ買い増していく方法です。安い時期に多くの株数を買うことになるので、平均買値を下げやすくなります。

ただし、買い増しの途中で銘柄に大きな悪材料が出ると、かなりの損失を受ける恐れがあります。厳選した銘柄であっても複数銘柄に分散して、リスクを抑える必要があります。

周期のある高配当株は秋に買って春に売る

日本の株式市場の動きを見ていると、秋から春にかけて上がりやすい傾向が見られます。以下のようなことが重なって、傾向ができていると考えられます。

①3月決算企業が多いので、5月頃になると「決算発表まで様子を見たい」という投資家が増えて、慎重な動きになりやすい
②7～8月には夏休みなどがあり、いわゆる夏枯れ相場で、出来高が細くなりやすい
③外国人投資家が夏場は買いを控えやすい

1990年から2017年の28年間の日経平均株価を対象に、その年の10月末と翌年4月末の株価から、秋から春での騰落率を求めてみると、図3・15のようになりました。28年のうち、プラスになったのが19年、マイナスになったのが9年で、**秋から春にかけて上がりやすい傾向がある**ことがわかります。

そこで、過去のチャートで銘柄の動きを見て、秋から春にかけて上昇し、夏頃から下がって秋に底を打つ傾向のある高配当株であれば、次の方法を取ることができます。

図3-15●日経平均株価は秋から翌年春にかけて上がりやすい傾向がある

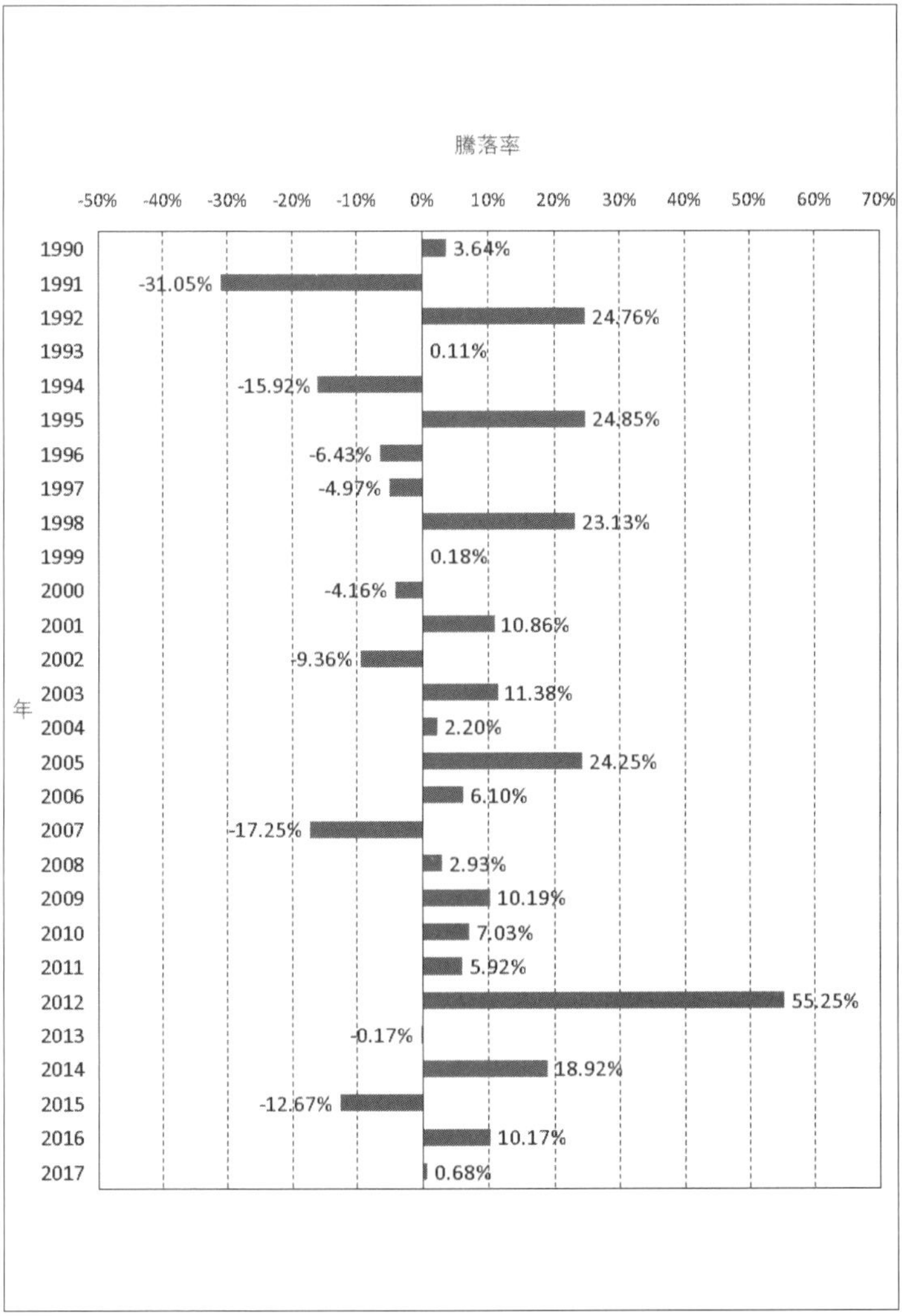

①秋（10月～11月頃）に買う
②3月末の決算期末に株を持ち続けて配当をもらう
③4月頃に売る

この方法だと、3月末と9月末の2回に分けて配当を出す銘柄では、3月末の配当しか得られないというデメリットがあります。しかし、株価が上がりやすい時期だけ保有することになるので、値上がり益が得やすくなるメリットがあります。もちろん、春以降も下がらずに上昇が期待できる場合は、そのまま持ち続けることを考えます。

なお、本書執筆時点では落ち着いてはいますが、これからは**新型コロナウイルス感染症の流行状況なども常に注視していく**必要があります。

第4章

これから注目の投資テーマと高配当株の多い業種

注目されそうな投資テーマ①

SDGsとESG・脱炭素・電気自動車など

株価を動かす要因の1つとして、「投資テーマ」は大きな存在です。これからの株式投資で注目となりそうなテーマをいくつか取り上げます。

SDGsとESG

このところ「**SDGs**」という言葉を聞く機会が多くなりました。SDGsは「Sustainable Development Goals」（持続可能な開発目標）の略で、2015年9月の国連サミットで採択されました。SDGsは全部で17の目標から構成されていて、貧困や飢餓の解消、健康や福祉の拡大、公平で平等な社会の実現、自然の保護などの項目があり、非常に多岐にわたる内容になっています（図4・1）。

また、153ページでも紹介しましたが、投資の判断基準として、最近では「**ESG投資**」が注目されるようになりました。ESGは「Environment」（**環境**）、「Social」（**社会**）、「Governance」（**ガバナンス**）の頭文字を取った略語で、**環境問題や社会問題へ取り組ん**

図4-1●持続可能な開発目標（SDGs）

出所：「持続可能な開発目標（SDGs）に向けて日本が果たす役割」（外務省資料）

でいるかどうか、また企業統治が正しく行われているかどうかに注目して、投資対象を選ぶ考え方です。ＥＳＧはＳＤＧｓと似た概念ですが、ＳＤＧｓは企業だけでなく国や地方公共団体も含んでいる点が違います。

高配当株投資では、株式を中長期保有することが前提です。したがって、長期的に安定して成長する銘柄を選ぶことが重要になります。ＥＳＧやＳＤＧｓを重視している企業は、長期的な安定成長を目指していると考えられますので、高配当株投資の対象として適切だと考えられます。

ＳＤＧｓは幅広い概念なので、その中の個々の分野について順に見ていきます。

▼脱炭素

人類の活動が幅広くなるにつれて、石油などのエネルギーの消費量が多くなり、それに伴って二酸化炭素の排出量が増えています。二酸化炭素には「温室効果」があり、それによって地球が温暖化しつつあるといわれています。

温暖化が進むと、北極や南極の氷が解けて海面が上昇し、海岸に近い陸地や海抜の低い島々が海面下に沈むという問題が起こります。また、気温上昇によって気候も変動し、これまで「異常気象」と呼ばれていたような現象が日常的になって、災害が頻発することも

表4-1●脱炭素に関連しそうな銘柄の例（2021年11月5日時点）

銘柄（証券コード）	株価（円）	予想配当（円）	配当利回り（%）
エア・ウォーター（4088）	1,767	54	2.49
日本電気硝子（5214）	2,768	110	3.97
住友大阪セメント（5232）	3,310	120	3.60
クニミネ工業（5388）	1,138	30	2.65
ジェイ エフ イー HD（5411）	1,691		
イワキ（6237）	1,040	28.50	2.55
日工（6306）	666	30	4.46
西華産業（8061）	1,616	55	3.24
日本石油輸送（9074）	2,690	80	3.01

※ジェイ エフ イー HDは、2022年3月期予想は未定で発表していない

懸念されています。

　そこで、「脱炭素」の動きが進んでいます。脱炭素とは、二酸化炭素の排出を抑制し、また排出した二酸化炭素を回収することで、実質的に二酸化炭素の排出をゼロにしようという考え方です。英語を使って「**カーボンニュートラル**」（carbon neutral）とも呼びます。

　日本でも脱炭素への動きが出ています。2020年10月26日の菅首相の所信表明で、「2050年に二酸化炭素の排出量を実質ゼロにする」との宣言が行われました。これに伴い、経済界・産業界でも脱炭素への取り組みが進み始めています。

　脱炭素に関連する事柄としては、**再生可能エネルギー**（太陽光発電や風力発電など）、送配電や蓄電、水素の利用などが挙げられます。脱炭素に関連する銘柄には、表4・1などがあります。

電気自動車（EV）

脱炭素に関連する大きなキーワードとして、**電気自動車（EV）**があります。

これまでの自動車は、ガソリンを燃やしてエンジンを動かし、その動力で進む乗り物でした。しかし、ガソリンエンジンは二酸化炭素や窒素酸化物などを排出し、世界的な脱炭素の流れに逆行するものです。また、エネルギーの利用効率が低く、無駄が多いです。さらに、化石燃料である石油は天然資源であり、今のペースで消費を続ければあと数十年で枯渇するという大きな問題もあります。また、天然ガスも同様の問題を抱えています。

こうしたことから、自動車を電気で動かす流れが進んでいます。欧州を中心に、将来的にガソリンエンジンやディーゼルエンジンの自動車の新規販売を禁止し、ハイブリッド車や電気自動車の販売のみに変えていく動きが進んでいます。日本でも、脱炭素に向けて、菅首相が「**2035年までに新車販売で電動車100％を実現する**」と表明しました。

電気自動車の仕組みはいくつかありますが、主力になりそうなのは、**充電式の電気自動車**です。**大容量のバッテリー**を搭載し、それに電気を充電して走ります。すでに、リーフ（日産自動車）やHonda e（本田技研工業）、テスラ モデル3（テスラ）、マツダ MX-30EV（マツダ）など、多くのメーカーで実用化されています。

表4-2●電気自動車に関連しそうな銘柄の例（2021年11月5日時点）

銘柄（証券コード）	電気自動車に関連する製品	株価（円）	予想配当（円）	配当利回り（%）
ジェイエフイー HD（5411）	車体（鉄）	1,691		
アイシン（7259）	自動車部品	4,095	170	4.05
アマダ（6113）	金属加工機械	1,174	34	2.90
新日本電工（5563）	電池材料	354	8	2.19
東光高岳（6617）	EV用充電器	1,422	50	3.52
住友電気工業（5802）	ワイヤーハーネス	1,516	50	3.29

※ジェイ エフ イー HDは、2022年3月期予想は未定で発表していない

●燃料電池自動車（FCV）

もう1つ可能性がある方式として、**燃料電池自動車**があります。英語で書くと「Fuel Cell Vehicle」となるので、略して「FCV」と呼ばれます。水素と酸素を化合させて水を作り、その際のエネルギーを利用して走るという仕組みです。

電気自動車は電気で**モーター**を回して走らせるので、エンジンではなくモーターが重要になります。充電式の電気自動車では、**充電池**も重要な部品です。

さらに、電気自動車では、ガソリンに変わって電気が必要になり、これまでとは違うインフラが求められます。充電式の電気自動車では、**充電スタンド**を使います。また、燃料電池自動車では**水素ガスを補充するスタンド**が必要になります。

このように、電気自動車が普及する際には、従来の自動車とは異なる分野の企業が伸びると思われます。

自動運転の実用化

自動車関係では、もう1つ重要なキーワードがあります。それは「**自動運転**」です。ここ数年では自動運転が話題に上ることも多くなりました。これまでの自動車は人間がハンドルやブレーキなどを操作して運転していましたが、それらの操作を自動化して、人間の操作を不要にしようというものです。

本書執筆時点では、部分的な自動運転（高速道路での運転サポートなど）はすでに実用化されていますが、完全な自動運転は実験段階です。鉄道や飛行機とは違い、自動車はタイヤに沿って運転するものではないので、自動運転が完成するまでにはまだ時間がかかると思われますが、いずれは自動運転が一般化すると思われます。

自動運転によって人間が運転から解放されれば、それで浮いた時間などを活用することができますので、生産性の向上に役立ちます。また、**障害や加齢などによって自分で運転できない人でも自動車を利用できる**ようになり、自動車の利用が増えます。さらに、**人為的なミスによる交通事故も減らせる**ことが予想されます。

自動運転を行うには、障害物などの周囲の状況を判断することが必要になります。**カメラやセンサーを多用して情報を収集し、AI（人口知能）で状況判断を行う**という流れに

表4-3●自動運転に関連しそうな銘柄の例（2021年12月3日時点）

銘柄（証券コード）	自動運転に関連する製品・サービス	株価（円）	予想配当（円）	配当利回り（%）
沖電気工業（6703）	次世代交通管理	864	30	3.47
PCIホールディングス（3918）	組み込みソフト	1,127	31	2.75
ソーバル（2186）	自動運転向けAI開発	1,004	33	3.29
北陸電気工業（6989）	車載モジュール	1,376	40	2.91
JVCケンウッド（6632）	車載機器	170	6	3.53
パスコ（9232）	航空測量	1,350	35	2.59
ゼンリン（9474）	地図	971	25	2.57

なります。

「情報通信白書（平成28年版）」によれば、「車両の自動運転であれば、画像認識と音声認識から得られた情報に、車両の運行情報・地図情報・位置情報などの他の情報を加えて、車両がおかれた状況を識別する。その上で、衝突の可能性などこれから起こりうることを予測し、安全を保つために最適な運転や、目的地に到達するための経路を計画して実行する。このように、具体的なサービスにおいては、様々な機能が分野に適した形で組み合わさって実用化される。」と表現されています。

そのため、電子部品関係のメーカーや、AI関連のソフトウェアメーカーなどに恩恵が及ぶことが予想されます。

注目されそうな投資テーマ②
環境保全・インフラ・ポストコロナ関連など

前述のSDGsでは、環境保全として自然の利用と保護のバランスを取ることも課題の1つに上がっており、17項目のうち環境に関するものが多くあります（6・7・12・13・14・15など：参照179ページの図4・1）。

環境保全に貢献するさまざまな技術

環境の悪化を防いだり、改善したりするようなことを手掛けている企業は、SDGs関連の銘柄として考えることができます。

例えば、金属等のリサイクルは、環境保全の大きな柱の1つです。鉄やアルミなど、日常的に使われている金属をリサイクルしたり、電子材料等で使われるレアメタルをリサイクルすることは重要なことです。また、水や空気などを浄化するようなことも、環境保全にとって重要なことです。

リサイクルなどの環境保全に関連する銘柄としては、表4・4のようなものがあります。

表4-4●環境保全に関連しそうな銘柄の例（2021年12月3日時点）

銘柄（証券コード）	環境保全に関連する製品・サービス	株価（円）	予想配当（円）	配当利回り（%）
三井住建道路（1776）	土壌汚染対策	1,015	30	2.96
ラサ商事（3023）	環境プラント設備	891	42	4.71
エンビプロHD（5698）	資源回収・販売	2,014	33	1.64
三井金属（5706）	金属リサイクル	2,994	100	3.34
DOWAホールディングス（5714）	環境・リサイクル	4,275	95	2.22
アサヒHD（5857）	スクラップリサイクルなど	1,962	90	4.59
オルガノ（6368）	水処理	6,930	144	2.08
東洋紡（3101）	水処理膜	1,224	40	3.27
メタウォーター（9551）	上下水処理	1,940	40	2.06

▼インフラ（社会資本）関連

インフラストラクチャー（社会資本　例：道路・鉄道・港湾・電力・通信・上下水道など）は、私たちが生活していく上で必要なものです。これは世界のどこの国でも共通です。ただ、国によってインフラ関係で求められることは異なります。

●老朽化が進む高度成長期のインフラ

日本の場合、主要なインフラの多くは1960年代～1970年代の高度成長期に作られました。例えば、東京～新大阪間の東海道新幹線が開通したのは東京オリンピックに合わせ1964年10月、東名高速道路の開通は1968年4月です。

東京の首都高速道路で最も古い区間は19

表4-5●社会資本の老朽化の現状と将来予測（抜粋）

インフラの種類	2018年3月	2023年3月	2033年3月
道路橋［約73万橋）（橋長2m以上の橋）］	約25%	約39%	約63%
トンネル［約1万1千本］	約20%	約27%	約42%
河川管理施設　（水門等）［約1万施設］	約32%	約42%	約62%
下水道管きょ［総延長：約47万km］	約4%	約8%	約21%
港湾岸壁［約5千施設）（水深－4.5m以深）］	約17%	約32%	約58%

出所：国土交通省資料

62年に開通しています。この頃のインフラはすでに築50年以上が経過し老朽化が進んでおり、今後大幅な改修や、更新が必要な建造物が加速度的に増えるとされています（表4・5は、建設後50年以上経過する社会資本の割合）。

2012年12月に起こった中央自動車道の笹子トンネルの天井板落下事故も築50年は経過していませんでしたが、老朽化が原因とされています。

また、近年は**水道管の老朽化による大規模な破裂事故**も全国各地で起きています。2020年1月の横浜市磯子区の水道管破裂では、約3万世帯が一時的な断水などの被害を受けました。磯子区では2019年5月にも破裂事故が起きていました。

これからインフラのメンナンスの市場規模は年5兆円にもなるという話もあり、土木建設業界の安定した収益源になるとの見方もあります。

●インフラ輸出に活路を見出す日本企業

一方、新興国ではインフラ整備がまだ十分でなく、これからのところもあります。そういった国々では、先進国から技術や資金の支援を受けて、インフラの整備を進めています。日本もインフラ輸出を成長戦略の1つに掲げていて、2020年12月、2025年に34兆円のインフラ整備を受注目標にした**「インフラシステム海外展開戦略2025」**を策定しています。原子力発電、高速鉄道、橋梁といった分野だけでなく、水浄化システム、上水道システム、情報通信、医療などさまざまな分野で輸出増加が図られています。

このように、インフラ関連は**国内・国外ともに中長期的なテーマ**になると考えられ、土木・建設・機械・化学・情報通信などの広い企業が恩恵を受けると思われます。

▼ポストコロナ

2020年初頭から、**新型コロナウイルス**が世界中で猛威を振るっています。**ソーシャルディスタンス**の確保が求められ、世界各国で**ロックダウン**が行われるなど、厳しい対策が取られたことは記憶に新しいところです。

本書執筆時点では、それから1年10か月程経過したところです。世界中でワクチン接種が進み、国内の感染状況は小康を保っていますが、いつまたデルタ株やラムダ株のような

表4-6●運輸・旅行に関連する銘柄の例（2021年11月5日時点）

銘柄（証券コード）	株価（円）	予想配当（円）	配当利回り（%）
東日本旅客鉄道（9020）	7,193	100	1.39
西日本旅客鉄道（9021）	5,555	100	1.8
東海旅客鉄道（9022）	17,140	130	0.76
九州旅客鉄道（9142）	2,660	93	3.5
日本航空（9201）	2,501		
ANAホールディングス（9202）	2,771.5	0	0

※日本航空は、2022年3月期予想は未定で発表していない

ワクチンに耐性をもつ変異株が流行するかわかりません。まだしばらくは元の生活に戻ることは難しそうです。

しかし、ワクチンの改良や治療薬の開発などによって、新型コロナウイルスもいずれは難病ではなくなっていくものと思われます。そのようなコロナ後の時代（ポストコロナ）を見据えて、今から銘柄を探しておくのも良いと思われます。

●ダメージが大きかった銘柄

新型コロナウイルスで大きなダメージを受けた業界は、**回復する場合の伸び率が大きくなる**でしょう。例えば、売上が半減した企業が元の売上に戻った場合、伸び率は100％で2倍ですので、株価の上昇も期待できます。このような銘柄は投資対象として良さそうです。

コロナ禍でダメージの大きい業界に、まず**鉄道**や**航空**などの運輸・旅行関係があります。各社ともに大幅な赤字に落ち込み、株価も配当も下がっています（表4・6）。

しかし、回復した時の株価や配当の上昇は大きくなりそうです。

また、**飲食業界**も大きなダメージを受けました。大手飲食店チェーンには上場企業も多くありますが、意外と株価が落ちておらず、高配当株投資向きの銘柄は少ないです。

●ウィズコロナ（コロナとの共存）

前述したように、新型コロナウイルスは、いずれは難病ではなくなり、人類と共存することになると思われます。

本書執筆時点では、日本では主にファイザーとモデルナのワクチンが使われていますが、どちらも副反応が強い傾向があります。今後、より改良されたワクチンが出ることは間違いないでしょう。また、治療薬の方もいくつか治験が始まっています。このようなワクチンや治療薬に関連する銘柄も、ポストコロナ時代の投資候補として考えられます。

投資候補の例として、**塩野義製薬（4507）**があります。塩野義製薬はワクチンと治療薬の開発を進めており、ワクチンは2021年末までに3000万人分以上の生産体制の整備を目標にしています。ファイザーやモデルナがワクチンで大幅に売上を伸ばしたことから、塩野義製薬も業績が上がることが期待できそうです（図4・2）。

また、注射器などの器具も、当面は需要が続くと思われます。さらに、それらの器具の廃棄や処分を行うような企業も注目される可能性があります（表4・7）。

図4-2●塩野義製薬の株価の動き

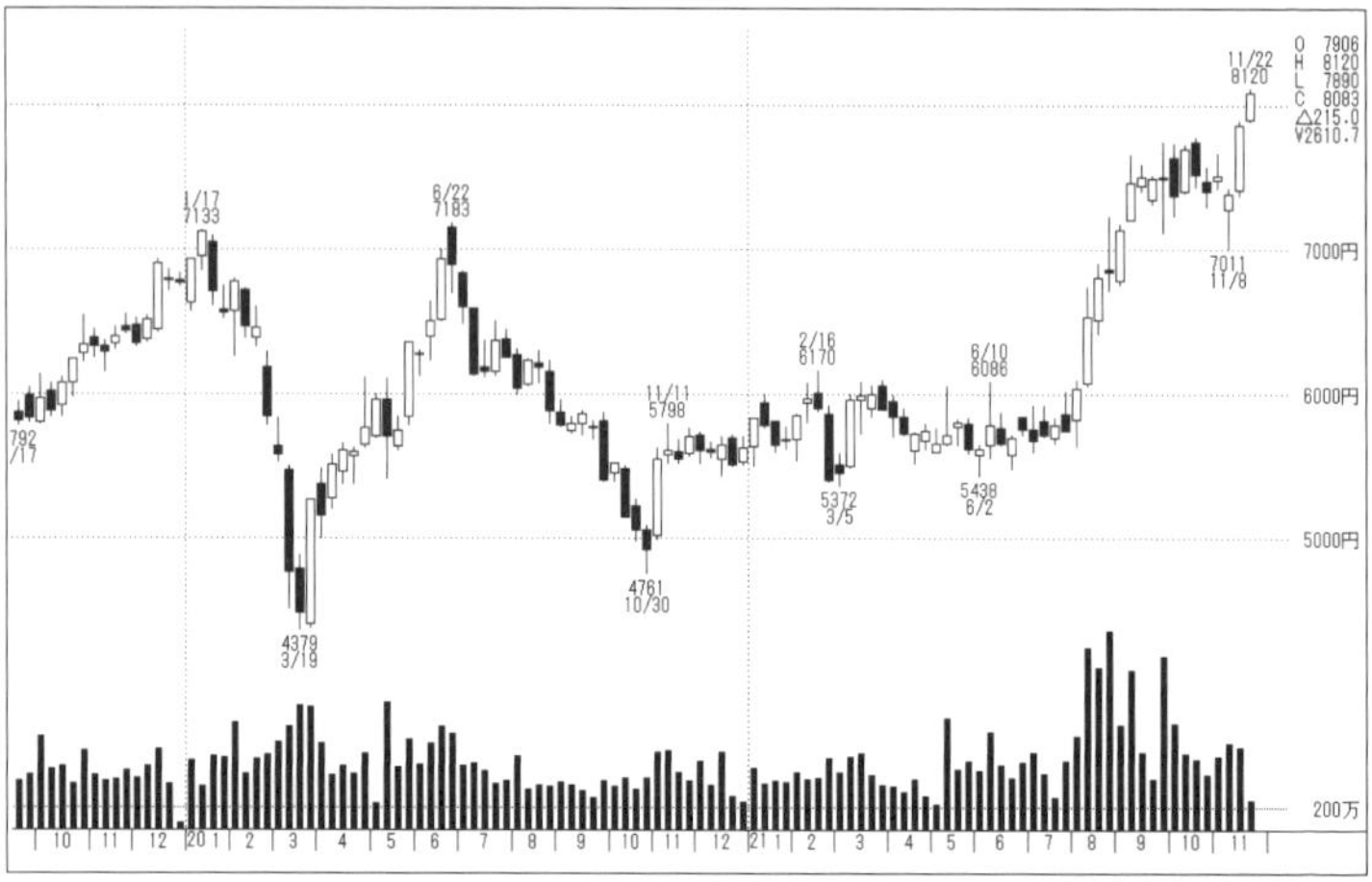

週足/2019.9～2021.11

表4-7●医療器具などに関連する銘柄の例（2021年11月5日時点）

銘柄（証券コード）	医療関連の商品・サービス	株価（円）	予想配当（円）	配当利回り（%）
ニプロ（8086）	使い捨て医療機器	1,170	29	2.48
JMS（7702）	使い捨て医療機器	755	17	2.25
アズワン（7476）	理化学機器	14,470	167	1.15
出光興産（5019）	医療廃棄物容器	3,080	120	3.90
自重堂（3597）	医療・介護用ウェア	6,750	300	4.44
アゼアス（3161）	防護服	680	20	2.94
カイノス（4556）	臨床検査薬	1,073	15	1.40

注目されそうな投資テーマ③ DX・AI・RPAなど

本節では、DXやAIなどさまざまな社会の変化に関する銘柄を取り上げます。

DX（デジタル・トランスフォーメーション）

「DX」もこのところよく聞くようになった言葉の1つです。「Digital Transformation」からきている言葉で、進化したIT技術を活用し、人々の生活をより良くしようという考え方です。

インターネットが一般化し、またスマートフォンやタブレットでどこでも情報にアクセスできるようになったことから、私たちの生活は大きく変わりました。まさしくDXが進んだ結果だと言えます。

DXはGAFA（Google、Amazon、Facebook、Apple）など海外の企業が主導する形になっており、日本はDXでは世界から出遅れている状況です。しかし、DXは世界的潮流なので、日本でもさまざまな形でのDXが模索されています。

２０２１年６月７日に、東証と経済産業省が共同で「デジタルトランスフォーメーション銘柄２０２１」28社と、「デジタルトランスフォーメーション注目企業２０２１」20社を選定・公表しています。ＤＸ銘柄のうち特に優れた取組みの企業として、**日立製作所（6501）**と**SREホールディングス（2980）**の２社が「ＤＸグランプリ２０２１」に選定されました。これらの銘柄は、ＤＸをテーマとして投資する上での候補になります。

https://www.meti.go.jp/press/2021/06/20210607003/20210607003.html

▼AI（人工知能）

ＤＸと結びつきが深いものとして、**AI（人工知能）**は重要です。これまで人間が手作業で行っていたことをＡＩに置き換えることで、コストを削減したり、余った人材を他のことに活用したりすることができます。

ＡＩで行えることとは、画像認識・音声認識・音声合成・自動翻訳など、多岐にわたります。これらの個々の技術を応用して、さまざまな取り組みがなされています。例えば、問い合わせ窓口にＡＩを導入して、一般的な質問に対してＡＩが回答するようなことは、すでに多くの企業で行われています。ＡＩでできることが多いため、ＡＩに関係する銘柄も多数存在します。

表4-8●AI(人工知能)に関連しそうな銘柄の例(2021年11月5日時点)

銘柄(証券コード)	株価(円)	予想配当(円)	配当利回り(%)
CAC Holdings(4725)	1,660	60	3.61
JBCCホールディングス(9889)	1,789	52	2.91
ニーズウェル(3992)	719	23	3.20
アイネット(9600)	1,400	47	3.36
アイネス(9742)	1,462	40	2.74

また、AIに関連するものとして、機械学習の元となるデータを収集する**センサー**や、集めたデータを保存する**クラウドサービス**などがあります。これらに関する銘柄も、AI関連と考えることができます(表4・8)。

●RPA

企業の業務の中で、必要ではあるものの直接的には利益を生まない業務(間接業務)があります(人事/総務/経理など)。そういった業務を自動化することも、DXの1つと考えることができます。

このような中で、「**RPA**」が注目されるようになってきました。RPAは「Robotic Process Automation」の略で、入力・検索・照合・転記・配信といった**パターンがある業務(定型業務)を自動化する**ことを指します。

RPA関係では、そのためのソフトウェアを開発している企業がもっとも恩恵を受けると思われます(表4・9)。

表4-9●RPA関連の銘柄の例（2021年11月5日時点）

銘柄（証券コード）	株価（円）	予想配当（円）	配当利回り（%）
ディップ（2379）	4,145	61	1.47
アウトソーシング（2427）	2,115	31	1.47
コムチュア（3844）	3,425	35	1.02
ハイマックス（4299）	1,185	30	2.53
扶桑電通（7505）※	1,364		

※扶桑電通は、2022年3月期予想は未定で発表していない（2021年9月期は134円）

▼世界的な需要増による資源のひっ迫

世界人口は増加の一途をたどっています。国際連合の「World Population Prospects 2017」の中位推計によると、2017年時点では約76億人の人口が、2030年に約85億人、2050年に約98億人、2100年には約112億人に達すると予想されています（図4・3）。

これだけ人口が増加し、また**中国や東南アジア諸国に代表されるように、豊かになった後進国の需要が飛躍的に増大してくると、さまざまな資源がひっ迫する**ことが予想され、現実にそうなってきており、コロナ禍も追い打ちをかけています。

食糧・飼料・エネルギー・金属などの分野で、世界的な資源の奪い合いが起こり、価格が上がってきています。例えば、牛肉、小麦、マグロやすしネタなどの水産資源も国際市場で獲得競争となっています。

図4-3●世界人口の予測

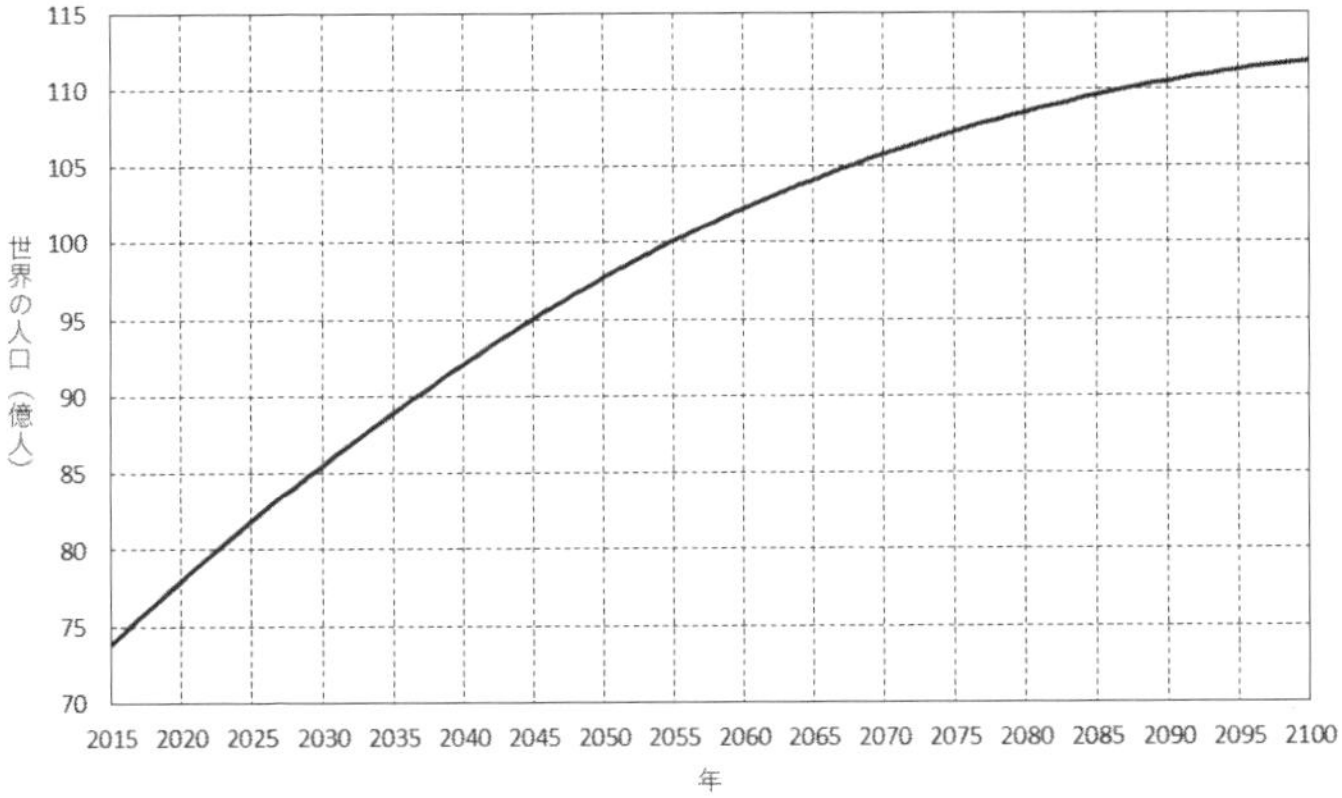

出所：国際連合の「World Population Prospects2017」の中位推計

表4-10●資源問題に関連しそうな商社株の例（2021年11月5日時点）

銘柄（証券コード）	株価（円）	予想配当（円）	配当利回り（%）
三井物産（8031）	2,519	95	3.77
丸紅（8002）	1,018.5	51	5.01
伊藤忠商事（8001）	3,266	110	3.37
住友商事（8053）	1,648	90	5.46
双日（2768）	1,713	90	5.25

そうなると、資源を扱い、かつ世界をマーケットにしている企業は売上が増加することになりそうです。売上に連動して利益が上がるかははっきりとはいえませんが、利益もある程度は上昇するのではないかと思われます。

そうなると、資源関連銘柄でかつ配当利回りが高い銘柄を長期保有すれば、配当と値上がり益の両方を享受できそうです。資源を扱う企業としては、商社株が挙げられます（表4・10）。

注目されそうな投資テーマ④
サブスク・テレワーク・災害対策など

インターネットの普及や新型コロナウイルスの感染拡大などによって、社会が大きく変わってきています。それらさまざまな社会の変化に対応するような銘柄も、投資対象として良いと考えられます。

モノ消費から「コト消費・トキ消費」への変化

1980年代末のバブル景気の後、日本では「失われた30年」といわれるように、景気の停滞が続いています。

給料が上がらず個人消費が伸び悩む中で、少子高齢化による社会保険料の増加、教育の高度化による教育費負担の増加などによって、消費に回せるお金が少なくなっています。

一方、すでに多くの物が行き渡っていて、新しい物を買ったり、古くなった物を買い替えたりする必要性も少なくなっています。

このようなことから、物を買って所有するのではなく、所有ではできない体験にお金を使う「**コト消費**」や、その時だけでないとできない体験にお金を使う「**トキ消費**」が、注目されるようになっています。

●サブスクとシェアリング

それらの消費にお金を振り向けるためには、物の所有を少なくしたり、普段使っていない物を有効活用したりすることも必要になっています。このため、「サブスクリプション」や「シェアリング」といった考え方も広まってきました。

サブスクリプションは、定期的に一定料金を支払って、物やサービスの提供を受けられる仕組みです。音楽の聴き放題や映画の見放題、本の読み放題などのサブスクがすでに普及していますが、さらにさまざまな分野に広がりつつあります。

また、**シェアリング**は、物を一人で所有するのではなく、複数の人で共有することを指します。車や服などの物理的な物をシェアしたり、空き部屋を宿として提供したりすること（民泊）など、さまざまなシェアリングが伸びています。本書執筆時点では、サブスクやシェアリングを手掛けているのはベンチャー企業が多いですが、上場銘柄だと表4・11のようなものがあります。

今後、大企業が参入してきたり、ベンチャー企業が上場などすれば銘柄が増えてくると思われますので、今から注目しておくことをお勧めします。

表4-11●サブスク・シェアリング関連の銘柄の例（2021年11月5日時点）

銘柄（証券コード）	株価（円）	予想配当（円）	配当利回り（%）
アンビジョン DX HD（3300）	610	14.3	2.34
ダイオーズ（4653）	1,030	15	1.46
パシフィックネット（3021）	1,496	36	2.41
ユニバーサル園芸社（6061）	2,020	20	0.99
イード（6038）	858	0	0
システム・ロケーション（2480）	1,578	30	1.90

通勤形態の変化

仕事を職場でするのではなく、自宅などで行う「テレワーク」が、以前から徐々に行われていました。それが新型コロナウイルスの感染拡大により、一気に注目を集めることになりました。

コロナ禍の問題が解決したとしても、テレワークが可能な業界では、オフィスの賃料や社員への交通費の支給の削減のため、テレワークを推奨する流れが続くことが考えられます。

テレワークでは、パソコンやスマートフォンのカメラを利用し、インターネットを通して動画や音声をやり取りしますから、**Webカメラ**や**Wi-Fi機器**などの需要が高まりました。また、自宅から会社のデータにアクセスするために、**クラウドサービス**や**リモートアクセス**を提供する企業も需要が高まっています。

表4-12●通勤形態の変化に関連する銘柄の例（2021年11月5日時点）

銘柄（証券コード）	株価（円）	予想配当（円）	配当利回り（%）
日本ハウスHD（1873）	381	6	1.57
高千穂交易（2676）	1,239		
ラック（3857）	802	24	2.99
セグエグループ（3968）	785	16	2.04
JFEシステムズ（4832）	1,911	75	3.92
エレコム（6750）	1,742	37	2.12
AVANTIA（8904）	870	38	4.37
グランディハウス（8999）	496	24	4.84
三協フロンテア（9639）	5,400	160	2.96
あさひ（3333）	1,373	28	2.04

※高千穂交易は、2022年3月期予想は未定で発表していない

一方、新型コロナウイルスへの感染を防ぐために、満員電車での通勤を避けて、自動車や自転車で通勤する人が増えました。コロナ禍が解決すれば電車通勤に戻る人が多いとは思われますが、自動車や自転車での通勤を続ける人もある程度は残りそうです。

このような通勤形態の変化に関係するような銘柄も、投資対象として考えられます。例えば、テレワークによって都市部に住む必要が小さくなることで、**東京などの都会に比べて不動産価格や賃料も安く自然環境にも恵まれた地方に住宅を持つ人**が増えています。それによって、**地方の住宅メーカー**の中には業績が伸びているところがあります。

通勤形態の変化に関連する銘柄としては、表4-12のようなものがあります。

表4-13●自然災害対策関連の銘柄の例（2021年11月5日時点）

銘柄（証券コード）	株価（円）	予想配当（円）	配当利回り（%）
日特建設（1929）	700	29	4.14
エスイー（3423）	333	11	3.30
川崎地質（4673）	4,350	50	1.15
キタック（4707）	350	5	1.43
ヤマウホールディングス（5284）	703	22	3.13
オカダアイヨン（6294）	1,281	30	2.34
鶴見製作所（6351）	1,834	38	2.07
応用地質（9755）	1,815	32	1.76

自然災害の増加とその対策

地球温暖化に伴い、これまで異常気象といわれていたようなことが常態化しつつあります。局地的なゲリラ豪雨や線状降水帯による大雨によって、河川の氾濫などの災害が頻発するようになってきました。

また、地震大国の日本は度々大きな地震に見舞われ、１９９５年の阪神・淡路大震災や２０１１年の東日本大震災など、甚大な被害が出る大地震も起こっています。今後も、**首都圏直下型地震**や**南海トラフによる巨大地震**などが、そう遠くない未来に起こるといわれています。

これらの災害に備えて河川の改修やがけ崩れの防止、津波対策、建物の耐震・免震化など、さまざまな防災対策が必要で、実際に各地で進められています。関連銘柄には表４-13のようなものがあります。

主な業種とその特徴を見る

高配当株を選ぶ際に、個別の銘柄をいきなり探すのではなく、まず業種で大まかに選ぶという方法もあります。業種やその特徴などを押さえましょう。

2つの業種分類──東証33業種と日経業種分類

株式市場にはさまざまな企業が上場していて、業種によって分類されています。分類の仕方はいくつかありますが、東証の業種分類と、日本経済新聞の日経業種分類がよく使われています。東証では業種を33の業種に、日経業種分類では表4・14のように36の業種にそれぞれ分類しています。

2つのタイプ──景気敏感株とディフェンシブ株

銘柄を大まかなタイプに分類する方法の1つに、「**景気敏感株**」と「**ディフェンシブ株**」があります。

表4-14●日経業種分類（銘柄数は2021年7月26日時点の全市場の合計）

業種	銘柄数	業種	銘柄数	業種	銘柄数
水産	12	非鉄金属製品	129	保険	10
鉱業	7	機械	235	その他金融	402
建設	178	電気機器	253	不動産	142
食品	127	造船	5	鉄道・バス	30
繊維	45	自動車	73	陸運	37
パルプ・紙	24	輸送用機器	12	海運	13
化学	211	精密機器	51	空運	5
医薬品	75	その他製造	120	倉庫	41
石油	10	商社	343	通信	38
ゴム	20	小売業	253	電力	13
窯業	58	銀行	86	ガス	9
鉄鋼	45	証券	21	サービス	1,104

景気敏感株は、読んで字のごとく、景気の影響を敏感に受けて、売上や利益が変動しやすい銘柄を指します。そのような銘柄は株価の上下が大きく、また配当も変動しやすい傾向があります。

景気敏感株とされるのは、鉄鋼、金属、化学などの素材産業や、機械、電機などのメーカー系、海運などです。

一方の**ディフェンシブ株**は、景気敏感株とは逆に、景気の影響を受けにくい銘柄を指します。好景気になっても業績はさほど伸びませんが、逆に景気が悪くなっても業績が落ち込みにくく、配当も比較的安定している傾向があります。

例えば、人間は毎日食事をしなければならないので、よほどの高級品は別にして、景気が悪くても食品の消費はあまり落ちません。そのため、食品株はディフェンシブ株とされます。このほか医薬品や、電力、ガス、鉄道・バスなどが同じような理由でディフェンシブ株とされています。

業種による配当利回りの違い

業種によって、配当利回りに大きな違いが出るのでしょうか？　実際に調べてみたところ、平均的に高いところもあれば、低いところもありました。同じ業種の中では、売上や利益の傾向は似たようなものになりやすいので、配当利回りもある程度似てくるものと思われます。

２０１９年３月期～２０２１年３月期の３年間で、日経業種分類ごとに配当利回りを求めてみると、表４・15のようになりました。なお、配当利回りは、各期の年間の配当を各期末の株価で割って求めた実績配当利回りです。

表4-15●業種ごとの実績配当利回りの平均（2019年3月期〜2021年3月期）

2019年		2020年		2021年	
業種	平均	業種	平均	業種	平均
証券	3.82%	保険	4.22%	証券	4.49%
銀行	3.76%	証券	4.16%	石油	3.59%
石油	3.66%	建設	4.02%	保険	3.31%
自動車	3.43%	石油	3.98%	銀行	3.25%
保険	3.14%	ゴム	3.96%	建設	3.01%
小売業	3.08%	自動車	3.79%	電力	2.81%
鉄鋼	2.99%	銀行	3.77%	鉱業	2.76%
建設	2.92%	不動産	3.56%	海運	2.69%
商社	2.91%	商社	3.36%	ゴム	2.55%
繊維	2.88%	鉱業	3.34%	商社	2.53%
造船	2.84%	窯業	3.32%	不動産	2.42%
電力	2.81%	その他金融	3.25%	倉庫	2.42%
不動産	2.78%	機械	3.12%	その他金融	2.26%
鉱業	2.77%	化学	3.05%	化学	2.21%
ゴム	2.66%	鉄鋼	2.92%	窯業	2.19%
非鉄金属製品	2.65%	非鉄金属製品	2.89%	ガス	2.16%
空運	2.57%	繊維	2.79%	非鉄金属製品	2.06%
機械	2.54%	その他製造	2.77%	陸運	2.06%
輸送用機器	2.50%	海運	2.60%	その他製造	2.05%
窯業	2.49%	輸送用機器	2.59%	繊維	1.97%
化学	2.46%	電力	2.58%	鉄鋼	1.87%
その他金融	2.35%	電気機器	2.51%	通信	1.87%
その他製造	2.31%	陸運	2.48%	機械	1.85%
サービス	2.28%	倉庫	2.48%	水産	1.84%
医薬品	2.18%	造船	2.45%	医薬品	1.78%
精密機器	2.13%	ガス	2.31%	自動車	1.78%
倉庫	2.09%	小売業	2.26%	食品	1.71%
ガス	2.07%	精密機器	2.25%	精密機器	1.71%
パルプ・紙	2.00%	通信	2.20%	電気機器	1.66%
海運	1.99%	水産	2.03%	輸送用機器	1.58%
電気機器	1.98%	サービス	1.96%	小売業	1.58%
通信	1.93%	食品	1.89%	パルプ・紙	1.46%
陸運	1.88%	パルプ・紙	1.88%	サービス	1.43%
食品	1.83%	医薬品	1.80%	空運	0.78%
水産	1.80%	空運	1.48%	造船	0.78%
鉄道・バス	1.40%	鉄道・バス	1.28%	鉄道・バス	0.76%

高配当株が多い業種と少ない業種

前ページの表4・15から、まずは実績配当利回りが高く、高配当株が多い業種の特徴をまとめておきます。

石油

石油は以前から配当利回りが高い業種で、現在もその流れを引き継いでいます。2019年が3位、2020年が4位、2021年が2位と、安定して高い順位が続いています。合併で寡占化が進み銘柄数は少なくなっていますが、各銘柄とも配当利回りが比較的高くなっています（表4・16）。中でも、**ENEOSホールディングス（5020）**は株価の動きが比較的安定していて大きく下がることが少なく、高配当株投資に向いています（図4・4）。

ENEOSは石油元売り1位の企業ですが、カーボンニュートラルの流れを見据え、石油生産段階での二酸化炭素排出削減のほか、再生可能エネルギー発電事業や水素供給事業

表4-16●石油関係の高配当株の例

銘柄（証券コード）	配当利回り（%）/（年間1株配当）			
	2019年3月期	2020年3月期	2021年3月期	2022年3月期予想
ENEOS HD（5020）	4.62（21円）	5.94（22円）	4.39（22円）	5.05（22円）
出光興産（5019）	3.89（100円）	6.46（160円）	4.20（120円）	4.04（120円）
コスモエネルギーHD（5021）	3.23（80円）	5.26（80円）	3.03（80円）	4.36（100円）

※2022年3月期予想は2021年11月26日時点の会社予想と株価で計算

図4-4●ENEOSホールディングス（5020）の株価の動き

週足/2017.6～2021.11

表4-17●証券業の高配当株の例

銘柄（証券コード）	配当利回り（%）/（年間1株配当）			
	2019年3月期	2020年3月期	2021年3月期	2022年3月期予想
岩井コスモHD（8707）	5.32（75円）	7.97（75円）	6.62（117円）	—
いちよし証券（8624）	5.65（34円）	7.17（32円）	5.54（34円）	—
極東証券（8706）	5.70（45円）	5.15（30円）	5.75（50円）	—
松井証券（8628）	10.37（84円）	5.67（45円）	4.44（40円）	—
大和証券グループ本社（8601）	3.67（21円）	4.77（20円）	6.29（36円）	—

※各社とも2022年3月期予想は未定で発表していない

にも力を入れ、推進しています。

▼証券

証券は2019年が1位、2020年が2位、2021年が1位と、3年連続で高い順位でした。

証券会社の収益は主に売買手数料なので、株式市場が好調になると業績が良くなり、配当が増えます。2020年は新型コロナウイルスの影響で春先から株式市場が一時大きく下落しましたが、その後は比較的順調に推移しているため、配当利回りも高い水準をキープしています。

中でも、**岩井コスモホールディングスHD（8707）**、**いちよし証券（8624）**、**極東証券（8706）**などが高配当利回りとなっています（表4・17）。

表4-18●建設業の高配当株の例

銘柄（証券コード）	配当利回り（%）/（年間1株配当）			
	2019年3月期	2020年3月期	2021年3月期	2022年3月期予想
三機工業（1961）	3.99（60円）	7.84（95円）	5.51（80円）	5.00（70円）
奥村組（1833）	5.07（153円）	6.36（143円）	4.76（140円）	4.43（143円）
イチケン（1847）	4.24（80円）	7.48（90円）	4.38（90円）	4.82（90円）
長谷工（1808）	5.36（80円）	6.05（70円）	4.52（70円）	5.00（70円）
日本国土開発（1887）	5.48（32円）	5.27（28円）	4.23（26円）	4.53（26円）

※2022年3月期予想は2021年11月26日時点の会社予想と株価で計算

建設

石油と証券は3年連続して高い順位でしたが、それ以外の業種は順位の入れ替わりがあり、安定してはいません。そのような中で比較的安定していた業種として、**建設**があります。2019年は8位、2020年は3位、2021年は5位でした。

建設は銘柄が多く、銘柄によって配当の良し悪しには差があります。また、前述したような老朽化したインフラの整備や2025年の大阪万博などはありますが、東京オリンピックが終了したことで、建築の需要が下がって業績が下がることも考えられますので、その点は注意すべきです。

保険

保険も安定した業種で、特に災害が少なかった年

表4-19●保険業の高配当株の例

銘柄（証券コード）	配当利回り（%）/（年間1株配当）			
	2019年3月期	2020年3月期	2021年3月期	2022年3月期予想
かんぽ生命保険（7181）	3.67（72円）	5.67（76円）	3.34（76円）	5.15（90円）
SOMPOホールディングス（8630）	2.88（130円）	4.49（150円）	4.01（170円）	4.38（210円）
MS&ADインシュアランスHD（8725）	4.15（140円）	4.96（150円）	4.77（155円）	4.88（165円）
東京海上ホールディングス（8766）	4.76（250円）	4.55（225円）	4.46（235円）	4.10（245円）
T&Dホールディングス（8795）	3.01（42円）	4.98（46円）	3.23（46円）	3.96（56円）

※2022年3月期予想は2021年11月26日時点の会社予想と株価で計算

は上位になりやすいです。２０１９年が5位、２０２０年は1位、２０２１年は3位でした。特に、大手の保険会社は業績が安定していて、配当利回りも高いです。

ＭＳ＆ＡＤインシュアランスグループＨＤ（８７２５）、ＳＯＭＰＯホールディングス（８６３０）、東京海上ホールディングス（８７６６）の配当利回りが高くなってきています。

電力

電力株は安定した配当が得られるのが特徴です。東日本大震災の影響で一時は業績が大幅に悪化し減配や無配になり、配当利回りも低下しました。その後、業績は回復してきており配当も以前の水準にほぼ戻りましたが、株価があまり回復していないため相対的に利回りが上昇し

表4-20●電力の高配当株の例

銘柄（証券コード）	配当利回り（%）/（年間1株配当）			
	2019年3月期	2020年3月期	2021年3月期	2022年3月期予想
中部電力（9502）	3.39（45円）	3.28（50円）	3.51（50円）	4.26（50円）
関西電力（9503）	4.77（50円）	4.15（50円）	4.17（50円）	4.83（50円）
中国電力（9504）	4.94（50円）	3.32（50円）	3.68（50円）	
東北電力（9506）	4.68（40円）	3.84（40円）	3.83（40円）	5.11（40円）
沖縄電力（9511）	4.24（57.1円）	3.03（57.1円）	3.87（60円）	4.28（60円）

※2022年3月期予想は2021年11月26日時点の会社予想と株価で計算。中国電力は、2022年3月期予想は未定で発表していない

ています（表4・20）。

東京電力は無配のままですが、その他の各社は4％以上と、比較的配当利回りは高いです。

▼配当利回りが低い業種

一方、配当利回りが低く、高配当株が少ない業種もあります。全体的に見て、ディフェンシブな業種の方がその傾向があります。

●鉄道・バス

鉄道・バスは、2021年まで3年連続で最下位となっています。

鉄道やバスはディフェンシブ株の代表的な存在で、これまでは景気の影響は受けにくく、業績は比較的安定していました。しかし、2020年から2021年にかけては、新型コロナウイルスの影響で業績が大きく悪化し、株価も下落しました。

ただ、それでも株価は比較的高値の水準を保っており、株価が高い割に配当が少なく、配当利回りが低い状態になっています。

●医薬品

医薬品は2019年と2021年が25位、2020年が下から3番目と低い順位で安定しています。医薬品もディフェンシブ株の代表的な存在です。

一部には配当利回りがそこそこ高い銘柄もありますが（武田薬品工業やキョーリン製薬HDなど）、一方で無配のベンチャー企業も多く、平均すると配当利回りは低くなります。ベンチャー企業は成長株投資の対象にはなりますが、高配当株投資には向いていません。

●食品

食品株は、2019年が下から3番目、2020年が下から5番目で、低い順位で安定しています。医薬品と並んでディフェンシブ株の代表的な存在でもあります。

以前は株価があまり変動しない業種でしたが、2015年から2017年にかけて全体的に株価が大きく上昇し、そのまま高値を保っている銘柄が多い傾向があります。一方で、配当はさほど増えていませんので、配当利回りが平均的に低い状況になっています。

●精密機器

精密機器も、安定的に配当利回りが低い業種になっています。平均的にPERが高い（＝

利益の割に株価が高い）業種であり、そのために配当利回りが相対的に低くなっている傾向があります。株式市場全体で見れば４％台や５％台の銘柄も多くありますが、精密機器の銘柄では最も高いものでも３％台です。

●サービス

サービス業は含まれる範囲が広く、銘柄数が圧倒的に多い業種です。中でも、ソフトウェア系やインターネット系の企業が多くなっています。

成長中の企業も多く、利益を配当にあまり回さずに今後のための投資に使っているところが多いです。そのためサービス業全体で配当利回りを平均すると、低くなります。

したがって、高配当株投資を行う上では、対象としてあまり考えられません。ただ、成長して売上や利益が伸びれば株価も上がりますので、成長株投資の対象にはなります。

▼安定した高配当株投資に向いている業種は？

ここまでで、業種による配当利回りの傾向について述べてきました。では、高配当株投資に向いている業種は何だといえるでしょうか？

配当利回りが高いことは重要ですが、それだけではありません。景気敏感株のような業績の変動が大きすぎて、状況によって株価や配当の急落があり得るような業種は、なるべく避けるか、銘柄を厳選する必要があります。

例えば、証券株は本書執筆時点では配当利回りが非常に高く、良いように見えます。しかし、証券会社の業績は株式市場の動きに大きく左右され、業績が悪化すれば株価が下落し、配当も大きく減る恐れがあります。そのため、中長期的な高配当株投資にはあまり適していません。

また、**建設株**も景気敏感株です。証券株ほどではありませんが、景気によって業績が変動し、株価や配当も上下します。本書執筆時点では、東京オリンピックによる建設需要が一巡した後であり、今後は株価や配当を維持できなくなる可能性もあります。

それから**海運株**も景気敏感株で、2021年に業績が急回復しました。例えば、日本郵船の2022年3月期の予想配当は前期比3倍以上の大幅増配となっており、本書執筆時点でも配当利回りは10％もあります。株価は2021年1月に比べ、9月末には約4倍の1万1000円まで急騰しましたが、そこから一気に7500円割れまで急落しました。

現在の配当利回りが高くても、買った後に株価が大幅に下がっては元も子もありません。また、株価が大きく下がるということは、買われ過ぎで上昇したため業績から見て適正水準まで売られたか、業績が悪化しているか、ということです。もし後者であれば、いずれ配当も大きく減る恐れがあります。景気の動向に注意しつつ、売買のタイミングが大事だということです。

一方、石油株も業績の変動があって株価は上下しますが、配当は安定的に出す傾向があります。中でも、207ページで述べたように、ENEOSホールディングスは株価も比較的安定していて、長期保有に向いているといえます。

▼高配当株投資に適していない業種

ここまでで見てきたように、本書執筆時点ではディフェンシブ株は全般的に配当利回りが低く、高配当株投資に向かない状態になっています。ディフェンシブ株は株価があまり上がらない傾向がありますが、アベノミクスの影響で株価が上がり、そこからあまり下がっていないため、これ以上買い進むのはリスクが大きいと考えられます。

第5章

中長期で持てる厳選高配当株20

ここまでの章では、銘柄の探し方や売買のタイミングなど、高配当株投資の進め方を解説してきました。しかし、「具体的にどの銘柄が良いかわからない」という声もあるかと思います。そこで本章では、高配当株投資に適していると思われる銘柄を20個紹介します。

●銘柄選択の考え方

第5章では、多数の銘柄の中から、主に以下のような基準で高配当株銘柄を選びました。

①本書執筆時点（2012年11月）の直近の決算で、業績が比較的堅調である
②現状で配当利回りが高い（3％以上）か、今後配当が増えて高配当株になりそうである
③PERやPBRが高すぎない

上記のほか、「連続増配中か、減配していない」「内部留保が厚い」「株主優待が良い」「期待の新興市場銘柄である」など、本書で紹介する高配当株の要素のいずれかに合致している銘柄も選びました。

ただし、第4章でも述べたように、今後景気が悪化して株価が下落することもあり得ますので、景気動向などをよく観察し、タイミングをよく吟味することが肝要です。投資の最終判断はご自身の自己責任でお願い致します。

●データの見方

各銘柄について、以下のデータを記載しています。なお、基準日は2021年11月24日としています。

●各銘柄のデータの内容

項目	内容
市場	上場している市場
決算期	毎年の決算が行われる時期
単元	1単元の株数
業種	日経業種分類での各銘柄が属する業種
株価	基準日(2021年11月24日)時点の株価
連結予想PER	基準日の株価を、直近四半期決算での会社の予想1株益で割った値
連結PBR	基準日の株価を、直近本決算での1株当たり純資産で割った値
ROE	基準日の直近の本決算でのROE
ROA	基準日の直近の本決算でのROA
予想配当利回り	直近四半期決算での会社の予想1株配当を基準日の株価で割った値
配当性向(予想値)	直近四半期決算での予想1株配当を会社予想1株益で割った値
自己資本比率	基準日の直近の四半期決算での自己資本比率
株主優待	株主優待の有無
当面の予想株価水準	本書執筆時点から1年程度の期間に株価が動くと思われる水準
業績／業績予想	4期分の連結本決算の業績数値と会社の今期予想値(2021年11月24日現在)。詳細は各期の決算短信などを参照。「経常利益」「税引前利益」の列名は、直近決算の会計基準に合わせている

8411
みずほフィナンシャルG

高配当利回り

三大メガバンクの一角。過去10年にわたって、株価が1,500円～2,000円付近を上下する動きが続いており、株価の動きが安定していることが特徴。予想配当利回りも5.5%と高くなっている。ただ、トラブルが相次いでいることには注意を要する。

週足/2017.6～2021.11

市場　東証一部
決算期　3月末
単元　100株
業種　銀行
株価　1,455.5円（2021.11.24）
連結予想PER　6.96倍
連結PBR　0.40倍

ROE　5.3%
ROA　0.2%
予想配当利回り　5.50%
配当性向　38.3%
自己資本比率　4.1%
株主優待　なし
当面の予想株価水準　1,400円～1,800円

決算期	経常収益（百万円）	経常利益（百万円）	当期純利益（百万円）	1株益（円）	1株配当（円）
2018.3	3,561,125	782,447	576,547	227.2	75
2019.3	3,925,649	614,118	96,566	3.80	75
2020.3	3,986,701	637,877	448,568	176.8	75
2021.3	3,218,095	536,306	471,020	185.8	75
2022.3（予）			530,000	209.03	80

※2022年3月期の経常収益・経常利益予想は未発表

8725

MS&ADインシュアランスグループHD 高配当利回り

三井住友海上、あいおいニッセイ同和損保、三井住友海上あいおい生命などを傘下にもつ持株会社。本文中で述べた通り、保険会社は比較的配当利回りが高く、MS&ADも約4.8%となっている。株価の動きは比較的安定していて、コロナ禍の影響はさほどない。有利子負債もなく、財務も良好。

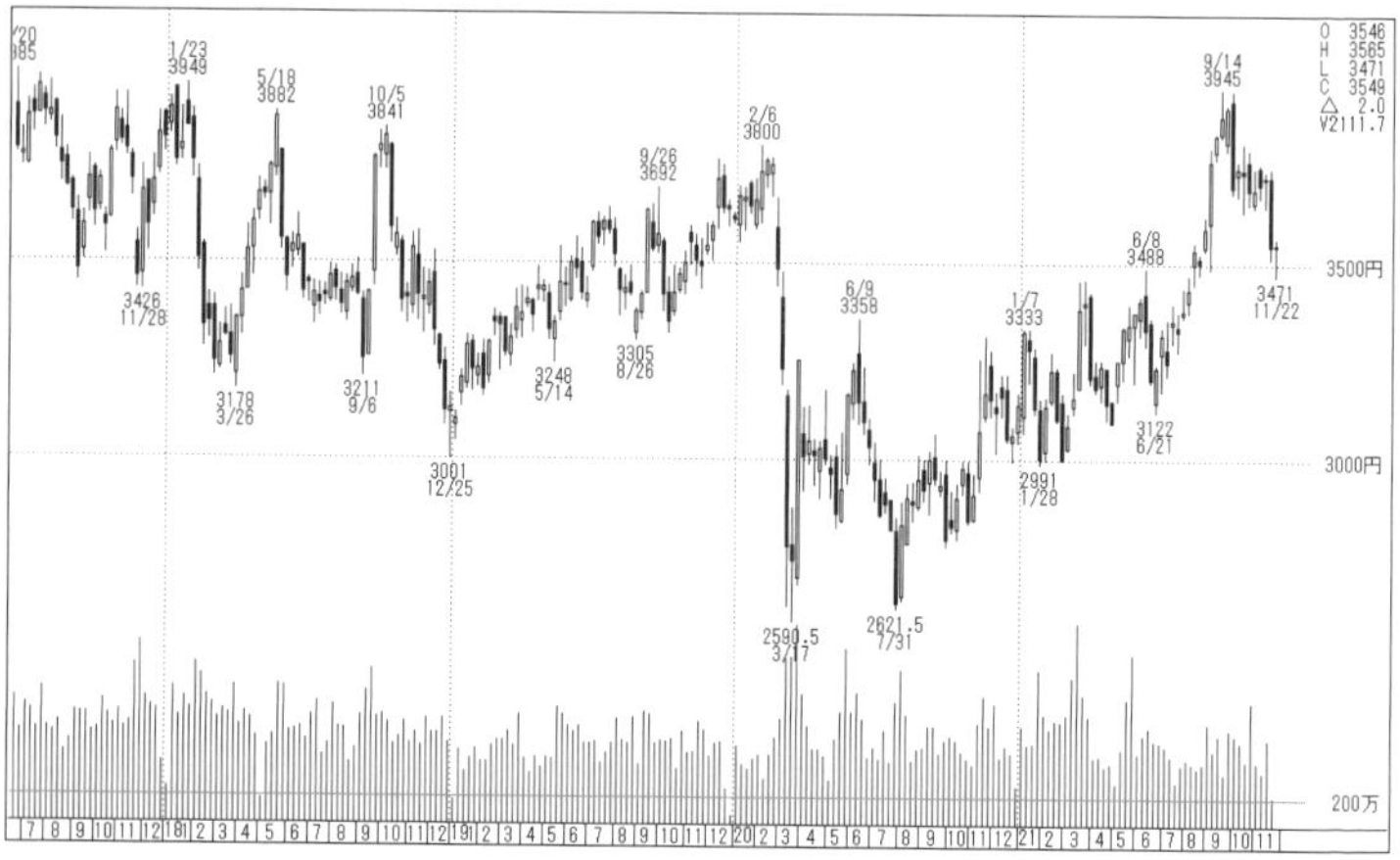

週足/2017.6〜2021.11

市場　東証一部
決算期　3月末
単元　100株
業種　保険
株価　3,460円（2021.11.24）
連結予想PER　8.37倍
連結PBR　0.63倍

ROE　5.2%
ROA　0.6%
予想配当利回り　4.77%
配当性向　38.9%
自己資本比率　13.4%
株主優待　なし
当面の予想株価水準　3,000円〜4,000円

決算期	経常収益（百万円）	経常利益（百万円）	当期純利益（百万円）	1株益（円）	1株配当（円）
2018.3	5,217,835	211,548	154,057	260.0	130
2019.3	5,500,438	290,847	192,705	328.7	140
2020.3	5,168,361	157,701	143,030	248.4	150
2021.3	4,892,244	306,524	144,398	255.8	155
2022.3（予）		330,000	230,000	414.2	165

※2022年3月期の経常収益予想は未発表

2768
双日

高配当利回り

2004年、ニチメンと日商岩井が合併してできた総合商社。総合商社は配当利回りが良い傾向があり、双日も配当利回りが5%台になっている。ただし、配当は業績にほぼ連動していて、減配することもあるので、その点には注意が必要。

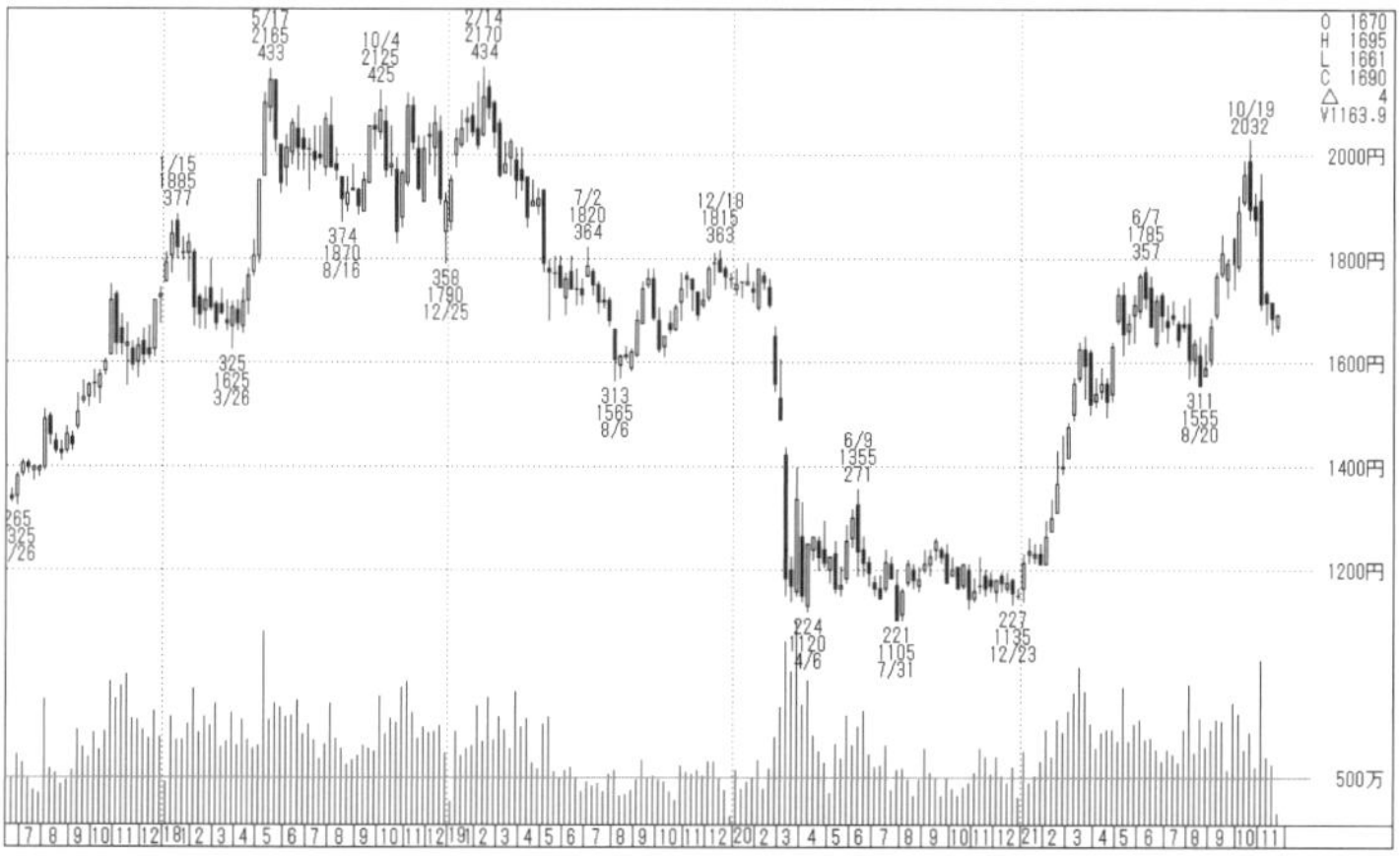

週足/2017.6～2021.11

市場　東証一部
決算期　3月末
単元　100株
業種　商社
株価　1,683円（2021.11.24）
連結予想PER　5.68倍
連結PBR　3.3倍

ROE　4.5%
ROA　1.2%
予想配当利回り　5.35%
配当性向　31.5%
自己資本比率　26.8%
株主優待　なし
当面の予想株価水準　1,250円～2,000円

決算期	収益（百万円）	税引前利益（百万円）	当期純利益（百万円）	1株益（円）	1株配当（円）
2018.3	1,816,459	80,343	56,842	45.4	11
2019.3	1,856,190	94,882	70,419	56.3	17
2020.3	1,754,825	75,528	60,821	48.9	17
2021.3	1,602,485	37,420	27,001	22.5	10
2022.3（予）			70,000	299.8	90

※2022年3月期の収益・税引前利益予想は未発表。2021年10月1日に5株を1株に株式併合

2914

日本たばこ産業(JT)

高配当利回り

たばこを中心に、食品や医薬品も手がける。海外たばこ事業の比重が高くなっている。2021年12月期は減配予想だが、それでも配当利回りが約6%とかなり高くなっており、配当性向も高い。株価は2016年頃から下落が続いてきたが、2020年後半あたりから底打ち感が出ている。

週足/2017.6～2021.11

市場　東証一部
決算期　12月末
単元　100株
業種　食品
株価　2,291円（2021.11.24）
連結予想PER　12.32倍
連結PBR　1.61倍

ROE　12.0%
ROA　5.7%
予想配当利回り　6.11%
配当性向　72.6%
自己資本比率　49.6%
株主優待　あり
当面の予想株価水準　1,800円～2,500円

決算期	売上（百万円）	営業利益（百万円）	税引前利益（百万円）	当期純利益（百万円）	1株益（円）	1株配当（円）
2017.12	2,139,653	561,101	538,532	392,409	219.1	140
2018.12	2,215,962	564,984	531,486	385,677	215.3	150
2019.12	2,175,626	502,355	465,232	348,190	196.0	154
2020.12	2,092,561	469,054	420,063	310,253	174.9	154
2021.12(予)	2,280,000	478,000		330,000	186.0	140

※2021年12月期の税引前利益予想は未発表

9434
ソフトバンク

高配当利回り

ソフトバンクG（9984）の子会社。携帯電話のソフトバンク、ワイモバイルを中心に、Zホールディングス（ヤフー）、PayPayなどを傘下に持つ企業。配当利回りが6%近くと高く、株価の動きも比較的安定している。配当をもらい続けるのに良さそうだ。

週足/2018.12～2021.11

市場　東証一部
決算期　3月末
単元　100株
業種　通信
株価　1,588円（2021.11.24）
連結予想PER　14.91倍
連結PBR　4.92倍

ROE　39.1%
ROA　4.5%
予想配当利回り　5.42%
配当性向　81.4%
自己資本比率　13.5%
株主優待　なし
当面の予想株価水準　1,300円～1,600円

決算期	売上(百万円)	営業利益(百万円)	税引前利益(百万円)	当期純利益(百万円)	1株益(円)	1株配当(円)
2018.3	3,582,635	637,933	597,554	400,749	97.6	181.4
2019.3	3,746,305	719,459	631,548	430,777	90.0	37.5
2020.3	4,861,247	911,725	811,195	473,135	99.3	85
2021.3	5,205,537	970,770	847,699	491,287	103.9	86
2022.3(予)	5,500,000	975,000		500,000	105.7	86

※2022年3月期の税引前利益予想は未発表

5020

ENEOSホールディングス 高配当利回り

石油元売りのトップ企業だが、近年は脱炭素を見据えて、水素供給事業や再生可能エネルギー事業にも力を入れている。株価の動きが安定していて、過去10年のほとんどの期間で400円～500円程度で上下している。配当も安定的に出しており、配当利回りが約5%となっている。

週足/2017.6～2021.11

市場　東証一部
決算期　3月末
単元　100株
業種　石油
株価　436.3円（2021.11.24）
連結予想PER　5.00倍
連結PBR　0.60倍

ROE　4.9%
ROA　1.4%
予想配当利回り　5.04%
配当性向　25.2%
自己資本比率　29.5%
株主優待　なし
当面の予想株価水準　400円～550円

決算期	売上(百万円)	営業利益(百万円)	税引前利益(百万円)	当期純利益(百万円)	1株益(円)	1株配当(円)
2018.3	10,301,072	487,546	467,435	361,922	105.9	19
2019.3	11,129,630	537,083	508,617	322,319	95.4	21
2020.3	10,011,774	△113,061	△135,764	△187,946	△57.9	22
2021.3	7,658,011	254,175	230,891	113,998	35.5	22
2022.3(予)	10,300,000	470,000	450,000	280,000	87.2	22

8999
グランディハウス

高配当利回り

北関東が地盤の住宅販売会社。成長中で売上・利益・配当が伸びつつあり、株価もここ10年、右肩上がりで推移している。2022年3月期は40％以上の増益予想。配当は当初減配の予想だったが、業績予想が上方修正されて配当も据え置きの予想となっている。

週足/2017.6～2021.11

市場　東証一部
決算期　3月末
単元　100株
業種　不動産
株価　494円（2021.11.24）
連結予想PER　7.24倍
連結PBR　0.62倍

ROE　7.7％
ROA　3.0％
予想配当利回り　4.86％
配当性向　35.1％
自己資本比率　41.2％
株主優待　なし
当面の予想株価水準　450円～550円

決算期	売上（百万円）	営業利益（百万円）	経常利益（百万円）	当期純利益（百万円）	1株益（円）	1株配当（円）
2018.3	44,726	2,695	2,796	1,827	63.5	16
2019.3	44,452	3,131	3,288	2,065	71.6	18
2020.3	45,541	2,142	2,310	1,413	48.8	23
2021.3	47,024	1,958	2,106	1,732	59.6	24
2022.3（予）	52,400	3,200	3,000	2,000	68.4	24

1961
三機工業

高配当利回り

ビルや工場などの空調設備や給排水衛生設備、防災設備など各種の設備工事を行う企業。電気事業なども手掛けている。リーマンショックで一時落ち込んだものの、その後は徐々に業績を伸ばしていて、株価も右肩上がりになっている。配当利回りも5%弱と高くなっている。

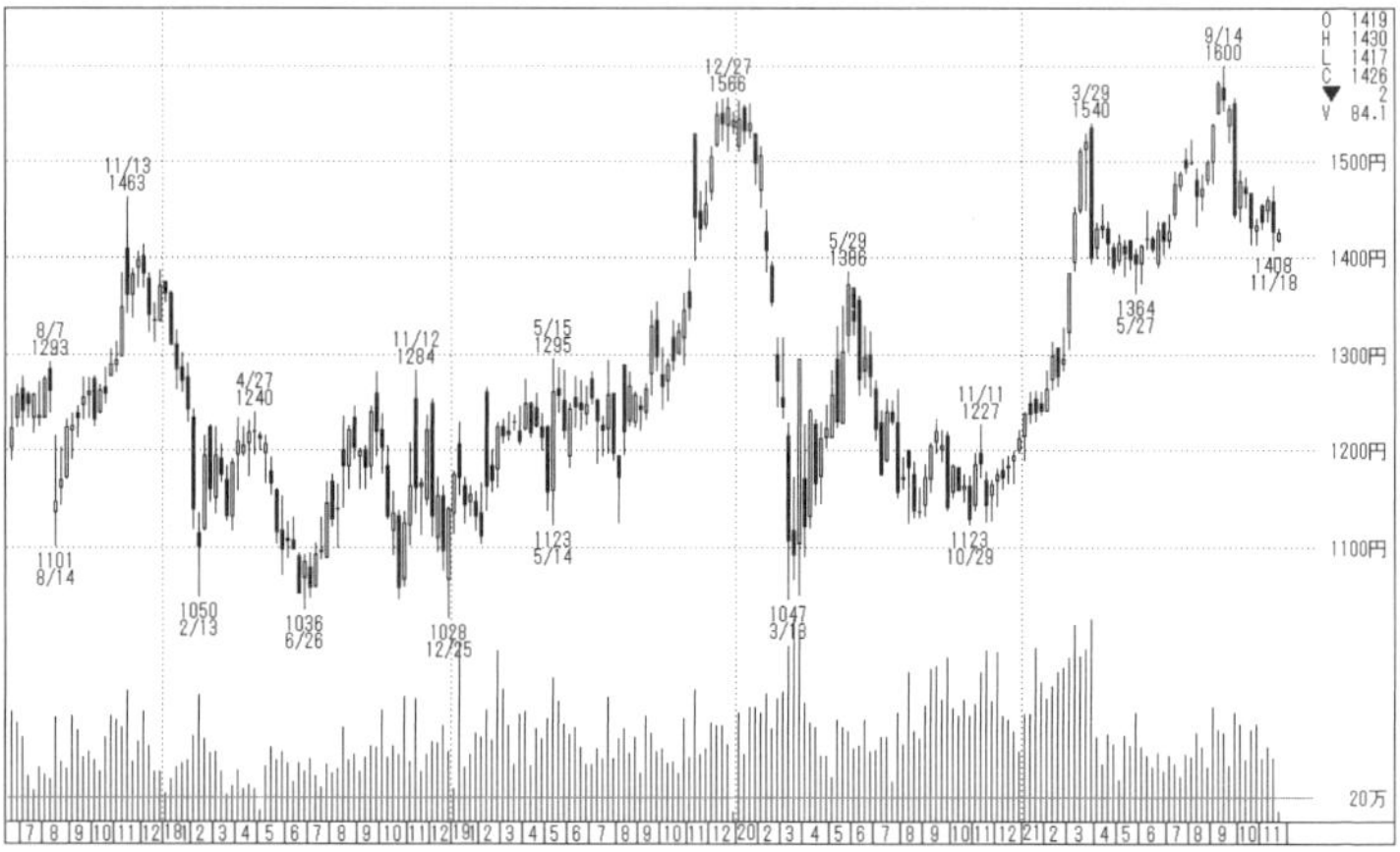

週足/2017.6～2021.11

市場　東証一部
決算期　3月末
単元　100株
業種　建設
株価　1,414円（2021.11.24）
連結予想PER　11.46倍
連結PBR　0.88倍

ROE　6.6%
ROA　3.4%
予想配当利回り　4.95%
配当性向　56.8%
自己資本比率　55.4%
株主優待　なし
当面の予想株価水準　1,300円～1,700円

決算期	売上(百万円)	営業利益(百万円)	経常利益(百万円)	当期純利益(百万円)	1株益(円)	1株配当(円)
2018.3	170,157	6,593	7,434	3,906	63.0	35
2019.3	212,314	10,637	11,204	9,046	150.0	60
2020.3	207,684	10,674	11,224	7,576	128.5	95
2021.3	190,067	7,498	8,196	5,901	103.1	80
2022.3(予)	200,000	9,500	10,000	7,000	123.4	70

3513
イチカワ

高配当利回り

製紙用の抄紙用具、工業用フェルトのメーカー。業績が安定しているため、株価の動きも比較的小さく、ここ8年ほどは下値も1,200円程度で安定している。配当も2016年3月期以降、年60円をキープしている。株価の値上がりは期待しにくいが、安定配当を得るのには適している。

週足/2017.6～2021.11

市場　東証一部
決算期　3月末
単元　100株
業種　繊維
株価　1,357円（2021.11.24）
連結予想PER　12.68倍
連結PBR　0.34倍

ROE　2.0%
ROA　1.5%
予想配当利回り　4.42%
配当性向　56.0%
自己資本比率　73.0%
株主優待　なし
当面の予想株価水準　1,200円～1,500円

決算期	売上（百万円）	営業利益（百万円）	経常利益（百万円）	当期純利益（百万円）	1株益（円）	1株配当（円）
2018.3	12,417	592	675	344	72.5	60
2019.3	12,357	485	611	366	77.0	60
2020.3	11,945	418	534	358	77.7	60
2021.3	11,598	323	489	369	80.8	60
2022.3（予）	11,900	480	750	490	107.1	60

3817

SRAホールディングス

高配当利回り

企業の危機管理、内部統制、ネットワークセキリュティなど、各種ITシステムの開発・構築を行う企業で、DXに関連する銘柄である。徐々に業績を伸ばしていて、配当もここ10年で3倍に増えている。2018年～2019年を除いて、株価もおおむね順調に上昇している。

週足/2017.6～2021.11

市場　東証一部
決算期　3月末
単元　100株
業種　サービス
株価　2,881円（2021.11.24）
連結予想PER　12.05倍
連結PBR　1.58倍

ROE　14.5%
ROA　8.4%
予想配当利回り　4.17%
配当性向　50.2%
自己資本比率　61.9%
株主優待　なし
当面の予想株価水準　2,500円～3,000円

決算期	売上(百万円)	営業利益(百万円)	経常利益(百万円)	当期純利益(百万円)	1株益(円)	1株配当(円)
2018.3	39,410	4,175	4,762	2,060	168.1	110
2019.3	40,793	4,078	4,469	2,023	164.1	110
2020.3	43,642	4,948	4,951	△612	△49.7	110
2021.3	39,386	5,026	5,268	3,073	249.1	120
2022.3(予)	42,000	5,060	4,760	2,950	239.1	120

9508

九州電力

高配当利回り

九州7県に電力を供給する電力会社。2011年の東日本大震災の影響で一時は利益が大きく落ち込み無配が続いたが、2016年3月期から復配し、配当も戻りつつある。2022年3月期は5円増配（年40円）を予定していて、配当利回りが5%近くになっている。

週足/2017.6～2021.11

市場　東証一部
決算期　3月末
単元　100株
業種　電力
株価　823円（2021.11.24）
連結予想PER　8.65倍
連結PBR　0.70倍

ROE　5.1%
ROA　0.6%
予想配当利回り　4.86%
配当性向　44.1%
自己資本比率　13.2%
株主優待　なし
当面の予想株価水準　750円～1,000円

決算期	売上（百万円）	営業利益（百万円）	経常利益（百万円）	当期純利益（百万円）	1株益（円）	1株配当（円）
2018.3	1,960,359	103,123	73,678	86,657	175.6	20
2019.3	2,017,181	86,575	52,544	30,970	58.1	30
2020.3	2,013,050	63,813	40,052	△419	△6.1	35
2021.3	2,131,799	77,397	55,683	32,167	63.6	35
2022.3（予）	1,640,000	100,000	70,000	45,000	90.7	40

4732

ユー・エス・エス

連続増配

中古車オークション会場運営を行う企業で最大手。好財務・高収益で、自己資本比率も80%超と高い。21年連続増配を達成しており、2022年3月期も増配予想だ。2015年以降は1,500円～2,400円程度のラインで上下している。100株保有の場合、株主優待も含めると利回りは3.6%程度となる。

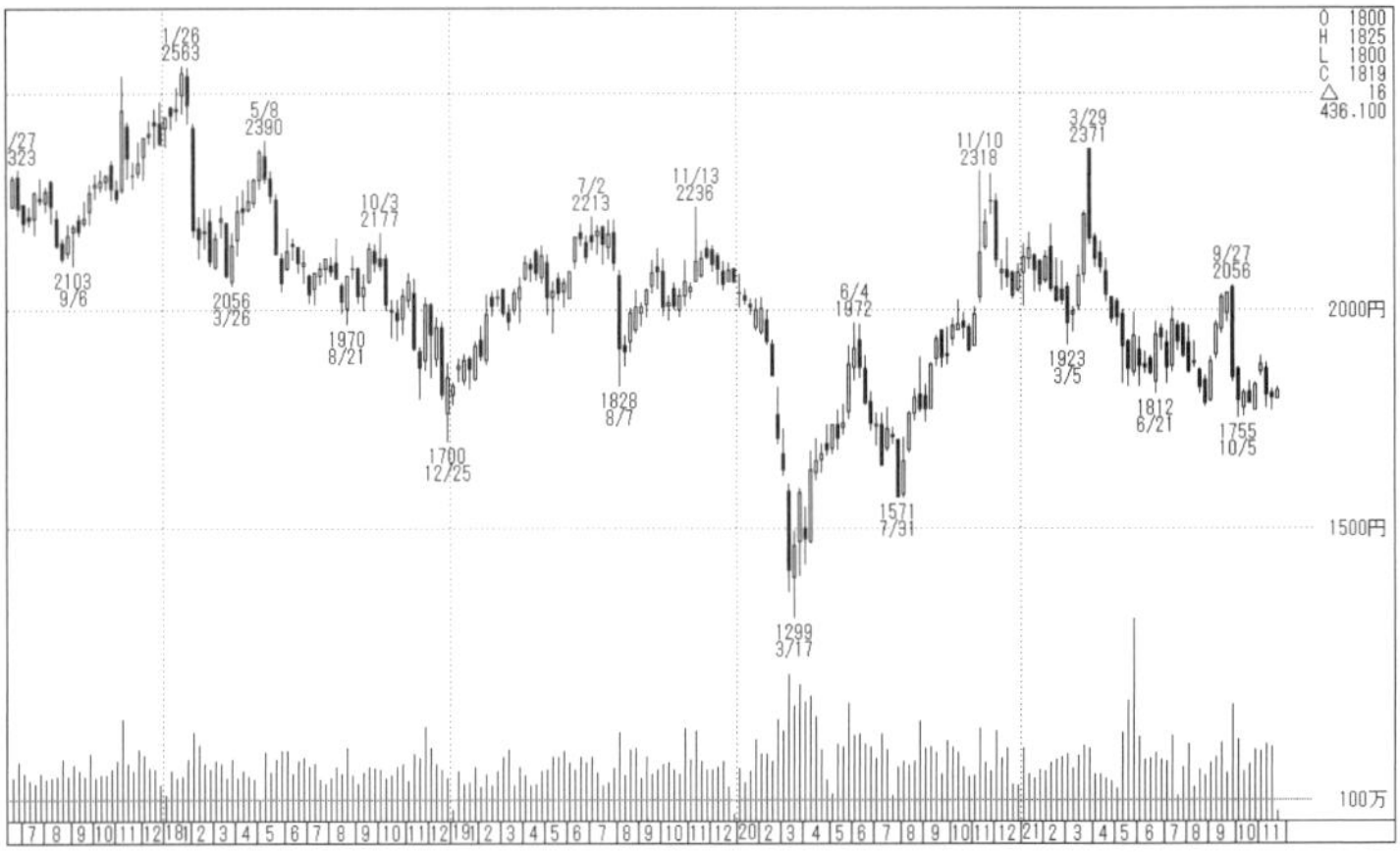

週足/2017.6～2021.11

市場	東証一部	ROE	2.3%
決算期	3月末	ROA	1.9%
単元	100株	予想配当利回り	3.29%
業種	サービス	配当性向	54.9%
株価	1,774円（2021.11.24）	自己資本比率	80.1%
連結予想PER	16.69倍	株主優待	あり
連結PBR	2.58倍	当面の予想株価水準	1,700円～2,200円

決算期	売上（百万円）	営業利益（百万円）	経常利益（百万円）	当期純利益（百万円）	1株益（円）	1株配当（円）
2018.3	75,153	36,071	36,676	24,285	95.6	47.8
2019.3	79,908	37,123	38,039	25,543	100.5	50.4
2020.3	78,143	36,009	36,710	20,634	82.4	55.4
2021.3	74,874	36,227	36,996	4,022	16.1	55.5
2022.3（予）	77,600	38,400	39,100	26,500	106.3	58.4

7466

SPK

連続増配

クラッチ、ブレーキ、電装品など各種自動車部品を取り扱う専門商社で、自社ブランドもある。操業100年を超えた老舗企業でもある。23年連続増配で、2022年3月期も増配予想となっている。業績も着実に伸びていて、株価も2008年以降、長期でほぼ右肩上がりが続いている。長期保有に適しているといえる。

週足/2017.6～2021.11

市場　東証一部
決算期　3月末
単元　100株
業種　商社
株価　1,368円（2021.11.24）
連結予想PER 9.62倍
連結PBR　0.73倍

ROE　7.5%
ROA　5.2%
予想配当利回り　2.92%
配当性向　28.1%
自己資本比率　68.8%
株主優待　なし
当面の予想株価水準　1,200円～1,500円

決算期	売上（百万円）	営業利益（百万円）	経常利益（百万円）	当期純利益（百万円）	1株益（円）	1株配当（円）
2018.3	42,461	1,835	1,874	1,271	126.7	32.5
2019.3	42,885	1,925	1,918	1,421	141.5	33.5
2020.3	43,860	1,945	1,932	1,553	154.7	36.0
2021.3	41,902	2,044	2,042	1,383	137.7	37.0
2022.3（予）	45,700	2,100	2,100	1,428	142.2	40

9433

KDDI

連続増配

「au」ブランドで知られる携帯電話などの通信事業を行う企業。2020年3月から「au5G」の供給を開始。安定的に成長していて、19年連続増配している。コロナ禍の中でも株価の動きが安定している。株主優待もあり、5年以上保有を続けると優待がアップするのも魅力。

週足/2017.6〜2021.11

市場　東証一部
決算期　3月末
単元　100株
業種　通信
株価　3,444円（2021.11.24）
連結予想PER 11.86倍
連結PBR 1.65倍

ROE　14.3%
ROA　6.5%
予想配当利回り　3.63%
配当性向　42.7%
自己資本比率　46.3%
株主優待　あり
当面の予想株価水準　3,000円〜4,000円

決算期	売上(百万円)	営業利益(百万円)	税引前利益(百万円)	当期純利益(百万円)	1株益(円)	1株配当(円)
2018.3	5,041,978	962,793	955,147	572,528	235.5	90
2019.3	5,080,353	1,013,729	1,010,275	617,669	259.1	105
2020.3	5,237,221	1,025,237	1,020,699	639,767	275.7	115
2021.3	5,312,599	1,037,395	1,038,056	651,496	284.2	120
2022.3(予)	5,350,000	1,050,000		655,000	292.7	125

※2022年3月期の税引前利益予想は未発表

8593
三菱HCキャピタル

高配当利回り・連続増配

三菱商事系の大手リース会社。2021年4月に日立キャピタルと経営統合し、売上や利益が大きく伸びる（ただし、発行済株式数が増えるため、1株益はあまり変化しない）。22年連続増配で、2022年3月期も増配の予想だ。連結予想PERが8倍台、連結PBRも0.66倍と、割安感もある。

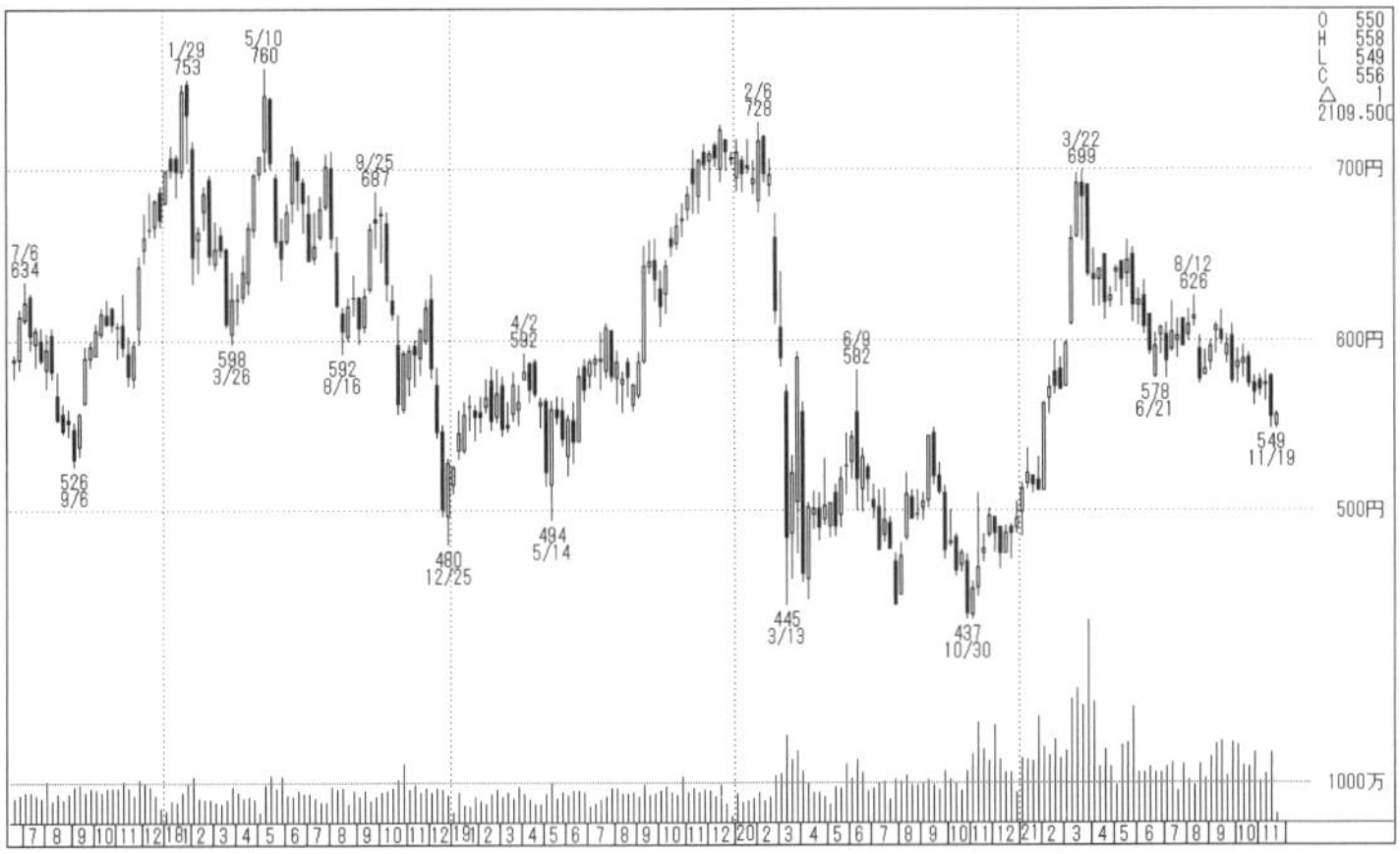

週足/2017.6～2021.11

市場　東証一部
決算期　3月末
業種　銀行
単元　100株
株価　562円（2021.11.24）
連結予想PER　8.49倍
連結PBR　0.62倍
ROE　7.0%
ROA　0.9%
予想配当利回り　4.63%
配当性向　39.3%
自己資本比率　13.0%
株主優待　なし
当面の予想株価水準　500円～700円

決算期	売上(百万円)	営業利益(百万円)	経常利益(百万円)	当期純利益(百万円)	1株益(円)	1株配当(円)
2018.3	869,948	79,285	86,177	63,679	71.6	18
2019.3	864,224	80,371	87,605	68,796	77.3	23.5
2020.3	923,768	91,853	94,376	70,754	79.4	25
2021.3	894,342	62,414	65,002	55,330	62.1	25.5
2022.3(予)				95,000	66.2	26

※2022年3月期の売上／営業利益／経常利益予想は未発表

6763

帝国通信工業

高配当利回り・内部留保

センサ、可変抵抗器やエンコーダなどの電子部品メーカー。2021年3月期は10円の減配となったが、2022年3月期は元の水準に戻る予想。自己資本比率は80％以上で有利子負債もほとんどなく、財務も良好。キャッシュリッチな企業なので、さらなる増配や大型の特別配当に期待したい。

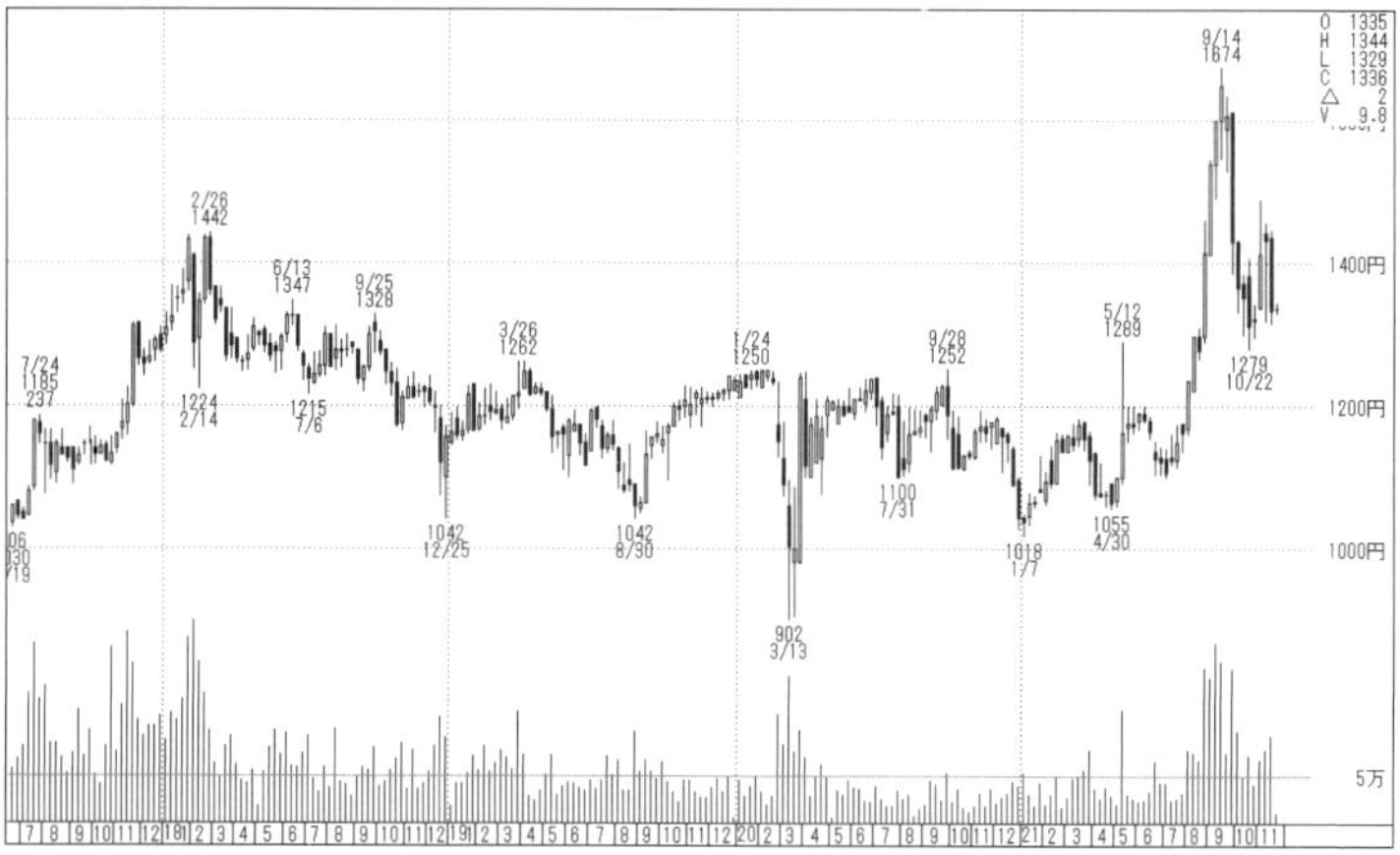

週足/2017.6〜2021.11

市場　東証一部
決算期　3月末
単元　100株
業種　電気機器
株価　1,317円（2021.11.24）
連結予想PER　11.22倍
連結PBR　0.57倍

ROE　3.5％
ROA　2.9％
予想配当利回り　3.80％
配当性向　42.8％
自己資本比率　81.9％
株主優待　なし
当面の予想株価水準　1,000円～1,400円

決算期	売上（百万円）	営業利益（百万円）	経常利益（百万円）	当期純利益（百万円）	1株益（円）	1株配当（円）
2018.3	14,329	1,013	1,131	779	79.4	50
2019.3	13,207	999	1,291	953	97.1	50
2020.3	12,499	624	748	△84	△8.6	50
2021.3	12,022	755	883	755	76.7	40
2022.3（予）	14,000	1,300	1,400	1,150	116.8	50

3597
自重堂

高配当利回り・新興市場

広島県福山市に本社のある作業服（ワークウェア）の製造大手。「Jichodo」「tomoeSAKURA」などのブランドのほか、医療用や介護用の作業服や空調服なども取り扱っている。新型コロナウイルスの影響で、医療・介護用の服が伸びている。ただ、株価が6,000円台と高く、やや投資しにくい点がネック。

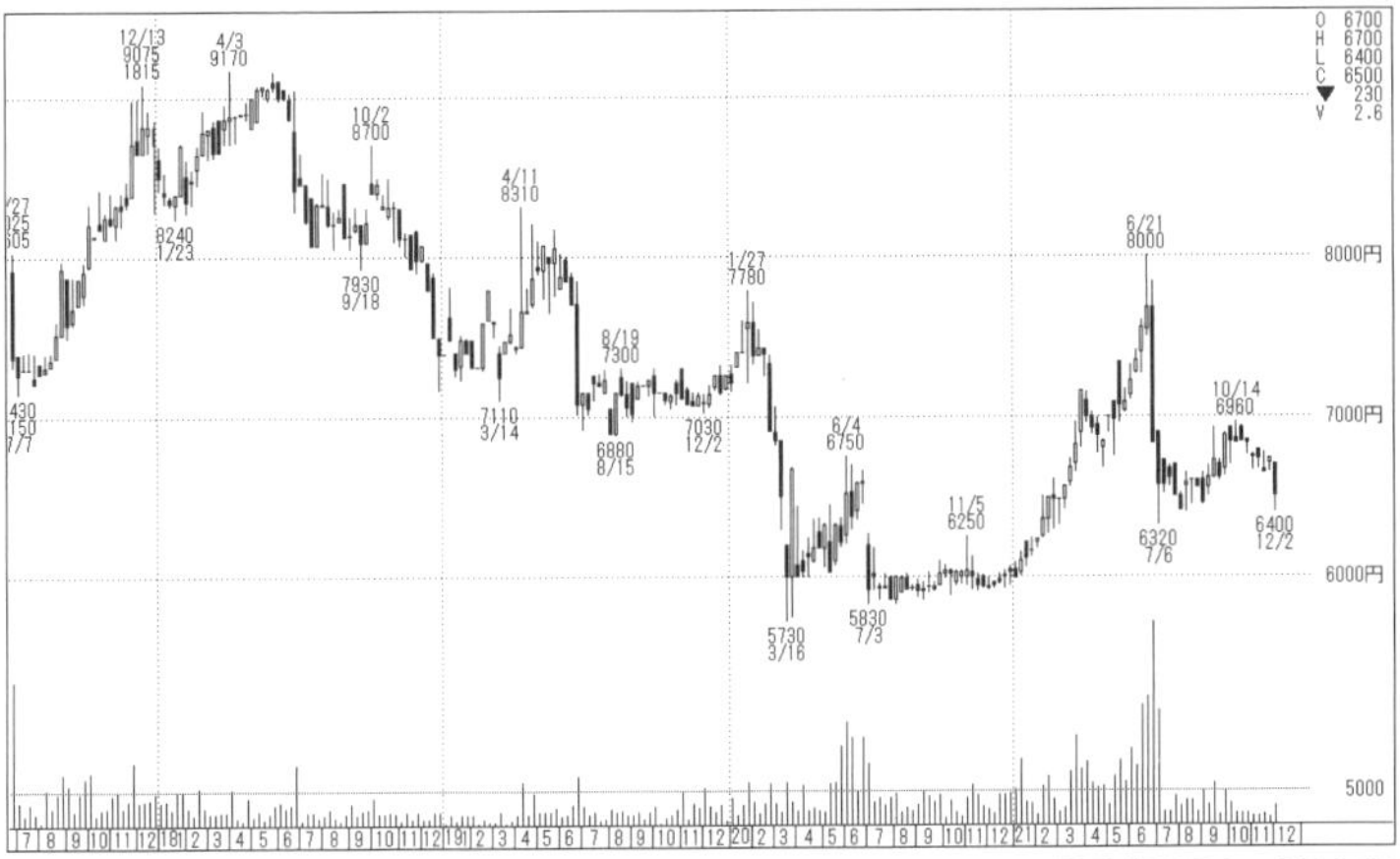

週足/2017.6〜2021.11

市場　東証二部
決算期　6月末
単元　100株
業種　繊維
株価　6,650円（2021.11.24）
連結予想PER　12.78倍
連結PBR　0.58倍

ROE　4.8%
ROA　4.0%
予想配当利回り　4.51%
配当性向　57.7%
自己資本比率　87.6%
株主優待　なし
当面の予想株価水準　6,000円〜8,000円

決算期	売上（百万円）	営業利益（百万円）	経常利益（百万円）	当期純利益（百万円）	1株益（円）	1株配当（円）
2018.6	17,359	2,904	3,163	2,224	771.6	300
2019.6	19,359	2,548	2,744	1,571	545.1	300
2020.6	18,467	1,847	2,279	1,603	556.3	300
2021.6	17,882	2,158	2,245	1,544	535.8	300
2022.6（予）	17,100	2,100	2,200	1,500	520.3	300

※2022年6月期の予想は会社発表の下限の数値

7638

高配当利回り・新興市場

NEW ART HOLDINGS

ブライダルジュエリー事業を中心に、エステなどのヘルス＆ビューティー事業、絵画の卸売り・小売りなどのアート事業なども手掛ける企業。2018年3月期から配当をし始め、業績の伸びとともに配当も大きく伸ばしている。本書執筆時点で、配当利回りが6%なのも魅力。

週足/2017.6～2021.11

市場　東証JASDAQスタンダード
決算期　3月末
単元　100株
業種　小売業
株価　1,167円（2021.11.24）
連結予想PER　11.12倍
連結PBR　2.09倍

ROE　13.2%
ROA　6.3%
予想配当利回り　6.00%
配当性向　66.4%
自己資本比率　45.8%
株主優待　あり
当面の予想株価水準　1,000円～1,500円

決算期	売上(百万円)	営業利益(百万円)	経常利益(百万円)	当期純利益(百万円)	1株益(円)	1株配当(円)
2018.3	14,320	814	725	94	5.8	6
2019.3	17,585	2,526	2,388	916	56.2	20
2020.3	18,620	3,331	3,272	1,529	95.9	30
2021.3	18,936	2,252	2,439	1,126	71.5	50
2022.3(予)	22,730	3,070	2,930	1,660	105.4	70

2730

エディオン

高配当利回り・株主優待

大阪に本社のある西日本中心の家電量販店チェーン。コロナ禍で巣ごもり消費が増えたことで、業績が伸びている。配当利回りが高い上に株主優待（100株保有で1年未満：全店で使えるギフトカード3,000円分、1年以上は4,000円分）もあり、優待も加味すれば100株保有時の利回りは7％程度となる。

週足/2017.6～2021.11

市場　東証一部
決算期　3月末
単元　100株
業種　小売業
株価　1,046円（2021.11.24）
連結予想PER　8.90倍
連結PBR　0.58倍

ROE　8.9％
ROA　4.5％
予想配当利回り　4.21％
配当性向　36.8％
自己資本比率　54.7％
株主優待　あり
当面の予想株価水準　900円～1,200円

決算期	売上(百万円)	営業利益(百万円)	経常利益(百万円)	当期純利益(百万円)	1株益(円)	1株配当(円)
2018.3	686,284	15,378	16,167	8,944	90.8	28
2019.3	718,638	17,842	18,889	11,642	105.3	32
2020.3	733,575	12,284	13,365	10,977	101.3	34
2021.3	768,113	26,785	27,811	16,633	155.3	46
2022.3(予)	715,000	18,900	21,000	12,500	119.6	44

8287

マックスバリュ西日本

新興市場・株主優待

広島に本社のある西日本中心のイオン系列の食品スーパー。株主優待（100株で保有1年未満でも5,000円分の商品券または地域特産品）があり、全国のイオン系列の店舗で利用できる。期末を過ぎると権利落ちで株価が大きく下がる傾向があるので、そのタイミングに買うのが良さそうだ。

週足/2017.6～2021.11

市場　東証二部
決算期　2月末
単元　100株
業種　小売業
株価　1,867円（2021.11.24）
連結予想PER　28.02倍
連結PBR　0.96倍

ROE　3.9%
ROA　1.5%
予想配当利回り　2.14%
配当性向　60.1%
自己資本比率　44.1%
株主優待　あり
当面の予想株価水準　1,700円～2,000円

決算期	売上（百万円）	営業利益（百万円）	経常利益（百万円）	当期純利益（百万円）	1株益（円）	1株配当（円）
2018.2	276,313	4,702	4,978	2,467	94.1	38
2019.2	274,937	2,690	3,000	992	37.8	38
2020.2	542,990	2,742	3,172	△5,327	△101.5	38
2021.2	563,218	8,575	8,883	3,950	75.2	40
2022.2（予）	550,000	6,000	6,100	3,500	66.6	40

■著者紹介

藤本 壱（ふじもと はじめ）

1969年兵庫県伊丹市生まれ。神戸大学工学部電子工学科を卒業後、パッケージソフトメーカーの開発職を経て、現在はパソコンおよびマネー関係の執筆活動のほか、ファイナンシャルプランナー（CFP® 認定者）としても活動している。個人投資家としては、早くからパソコンとデータを駆使した詳細な分析で株式投資を実践している。

・ホームページ　http://www.1-fuji.com/

・ブログ　http://www.h-fj.com/blog

【最近の投資・マネー関連の著書】

「手堅く短期で効率よく稼ぐ 株カラ売り5つの戦術」「高配当・連続増配株投資の教科書」「実戦相場で勝つ！ 株価チャート攻略ガイド」「実戦相場で勝つ！ FXチャート攻略ガイド」（以上、自由国民社）、「Excelでここまでできる！株式投資の分析＆シミュレーション完全入門」（技術評論社）、「プロが教える！金融商品の数値・計算メカニズム」（近代セールス社）などがある。

新版 株初心者も資産が増やせる高配当株投資

2022年1月5日　初版第1刷発行

著　者　藤本　壱

発行者　石井　悟

発行所　株式会社　自由国民社

〒171-0033　東京都豊島区高田3-10-11

https://www.jiyu.co.jp/

電話 03-6233-0781（営業部）

チャート提供　株式会社ゴールデン・チャート社

印刷所　奥村印刷株式会社

製本所　新風製本株式会社

ブックデザイン　吉村朋子

本文DTP　有限会社中央制作社